Mr. Vértigo

Paul Auster

Mr. Vértigo

Traducción de Maribel De Juan

EDITORIAL ANAGRAMA

BARCELONA

Título de la edición original:
Mr. Vertigo
Viking
Nueva York, 1994

Ilustración: © Manuel Marsol

Primera edición: mayo 1995
Octava edición: enero 2021

Diseño de la colección: Julio Vivas y Estudio A

© De la traducción, Maribel De Juan, 1995

© Paul Auster, 1994
c/o Guillermo Schavelzon & Asoc., Agencia Literaria
info@schavelzon.com

© EDITORIAL ANAGRAMA, S. A., 1995
Pedró de la Creu, 58
08034 Barcelona

ISBN: 978-84-339-8079-3
Depósito Legal: B. 20287-2020

Printed in Spain

Liberdúplex, S. L. U., ctra. BV 2249, km 7,4 - Polígono Torrentfondo
08791 Sant Llorenç d'Hortons

I

Yo tenía doce años la primera vez que anduve sobre el agua. El hombre vestido de negro me enseñó a hacerlo, y no voy a presumir de haber aprendido el truco de la noche a la mañana. El maestro Yehudi me encontró cuando yo tenía nueve años y era un huérfano que mendigaba monedas de cinco centavos por las calles de Saint Louis, y trabajó conmigo constantemente durante tres años antes de permitirme mostrar mi número en público. Eso fue en 1927, el año de Babe Ruth y Charles Lindbergh, precisamente el año en que la noche empezó a caer sobre el mundo para siempre. Lo representé hasta pocos días antes del crac de octubre del 29, y lo que hacía era más grande que nada de lo que esos dos caballeros hubiesen podido soñar. Hacía lo que ningún norteamericano había hecho antes que yo y nadie ha hecho desde entonces.

El maestro Yehudi me eligió porque yo era el más pequeño, el más sucio y el más abyecto.

–No eres mejor que un animal –dijo–, un pedazo de nada humana.

Esa fue la primera frase que me dirigió, y aunque han pasado sesenta y ocho años desde esa noche, es como si todavía pudiese oír las palabras saliendo de la boca del maestro.

–No eres mejor que un animal. Si te quedas donde estás, habrás muerto antes de que acabe el invierno. Si vienes conmigo, te enseñaré a volar.

–No hay nadie que pueda volar, señor –dije–. Eso es lo que hacen los pájaros, y estoy seguro de que yo no soy un pájaro.

–Tú no sabes nada –dijo el maestro Yehudi–. No sabes nada porque no eres nada. Si no te he enseñado a volar antes de que cumplas los trece años, puedes cortarme la cabeza con un hacha. Te lo pondré por escrito si quieres. Si no cumplo con mi promesa, mi suerte estará en tus manos.

Era un sábado por la noche a principios de noviembre y estábamos de pie delante del Café Paraíso, una taberna fina del centro que tenía una orquesta de jazz compuesta por músicos de color, y vendedoras de cigarrillos con vestidos transparentes. Yo solía merodear por allí los fines de semana tendiendo la mano, haciendo recados y buscando taxis para los ricachos. Al principio pensé que el maestro Yehudi era solo un borracho más, un rico buscador de alcohol que se tambaleaba por la noche vestido con un esmoquin negro y un sombrero de copa de seda. Su acento era extraño, por lo que me figuré que no era de la ciudad, pero eso me tenía absolutamente sin cuidado. Los borrachos dicen cosas estúpidas, y el asunto aquel de volar no era más estúpido que la mayoría de ellas.

–Si subes demasiado alto por los aires –dije–, puedes romperte el cuello cuando bajas.

–Hablaremos de la técnica más tarde –dijo el maestro–. No es una habilidad fácil de aprender, pero si me escuchas y obedeces mis instrucciones, los dos acabaremos siendo millonarios.

–Usted ya es millonario –dije–. ¿Para qué me necesita?

–Porque, mi desgraciado golfillo, apenas tengo dos monedas para que tintineen la una contra la otra. Puede que te parezca un capitalista sinvergüenza, pero eso es solo porque tienes serrín en lugar de cerebro. Escúchame atentamente. Te estoy ofreciendo la oportunidad de tu vida, y solo tendrás esa oportunidad una vez. Tengo billete para el *Blue Bird Special* que sale a las seis treinta de la mañana y si no subes tu esqueleto a ese tren, esta será la última vez que me veas.

–Todavía no ha contestado usted a mi pregunta –dije.

–Porque eres la respuesta a mis plegarias, hijo. Por eso te necesito. Porque tienes el don.

–¿Don? Yo no tengo ningún don. Y aunque lo tuviera, ¿cómo iba usted a saberlo, Señor Elegantón? Solo hace un minuto que ha empezado a hablar conmigo.

–Te equivocas otra vez –dijo el maestro Yehudi–. Llevo una semana observándote. Y si crees que a tus tíos les daría pena que te fueses, entonces es que no sabes con quién has estado viviendo durante los últimos cuatro años.

–¿Mis tíos? –dije, comprendiendo de repente que aquel hombre no era ningún borracho de sábado por la noche. Era algo peor que eso: un inspector de escolarización, y, tan seguro como que estaba allí de pie, me encontraba metido en la mierda hasta las rodillas.

–Tu tío Slim es un caso perdido –continuó el maestro, tomándose su tiempo ahora que tenía toda mi atención–. Yo no sabía que un ciudadano norteamericano pudiera ser tan tonto. No solo huele mal, sino que es miserable y más feo que Picio. No me extraña que te hayas convertido en un pilluelo con cara de comadreja. Tu tío y yo tuvimos una larga conversación esta mañana, y está dispuesto a dejarte marchar sin que un solo centavo cambie de manos. Imagínate, muchacho. Ni siquiera he tenido que pagar por ti. Y esa cerda rolliza a quien llama su esposa se quedó allí sentada y no dijo una palabra en tu defensa. Si eso es lo mejor que has podido encontrar como familia, tienes suerte de librarte de ellos. La decisión es tuya, pero aunque me rechaces, quizá no sería muy buena idea que volvieses. Se llevarían una desilusión al verte, te lo aseguro. Se quedarían mudos de pena, no sé si me entiendes.

Puede que yo fuese un animal, pero incluso el animal más inferior tiene sentimientos, y cuando el maestro me dio esta noticia, me sentí como si me hubiesen dado un puñetazo. El tío Slim y la tía Peg no eran nada del otro mundo, pero yo vivía en su hogar y me quedé de piedra al enterarme de que no me querían. Después de todo, yo solo tenía nueve años. Aunque era duro para esa edad, no era ni la mitad de duro de lo que fingía ser, y si el maestro no hubiese estado mirándome en ese momento con aquellos ojos oscuros que tenía, probablemente habría comenzado a berrear allí mismo, en la calle.

Cuando pienso ahora en aquella noche, todavía no estoy seguro de si me estaba diciendo la verdad o no. Puede que hubiese hablado con mis tíos, pero también es posible que se hubiese inventado toda la historia. No dudo de que los había visto –sus descripciones eran clavadas–, pero, conociendo a mi tío Slim, me parece casi imposible que me hubiese dejado ir sin sacar algún dinero del asunto. No digo que el maestro Yehudi le estafara, pero dado lo que sucedió después, no hay duda de que el muy bastardo se sintió perjudicado, tanto si la justicia estaba de su lado como si no. No voy a perder el tiempo ahora preguntándome eso. El resultado fue que me tragué lo que el maestro me dijo, y a la larga eso es lo único que vale la pena contar. Me convenció de que no podía volver a casa, y una vez que acepté eso, me importó un comino lo que fuera de mí. Así es como él debía querer que me sintiera, completamente desconcertado y perdido. Si no ves ninguna razón para continuar viviendo, es difícil que te importe mucho lo que pueda ocurrirte. Te dices que desearías estar muerto y después de eso descubres que estás listo para cualquier cosa, incluso para un disparate como desaparecer en la noche con un extraño.

–De acuerdo, señor –dije, bajando la voz un par de octavas y dirigiéndole mi mejor mirada asesina–, ha hecho usted un trato. Pero si no cumple conmigo como ha dicho, puede usted despedirse de su cabeza. Puede que yo sea pequeño, pero nunca permito que un hombre olvide una promesa.

Aún era de noche cuando subimos al tren. Avanzamos hacia el oeste adentrándonos en el amanecer y atravesamos el estado de Missouri mientras la débil luz de noviembre luchaba por abrirse paso entre las nubes. Yo no había salido de Saint Louis desde el día en que enterraron a mi madre, y fue un mundo sombrío el que descubrí aquella mañana: gris y yermo, con interminables campos de maíz marchito flanqueándonos a ambos lados. Llegamos a Kansas City un poco después de mediodía, pero en todas las horas que pasamos juntos creo que el maestro Yehudi no me dirigió más de tres o cuatro palabras. Se pasó la mayor parte del tiempo dormido, dando cabezadas con el sombrero tapándole la cara, pero yo estaba demasiado asustado para hacer cualquier cosa que no fuera mirar por la ventanilla, contemplando la tierra que se deslizaba junto a mí mientras reflexionaba sobre el lío en el que me había metido. Mis amigos de Saint Louis me habían advertido contra los tipos como el maestro Yehudi: hombres solitarios carentes de ocupación y con malvados designios, pervertidos que acechaban en busca de niños que obedecieran sus órdenes. Ya era bastante malo imaginar que él me quitaba la ropa y me tocaba donde yo no deseaba que me tocasen, pero eso no era nada comparado con algunos de los otros temores que entrechocaban dentro de mi cráneo. Había oído la historia de un niño que se había marchado con un desconocido y nunca se volvió a saber de él. Más adelante, el hombre confesó que lo había cortado en pedazos pequeños y lo había cocinado para cenar. A otro niño lo habían encadenado a la pared en un oscuro sótano y no le habían dado nada de comer excepto pan y agua durante seis meses. A otro le habían arrancado la piel a tiras. Ahora que tenía tiempo para considerar lo que había hecho, pensaba que tal vez me esperaba la misma suerte. Había caído en las garras de un monstruo, y si resultaba ser la mitad de siniestro de lo que parecía, lo más probable es que yo no volviera a ver amanecer.

Nos bajamos del tren y echamos a andar por el andén, avanzando entre el gentío.

–Tengo hambre –dije, tirando del abrigo del maestro Yehudi–. Si no me da usted de comer ahora, voy a entregarle al primer poli que vea.

–¿Qué pasó con la manzana que te di? –preguntó él.

–La tiré por la ventanilla del tren.

–Oh, así que no nos gustan demasiado las manzanas, ¿no es eso? ¿Y qué pasó con el sándwich de jamón? Por no hablar del muslo de pollo frito y la bolsa de rosquillas.

–Lo tiré todo. No esperará que me coma la manduca que usted me dé, ¿verdad?

–¿Y por qué no, hombrecito? Si no comes, te consumirás y te morirás. Todo el mundo sabe eso.

–Por lo menos, así te mueres despacio. Si muerdes algo que está lleno de veneno, la palmas ahí mismo.

14

Por primera vez desde que le había conocido, el maestro Yehudi sonrió. Si no me equivoco, creo que incluso llegó a reírse.

—Me estás diciendo que no te fías de mí, ¿no es eso?

—Tiene usted toda la razón. No me fiaría de usted para ir más allá de donde me llevaría una mula muerta.

—Anímate, mequetrefe —dijo el maestro, dándome unas palmaditas afectuosas en el hombro—. Tú eres mi vale de comida, ¿recuerdas? No te haría daño por nada del mundo.

Eso no eran más que palabras, en mi opinión, y yo no era tan tonto como para tragarme esa clase de palabrería azucarada. Pero entonces el maestro Yehudi metió la mano en su bolsillo, sacó un billete de dólar nuevo y tieso y me lo puso en la palma de la mano.

—¿Ves ese restaurante que hay allí? —dijo, señalando un fonducho en medio de la estación—. Entra y zámpate el almuerzo más grande que puedas meterte en esa tripa. Te esperaré aquí.

—¿Y usted? ¿Tiene algo contra el comer?

—No te preocupes por mí —respondió el maestro Yehudi—. Mi estómago sabe cuidarse. —Luego, justo cuando yo iba a dar media vuelta, añadió—: Un consejo, mequetrefe. En caso de que estés planeando escaparte, este es el momento de hacerlo. Y no te preocupes por el dólar. Puedes quedártelo por las molestias.

Entré en el restaurante yo solo, sintiéndome algo más apaciguado por sus últimas palabras. Si tuviera algún propósito siniestro, ¿por qué iba a ofrecerme una oportunidad de escapar? Me senté ante el mostrador y pedí un plato especial y una botella de zarzaparrilla. Antes de que hubiese podido parpadear, el camarero me puso delante una montaña de cecina y repollo. Era la comida más grande con la

15

que yo me había encontrado nunca, una comida tan grande como el parque del Deportista en Saint Louis, y devoré hasta el último bocado, junto con dos rebanadas de pan y una segunda botella de zarzaparrilla. No hay nada que pueda compararse a la sensación de bienestar que me inundó ante aquel asqueroso mostrador. Una vez que tuve la panza llena, me sentí invencible, como si nada pudiera hacerme daño de nuevo. El remate fue cuando saqué el billete de dólar de mi bolsillo para pagar la cuenta. Todo aquello costaba solamente cuarenta y cinco centavos, e incluso después de dejar cinco centavos de propina para el camarero, me quedaron dos monedas de veinticinco del cambio. Hoy no parece mucho, pero en aquel entonces cincuenta centavos representaban una fortuna para mí. Esta es mi oportunidad de huir, me dije, echándole una ojeada a aquel antro mientras me bajaba del taburete. Puedo escaparme por la puerta lateral y el hombre de negro nunca sabrá qué me ha ocurrido. Pero no lo hice, y de aquella elección depende toda la historia de mi vida. Volví a donde me esperaba el maestro porque me había prometido convertirme en millonario. Basándome en esos cincuenta centavos, pensé que quizá valía la pena ver si había algo de verdad en aquella fanfarronada.

Cogimos otro tren después de eso, y luego un tercero ya cerca del final del viaje que nos llevó hasta la ciudad de Cíbola a las siete de esa noche. El maestro Yehudi, que había estado tan callado toda la mañana, casi no paró de hablar durante el resto del día. Yo ya estaba aprendiendo a no hacer suposiciones respecto a lo que iba a hacer o no hacer. Justo cuando creías que le habías calado, él hacía exactamente lo contrario de lo que tú esperabas.

–Puedes llamarme maestro Yehudi –dijo, comunicándome su nombre por primera vez–. Si quieres, puedes llamarme maestro para abreviar. Pero nunca, en ninguna circunstancia, puedes llamarme Yehudi. ¿Está claro?

–¿Es ese el nombre que Dios le dio –dije–, o eligió usted mismo ese apodo?

–No hay necesidad de que sepas mi verdadero nombre. Maestro Yehudi será suficiente.

–Bueno, yo soy Walter. Walter Claireborne Rawley. Pero puede usted llamarme Walt.

–Te llamaré como me dé la gana. Si quiero llamarte Gusano, te llamaré Gusano. Si quiero llamarte Cerdo, te llamaré Cerdo. ¿Entendido?

–Diantre, señor, no entiendo nada de lo que me dice.

–Tampoco toleraré mentiras ni duplicidades. Ni excusas, ni quejas, ni réplicas. Una vez que comprendas, vas a ser el chico más feliz de la tierra.

–Seguro. Y si un hombre sin piernas tuviera piernas, podría mear de pie.

–Conozco tu historia, hijo, así que no tienes que inventarte ningún cuento fantástico para mí. Sé que tu padre murió gaseado en Bélgica en el 17. Y también sé lo de tu madre, que hacía la calle en el este de Saint Louis por un dólar el revolcón, y lo que sucedió hace cuatro años y medio cuando aquel policía loco la apuntó con su revólver y le voló la cara. No creas que no te compadezco, muchacho, pero nunca llegarás a ninguna parte si eludes la verdad al tratar conmigo.

–De acuerdo, señor Sabihondo. Si tiene todas las respuestas, ¿por qué desperdicia su aliento contándome cosas que ya sabe?

–Porque tú sigues sin creer una palabra de lo que te he dicho. Piensas que esta historia de volar no es más que pura cháchara. Vas a trabajar duro, Walt, más duro de lo que has

17

trabajado nunca, y vas a querer dejarme casi todos los días, pero si perseveras y confías en lo que te digo, al cabo de pocos años podrás volar. Te lo juro. Podrás elevarte del suelo y volar por el aire como un pájaro.

–Yo soy de Missouri, ¿recuerda? No lo llaman el estado de Si-no-lo-veo-no-lo-creo porque sí.

–Bueno, ya no estamos en Missouri, amiguito. Estamos en Kansas. Y en tu vida has visto un sitio más llano y desolado. Cuando Coronado y sus hombres lo atravesaron en 1540 buscando El Dorado, acabaron tan perdidos que la mitad de ellos se volvieron locos. No hay nada que te indique dónde estás. Ni montañas, ni árboles, ni accidentes en la carretera. Es tan monótono como la muerte, y cuando lleves aquí algún tiempo, entenderás que no hay donde ir excepto hacia arriba, que el cielo es el único amigo que tienes.

Ya había anochecido cuando entramos en la estación, así que no había forma de comprobar si la descripción del maestro de mi nuevo hogar era correcta. Por lo que yo podía ver, el pueblo no era distinto de lo que uno esperaría ver en un pueblo. Un poco más frío, quizá, y bastante más oscuro de lo que yo estaba acostumbrado, pero dado que yo nunca había estado en un pueblo, no tenía ni idea de lo que podía esperar. Todo era nuevo para mí: todos los olores eran extraños, todas las estrellas del cielo me parecían desconocidas. Si alguien me hubiera dicho que acababa de entrar en la Tierra de Oz, no creo que hubiese notado la diferencia.

Cruzamos el edificio de la estación y nos detuvimos delante de la puerta un momento examinando el oscuro pueblo. Solo eran las siete de la tarde, pero todo estaba cerrado y, exceptuando unas cuantas lámparas que ardían en las casas, no había señal de vida en ninguna parte.

–No te preocupes –dijo el maestro Yehudi–, nuestro coche llegará en cualquier momento.

Trató de cogerme la mano, pero yo retiré el brazo de un tirón antes de que él pudiera agarrarme firmemente.

–Las manos quietas, señor maestro –dije–. Puede que crea que ahora le pertenezco, pero se equivoca.

Unos nueve segundos después de que yo hubiera pronunciado esas palabras, un caballo grande y gris apareció al final de la calle tirando de una calesa. Parecía algo sacado de una película del Oeste de Tom Mix que yo había visto ese verano en el Picture Palace, pero estábamos en 1924, por Dios santo, y cuando vi aquel anticuado vehículo venir estruendosamente por la calle pensé que era una aparición. Pero hete aquí que el maestro Yehudi levantó el brazo y agitó la mano cuando lo vio, y entonces el viejo caballo gris se detuvo justo delante de nosotros, junto al bordillo, mientras chorros de vapor salían por sus narices. El cochero era una figura rechoncha con un sombrero de ala ancha y el cuerpo envuelto en mantas, y al principio no supe si se trataba de un hombre, una mujer o un oso.

–Hola, madre Sue –dijo el maestro–. Mira lo que he encontrado.

La mujer me miró durante un par de segundos con ojos inexpresivos y fríos y luego, de repente, me dirigió una de las sonrisas más cálidas y amistosas que he tenido el placer de recibir. No habría más de dos o tres dientes en sus encías y por la forma en que brillaban sus ojos oscuros llegué a la conclusión de que era gitana. Era madre Sue, la Reina de los Gitanos, y el maestro Yehudi era su hijo, el Príncipe de las Tinieblas. Me llevaban secuestrado al Castillo de Irás y No Volverás, y si no me comían para cenar esa noche, me convertirían en un esclavo, un eunuco servil con un pendiente en la oreja y un pañuelo de seda atado a la cabeza.

–Sube, hijito –dijo madre Sue. Su voz era tan profunda y masculina que me habría llevado un susto de muerte si no hubiera sabido que era capaz de sonreír–. Verás unas mantas en la parte de atrás. Si sabes lo que te conviene, úsalas. Tenemos un largo y frío paseo por delante, y no querrás llegar allí con el culo helado.

–Se llama Walt –dijo el maestro mientras se sentaba a su lado–. Es un pilluelo con el cerebro lleno de pus que encontré en la calle de las tabernuchas. Si mi intuición es correcta, es el que he estado buscando todos estos años. –Luego, volviéndose hacia mí, dijo bruscamente–: Esta es madre Sue, muchacho. Trátala bien y ella te dará solo bondad a cambio. Enfádala y lamentarás haber nacido. Puede que esté gorda y desdentada, pero es lo más próximo a una madre que tendrás nunca.

No sé cuánto tardamos en llegar a la casa. Estaba en alguna parte en el campo, a unos veinticinco kilómetros del pueblo, pero no me enteré de eso hasta más tarde, porque una vez que me metí debajo de las mantas y la calesa echó a rodar por el camino, me quedé profundamente dormido. Cuando abrí los ojos de nuevo, ya habíamos llegado, y si el maestro no me hubiese despertado con una palmada en la cara, probablemente habría dormido hasta la mañana siguiente.

Me llevó a la casa mientras madre Sue desenganchaba el jamelgo, y la primera habitación en la que entramos fue la cocina: un espacio desnudo y mal iluminado con una estufa de leña en un rincón y una lámpara de queroseno parpadeando en otro. Un muchacho negro de unos quince años estaba sentado a la mesa leyendo un libro. No era pardo como la mayoría de la gente de color con la que yo me había tropezado en mi ciudad, era del color de la pez, un negro tan negro que era casi azul. Era todo un etíope, un negrito de las selvas del África más profunda, y mi corazón estuvo a punto de dejar de latir cuando le vi. Era un tipo frágil y flaco con los ojos saltones y unos labios enormes, y tan pronto como se levantó de su silla para saludarnos, vi que sus huesos estaban todos torcidos, que tenía el cuerpo irregular y corcovado de un tullido.

–Este es Aesop –me dijo el maestro–, el mejor chico que haya vivido nunca. Salúdale, Walt, y dale la mano. Él va a ser tu nuevo hermano.

–Yo no voy a darle la mano a ningún negro –dije–. Está usted loco si cree que haría semejante cosa.

El maestro Yehudi dejó escapar un fuerte y prolongado suspiro. No era tanto una expresión de disgusto como de pena, un monumental estremecimiento que salía de las profundidades de su alma. Luego, con la máxima premeditación y calma, curvó el dedo índice de la mano derecha hasta formar un gancho rígido y puso la punta de ese gancho directamente debajo de mi barbilla en el punto exacto donde la carne se encuentra con el hueso. Entonces empezó a presionar e inmediatamente un dolor horrible se extendió por mi nuca y penetró en mi cráneo. Yo nunca había sentido un dolor así antes. Me esforcé por gritar, pero tenía la garganta bloqueada y no pude hacer otra cosa que emitir un ruido como de arcadas. El maestro continuó apretando con su dedo y entonces noté que mis pies se levantaban del suelo. Me movía hacia arriba, elevándome por el aire como una pluma, y el maestro parecía conseguir esto sin el menor esfuerzo, como si yo no tuviera más peso para él que una mariquita. Finalmente me levantó hasta que mi cara se encontró al mismo nivel que la suya y yo estaba mirándole directamente a los ojos.

–Por aquí no hablamos así, muchacho –dijo–. Todos los hombres son hermanos y en esta familia a todo el mundo se le trata con respeto. Esa es la ley. Si no te gusta, lárgate. La ley es la ley, y quien va contra ella se transforma en una babosa y se revuelca en la tierra el resto de sus días.

Me alimentaron, me vistieron y me dieron una habitación para mí solo. No me abofetearon ni me zurraron, no me dieron patadas, ni puñetazos, ni coscorrones, y sin embargo, a pesar de que la situación era tolerable para mí, nunca había estado más abatido, más lleno de amargura y furia acumulada. Durante los primeros seis meses, solo pensé en escapar. Yo era un chico de ciudad que había crecido con el jazz en la sangre, un golfo callejero con el ojo puesto en la mejor oportunidad, y amaba el bullicio de las multitudes, el chirrido de los tranvías, el latido del neón y el hedor del whisky ilegal corriendo por las cunetas. Era un bromista bailarín, un improvisador enano con la lengua rápida y cien artimañas, y me encontraba atrapado en mitad del desierto, viviendo bajo un cielo que, por lo general, solo traía mal tiempo.

La propiedad del maestro Yehudi consistía en treinta y siete acres de tierra árida, una casa de dos plantas, un gallinero, una pocilga y un establo. Había una docena de gallinas en el gallinero, dos vacas y el caballo gris en el establo, y seis o siete cerdos en la pocilga. No había electricidad, ni agua corriente, ni teléfono, ni radio, ni fonógrafo, ni nada. La única fuente de entretenimiento era el piano de la sala, pero solo Aesop sabía tocarlo, y hacía tal chapuza hasta con las canciones más sencillas, que yo siempre salía de la habitación en el momento en que él se sentaba y ponía los dedos sobre las teclas. Aquel lugar era un estercolero, la capital mundial del aburrimiento y yo estaba harto el primer día. En aquella casa ni siquiera conocían el béisbol, y yo no tenía a nadie con quien hablar de mis queridos Cardinals, que era casi el único tema que me interesaba entonces. Me sentía como si me hubiese caído por una grieta en el tiempo y hubiese aterrizado en la edad de piedra, en una región donde los dinosaurios aún recorrían la tierra. Según madre Sue, el maestro Yehudi había ganado la granja en una apuesta con un tipo en Chicago unos siete años antes. Menuda apuesta, dije. El perdedor resulta ser el ganador, y el ganador es un primo que echa a perder su futuro en Culodelmundo, Estados Unidos de América.

Yo era un irritable zopenco en aquel entonces, debo reconocerlo, pero no voy a disculparme. Era como era, el producto de la gente y los lugares de donde procedía, y no tiene ningún sentido lamentarse de ello ahora. Lo que más me impresiona de aquellos primeros meses es la paciencia que tuvieron conmigo, lo bien que parecían comprenderme y tolerar mis travesuras. Me escapé cuatro veces aquel primer invierno, y en una de ellas llegué hasta Wichita, y cada vez me recogieron sin hacerme preguntas. Yo estaba apenas un pelo por encima de la nada, una molécula o dos por encima del punto de desvanecimiento de lo que constituye un ser humano, y, puesto que el maestro consideraba que mi alma no era más elevada que la de un animal, allí es donde me hizo empezar: en el establo con los animales.

A pesar de lo mucho que detestaba aquellas gallinas y cerdos, prefería su compañía a la de la gente. Me resultaba difícil decidir a quién odiaba más, y todos los días reordenaba mis animosidades. Madre Sue y Aesop recibían su parte de mi desprecio interno, pero al final era el maestro el que provocaba mi máxima ira y resentimiento. Él era el truhán que me había engañado para que fuese allí, y si había que culpar a alguien por el apuro en el que me encontraba, el principal culpable era él. Lo que más me molestaba era su sarcasmo, las agudezas e insultos que me lanzaba constantemente, la forma en que me acosaba y perseguía sin ningún motivo excepto el de demostrar lo poco que yo valía. Con los otros dos siempre era cortés, un modelo de corrección, pero raras veces desperdiciaba una oportunidad de decir algo malévolo respecto a mí. La cosa comenzó la primera mañana y a partir de entonces no cesó nunca. Al poco tiempo me di cuenta de que no era mejor que el tío Slim. Aunque no me azotara como hacía este, las palabras del maestro tenían fuerza y hacían tanto daño como un golpe en la cabeza.

–Bueno, mi golfillo de finas plumas –me dijo aquella primera mañana–, dame un informe confidencial de lo que sabes sobre las tres erres.

–¿Tres? –dije, optando por la réplica rápida e ingeniosa–. Yo no tengo más que un culo y lo uso siempre que me siento. Igual que todo el mundo.[1]

–Me refiero a la escuela, desgraciado. ¿Has puesto alguna vez el pie en un aula? Y, de ser así, ¿qué has aprendido allí?

---

1. Aquí hay un juego de palabras imposible de traducir. Las tres erres son *reading, (w)riting, (a)rithmetic:* lectura, escritura y aritmética. «Erres» se pronuncia en inglés igual que *arse,* que significa «culo». *(N. de la T.)*

–No necesito ninguna escuela para aprender. Tengo cosas mejores que hacer con mi tiempo.

–Excelente. Has hablado como un estudioso. Pero sé más específico. ¿Qué hay del abecedario? ¿Sabes escribir las letras del abecedario?

–Algunas de ellas. Las que sirven a mi propósito. Las otras no me importan. Solo me fastidian. Así que no me preocupo por ellas.

–Y ¿cuáles son las que sirven a tu propósito?

–Bueno, veamos. Está la A, esa me gusta, y la W. Luego está la comosellame, la L, y la E, y la R, y la que parece una cruz. La T. Esas letras son mis amigas, y el resto se pueden ir a hacer puñetas.

–Así que sabes escribir tu nombre.

–Eso es lo que le estoy diciendo, jefe. Sé escribir mi nombre, sé contar hasta donde haga falta y sé que el sol es una estrella en el cielo. También sé que los libros son para las niñas y los mariquitas, y si usted está planeando enseñarme algo que venga en los libros, podemos anular nuestro acuerdo ahora mismo.

–No te enfades, muchacho. Lo que acabas de decirme es música en mis oídos. Cuanto más tonto seas, mejor para los dos. Así hay menos que deshacer y eso nos ahorrará mucho tiempo.

–Y ¿qué me dice de las lecciones de vuelo? ¿Cuándo las empezamos?

–Ya las hemos empezado. A partir de ahora todo lo que hagamos estará relacionado con tu entrenamiento. Eso no siempre te parecerá evidente, así que intenta recordarlo. Si no lo olvidas, podrás aguantar cuando el camino se vuelva duro. Nos estamos embarcando en un largo viaje, hijo, y la primera cosa que tengo que hacer es quebrar tu voluntad.

26

Me gustaría que pudiera ser de otra manera, pero no es posible. Considerando la inmundicia de donde vienes, no debería ser una tarea demasiado difícil.

Así que yo pasaba mis días apaleando estiércol en el establo, congelándome como un carámbano, mientras los demás estaban cómodos y calentitos dentro de la casa. Madre Sue se ocupaba de cocinar y hacer las tareas domésticas, Aesop haraganeaba en el sofá leyendo libros y el maestro Yehudi no hacía nada en absoluto. Su principal ocupación parecía consistir en estar sentado en una silla de madera de respaldo recto mirando por la ventana desde que el sol salía hasta que se ponía. Exceptuando sus conversaciones con Aesop, eso fue lo único que le vi hacer hasta la primavera. A veces les escuchaba cuando hablaban, pero nunca pude entender lo que decían. Utilizaban tantas palabras complicadas que era como si se comunicaran en su propia jerga privada. Más adelante, cuando me adapté un poco más al ritmo de las cosas, me enteré de que estaban estudiando. El maestro Yehudi había asumido la responsabilidad de educar a Aesop en las artes liberales, y los libros que leían trataban de muchos temas diferentes: historia, ciencias, literatura, matemáticas, latín, francés, etcétera. Tenía su proyecto de enseñarme a volar, pero también estaba decidido a convertir a Aesop en un estudioso, y por lo que yo podía ver, ese segundo proyecto le importaba mucho más que el mío. El maestro me lo expuso así una mañana poco después de mi llegada:

–Él estaba en una situación aún peor que la tuya, enano. Cuando le encontré hace doce años iba arrastrándose por un campo de algodón en Georgia vestido con harapos. No comía desde hacía dos días, y su madre, que no era más que una niña, estaba muerta a causa de la tuberculosis en su choza a veinte kilómetros de allí. Esa era la distancia que el niño había recorrido desde su casa. Deliraba a causa del hambre, y si yo no le hubiera encontrado por casualidad en ese momento, cualquiera sabe lo que le habría sucedido. Puede que su cuerpo esté contorsionado y tenga una forma trágica, pero su mente es un instrumento glorioso, y ya me ha sobrepasado en la mayoría de los campos. Mi plan es mandarle a la universidad dentro de tres años. Allí podrá continuar sus estudios, y una vez que se licencie y salga al mundo, se convertirá en un líder de su raza, un deslumbrante ejemplo para todos los negros pisoteados de este país violento e hipócrita.

No pude entender ni una palabra de lo que el maestro estaba diciendo, pero el amor que había en su voz me quemó y se grabó en mi mente. A pesar de toda mi estupidez, eso lo pude comprender. Amaba a Aesop como si fuera su propio hijo, y yo no era mejor que un chucho, un animal de raza indefinida al que escupir y dejar bajo la lluvia.

Madre Sue era mi compañera en la ignorancia, analfabeta y holgazana como yo, y aunque esto podría haber contribuido a crear un vínculo entre nosotros, no ocurrió así. No había ninguna hostilidad manifiesta en ella, pero al mismo tiempo me daba repeluznos, y creo que tardé más en acostumbrarme a su rareza que a la de los otros dos, a los cuales tampoco se les podía llamar normales. Incluso sin las mantas envolviendo su cuerpo y sin el sombrero cubriendo su cabeza, yo tenía dificultad para determinar a qué sexo pertenecía. Esto me resultaba perturbador, e incluso después de que la vislumbré desnuda a través del ojo de la cerradura de su puerta y vi con mis propios ojos que poseía un par de tetas y que no había ningún miembro colgando de su matorral, aún no quedé plenamente convencido. Sus manos eran fuertes como las de un hombre, tenía los hombros anchos y músculos abultados en los brazos, y exceptuando cuando me dirigía una de sus infrecuentes y hermosas sonrisas, su cara era tan remota e inexpresiva como un bloque de madera. Quizá fuera eso lo que más me inquietaba de ella: su silencio, la forma en que parecía mirar a través de mí, como si yo no estuviera allí. En el orden jerárquico de la casa yo estaba directamente debajo de ella, lo cual significaba que tenía más tratos con madre Sue que con ningún otro. Ella era la que me asignaba las tareas y me vigilaba, la que se aseguraba de que me lavara la cara y me cepillara los dientes antes de acostarme, y sin embargo, a pesar de todas las horas que pasaba en su compañía, hacía que me sintiera más solo que si hubiese estado verdaderamente solo. Una sensación de vacío se insinuaba en mis tripas cada vez que ella estaba cerca, como si su mera presencia fuera a hacer que me encogiese. No importaba cómo me comportase. Podía brincar o estarme quieto, podía vociferar o quedarme callado, el resultado no variaba nunca. Madre Sue era una pared, y cada vez que yo me aproximaba a esa pared me convertía en una bocanada de humo, una diminuta nube de cenizas esparcidas al viento.

El único que me mostraba verdadera bondad era Aesop, pero yo estaba en contra de él desde el principio, y nada de lo que él pudiera decir o hacer cambiaría eso. Yo no podía remediarlo. Estaba en mi sangre sentir desprecio por él, y dado que era el ejemplar más feo de su raza que yo había tenido la desgracia de ver, me parecía disparatado que estuviésemos viviendo bajo el mismo techo. Iba contra las leyes de la naturaleza, transgredía todo lo que era sagrado y correcto, y yo no iba a permitirme aceptarlo. Cuando a eso se sumaba el hecho de que Aesop hablaba como ningún otro muchacho de color en la faz de la tierra –más como un lord inglés que como un americano– y también el hecho adicional de que era el favorito del maestro, yo ni siquiera podía pensar en él sin sucumbir a un ataque de nervios. Para empeorar las cosas, tenía que mantener la boca cerrada siempre que él estaba presente. Unos cuantos comentarios seleccionados habrían desahogado parte de mi rabia, supongo, pero recordaba el dedo del maestro clavado debajo de mi barbilla y no tenía ganas de someterme a esa tortura de nuevo.

Lo peor de todo era que a Aesop no parecía importarle que yo le despreciara tanto. Perfeccioné todo un repertorio de miradas ceñudas y muecas para utilizarlo en su compañía, pero cada vez que le lanzaba una de esas miradas, él se limitaba a menear la cabeza y sonreír para sí. Lo cual hacía que me sintiera como un idiota. Por mucho que me esforzara por herirle, él nunca me permitía exasperarle, nunca me daba la satisfacción de marcar un tanto contra él. No estaba simplemente ganando la guerra entre nosotros, estaba ganando cada maldita batalla de esa guerra, y pensé que si ni siquiera podía superar a un diablo negro en un limpio intercambio de insultos, entonces toda aquella pradera de Kansas debía de estar embrujada. Debían de haberme llevado con engaños a una tierra de malos sueños, y cuanto más luchaba por despertarme, más terrorífica se volvía la pesadilla.

–Deberías ser más flexible –me dijo Aesop una tarde–. Estás tan seguro de tus propias convicciones, que eso te ciega respecto a lo que te rodea. Y si no puedes ver lo que tienes delante de las narices, nunca podrás mirarte a ti mismo y saber quién eres.

–Sé quién soy –dije–. Eso no me lo puede robar nadie.

–El maestro no te está robando nada. Te está dando el don de la grandeza.

30

–Escucha, hazme un favor, ¿quieres? No menciones el nombre de ese buitre delante de mí. Ese maestro tuyo me da escalofríos, y cuanto menos tenga que pensar en él, mejor estaré.

–Te quiere, Walt. Cree en ti con toda su alma.

–Y un cuerno. A ese farsante no le importa nada, absolutamente nada. Es el rey de los gitanos, eso es lo que es, y si tuviera alma, y no digo que la tenga, entonces la tendría llena de maldad.

–¿El rey de los gitanos? –Los ojos de Aesop se salieron de sus órbitas por el asombro–. ¿Es eso lo que piensas? –La idea debió de hacerle gracia, porque un momento más tarde se agarró el estómago y empezó a sacudirse con un ataque de risa–. La verdad es que se te ocurre cada cosa... –dijo, limpiándose las lágrimas–. ¿Cómo se te ha metido esa idea en la cabeza?

–Bueno –dije, notando las mejillas sonrojadas por la vergüenza–, si no es gitano, ¿qué diablos es?

–Húngaro.

–¿Qué? –tartamudeé.

Era la primera vez que oía a alguien usar esa palabra y me quedé tan perplejo que momentáneamente perdí el habla.

–Húngaro. Nació en Budapest y vino a los Estados Unidos de niño. Creció en Brooklyn, Nueva York, y tanto su padre como su abuelo eran rabinos.

–Y ¿qué es eso, una forma inferior de roedor?

–Es un profesor judío. Una especie de ministro o sacerdote, solo que para los judíos.

–Bueno, entonces está claro –dije–. Eso lo explica todo, ¿no? Es peor que un gitano, el viejo doctor Cejas Negras es un fariseo. No hay nada peor en todo este miserable planeta.

–Más vale que no te oiga hablar así –dijo Aesop.

–Conozco mis derechos –dije–. Y ningún judío me va a mangonear. Lo juro.

–Tómatelo con calma, Walt. No haces más que buscarte problemas.

–Y ¿qué me dices de esa bruja, madre Sue? ¿Es otra de esos fariseos?

Aesop negó con la cabeza mirando al suelo. En mi voz hervía la cólera de tal modo que él no se atrevía a mirarme a los ojos.

–No –dijo–. Es una sioux oglala. Su abuelo era el hermano de Toro Sentado, y cuando era joven fue la principal amazona en el Espectáculo del Salvaje Oeste de Buffalo Bill.

–Me estás tomando el pelo.

–No se me ocurriría. Lo que te estoy diciendo es la pura y simple verdad. Estás viviendo en la misma casa con un judío, un negro y una india, y cuanto antes lo aceptes, más feliz serás.

Había resistido tres semanas hasta entonces, pero después de esa conversación con Aesop supe que no podría soportarlo más. Me fugué de allí aquella misma noche; esperé hasta que todos estuvieron dormidos y luego me levanté de la cama a hurtadillas, me escabullí por las escaleras y salí de puntillas a la helada oscuridad de diciembre. No había luna en el cielo, ni siquiera una estrella que me iluminara, y en el mismo momento en que crucé el umbral me golpeó un viento tan furioso que me empujó directamente contra el costado de la casa. Mis huesos no eran más pesados que el algodón en aquel viento. La noche era un estruendo y el aire soplaba y atronaba como si llevara la voz de Dios, aullando su ira sobre cualquier criatura lo bastante idiota como para levantarse contra ella. Me convertí en ese idiota, y una y otra vez me levanté del suelo y luché para adentrarme en el torbellino, girando como un molinillo mientras mi cuerpo avanzaba centímetro a centímetro por el patio. Después de diez o doce intentos estaba completamente agotado, era un casco de buque vacío y baqueteado. Había llegado hasta la pocilga, y justo cuando estaba a punto de ponerme de rodillas una vez más, mis ojos se cerraron y perdí la conciencia. Pasaron las horas. Me desperté al romper el alba y me encontré rodeado de cuatro cerdos dormidos. Si no hubiera caído entre aquellos puercos, es muy probable que hubiera muerto congelado durante la noche. Pensando en ello ahora, supongo que fue un milagro, pero cuando abrí los ojos aquella mañana y vi dónde estaba, lo primero que hice fue levantarme de un salto y escupir, maldiciendo mi mala suerte.

No tenía ninguna duda de que el maestro Yehudi era el responsable de lo que me había sucedido. En aquella primera etapa de nuestra historia juntos le atribuía toda clase de poderes sobrenaturales, y estaba plenamente convencido de que él había provocado aquel viento feroz sin otro motivo que impedirme la huida. Durante varias semanas después de eso mi cabeza estuvo llena de multitud de teorías y especulaciones disparatadas. La más aterradora tenía que ver con Aesop, y era mi creciente certidumbre de que él había nacido blanco. Era terrible pensar eso, pero todas las pruebas parecían apoyar mi conclusión. Hablaba como un blanco, ¿no? Actuaba como un blanco, pensaba como un blanco, tocaba el piano como un blanco, y solo porque su piel fuera negra, ¿por qué iba yo a creer a mis ojos cuando mis tripas me decían otra cosa? La única respuesta era que él había nacido blanco. Hacía años, el maestro le había elegido para que fuese su primer alumno en el arte de volar. Le había dicho a Aesop que saltara desde el tejado del establo y Aesop había saltado, pero en lugar de coger las corrientes de viento y elevarse por los aires, había caído al suelo y se había roto todos los huesos de su cuerpo. Eso explicaba su lamentable y torcida osamenta, pero luego, para empeorar las cosas, el maestro Yehudi le había castigado por su fracaso. Invocando el poder de cien demonios judíos, había señalado a su discípulo con el dedo y le había convertido en un espantoso negro. La vida de Aesop había quedado destruida, y no había duda de que la misma suerte me esperaba a mí. No solo acabaría con la piel negra y el cuerpo lisiado, sino que me vería obligado a pasar el resto de mis días estudiando libros.

Me fugué por segunda vez en mitad de la tarde. La noche me había frustrado con su magia, así que contraataqué con una nueva estrategia y me marché a plena luz del día, pensando que si podía ver por dónde iba, no habría ningún duende que amenazara mis pasos. Durante la primera hora o dos, todo fue de acuerdo con mis planes. Salí furtivamente del establo justo después del almuerzo y me encaminé a Cibola, decidido a mantener un paso rápido para llegar al pueblo antes de que anocheciera. Allí iba a subirme a un tren de mercancías y dirigirme al Este. Si no me metía en líos, al cabo de veinticuatro horas estaría de nuevo paseando por los bulevares de la vieja y querida Saint Louis.

Así que ahí iba yo, trotando por la llana y polvorienta carretera con los ratones del campo y los cuervos, sintiéndome más confiado a cada paso que daba, cuando de pronto levanté los ojos y vi una calesa que venía en dirección contraria. Se parecía sorprendentemente a la calesa que pertenecía al maestro Yehudi, pero puesto que acababa de verla en el establo antes de salir, me encogí de hombros pensando que era una coincidencia y continué andando.

Cuando estaba a unos doce metros de ella, levanté la vista de nuevo. La lengua se me quedó pegada al paladar, los ojos se me salieron de las órbitas y cayeron a mis pies. Efectivamente, era la calesa del maestro Yehudi, y sentado en el pescante iba el maestro en persona, que me miraba con una gran sonrisa en la cara. Detuvo la calesa y me saludó quitándose el sombrero de un modo despreocupado y amistoso.

–Hola, hijo. Hace un poco de frío para pasear esta tarde, ¿no crees?

–El tiempo que hace me va bien –dije–. Por lo menos aquí se puede respirar. Si te quedas demasiado tiempo en el mismo sitio, empiezas a ahogarte con tu propio aliento.

–Claro, lo comprendo. Un chico necesita estirar las piernas. Pero la salida ha terminado ya, es hora de volver a casa. Sube, Walt, y veremos si podemos llegar antes de que los otros se den cuenta de que hemos salido.

No tenía elección, así que subí y me senté a su lado mientras él sacudía las riendas para que el caballo se pusiera de nuevo en marcha. Por lo menos no me estaba tratando con su habitual grosería, y aunque yo estaba deshecho porque mi escapada se había frustrado, no iba a permitir que supiera lo que me proponía. Probablemente ya lo había adivinado, pero antes que revelar lo decepcionado que estaba, le seguí la corriente y fingí que había salido a dar un paseo.

–No es bueno para un chico estar tan encerrado –dije–. Le pone triste y malhumorado, y entonces no emprende sus tareas con el espíritu adecuado. Si le das un poco de aire fresco, entonces está mucho más dispuesto a hacer su trabajo.

–Oigo lo que dices, compañero –dijo el maestro–, y entiendo cada palabra.

—Bueno, ¿qué le parece, capitán? Ya sé que Cíbola no es una gran ciudad, pero apuesto a que tendrán un cine o algo. Podría estar bien ir allí una tarde. Ya sabe, una pequeña excursión para romper la monotonía. O puede que haya algún club de béisbol por aquí, uno de esos equipos de la liga menor. Cuando llegue la primavera, ¿por qué no ir a ver un partido o dos? No tiene por qué ser un equipo importante como los Cardinals. Quiero decir que me basta con uno de tercera división. Con tal de que usen bates y balones, no oirá una palabra de queja de mis labios. Y nunca se sabe, señor. Si se deja caer por un campo de béisbol, a lo mejor incluso llega a aficionarse, ¿no cree?

—Estoy seguro de ello. Pero todavía tenemos una montaña de trabajo por delante y mientras tanto la familia tiene que esconderse temporalmente. Cuanto más invisibles seamos, más seguros estaremos. No quiero asustarte, pero las cosas no son tan aburridas como parecen por estos andurriales. Tenemos poderosos enemigos por aquí y no están demasiado entusiasmados con nuestra presencia en su condado. A muchos de ellos no les importaría que dejásemos de respirar de repente, y no queremos provocarles mostrando nuestro variopinto grupo en público.

—Con tal de que nos ocupemos de nuestros asuntos, ¿a quién le importa lo que piense otra gente?

—Esa es justamente la cuestión. Algunas personas piensan que nuestros asuntos son los suyos, y mi objetivo es mantenerme apartado de esos entrometidos. ¿Me captas, Walt?

Le dije que sí, pero la verdad era que no le captaba en absoluto. Lo único que sabía era que había gente que quería matarme y que él no me permitiría ir a ningún partido. Ni siquiera el tono de simpatía que había en la voz del maestro podía hacerme comprender esto, y durante todo el camino de vuelta estuve repitiéndome que tenía que ser fuerte y no darme nunca por vencido. Antes o después encontraría la manera de escapar de allí, antes o después dejaría tirado en el polvo al Hombre del Vudú.

Mi tercer intento fracasó tan miserablemente como los otros dos. Me marché por la mañana esa vez, y aunque llegué hasta las afueras de Cibola, el maestro Yehudi me estaba esperando de nuevo subido en la calesa con la misma sonrisa satisfecha en su cara. Me quedé totalmente trastornado por aquel suceso. Contrariamente a la vez anterior, ya no podía considerar que su presencia allí era una casualidad. Era como si hubiese sabido que iba a escaparme antes de que lo supiera yo mismo. El muy bribón estaba dentro de mi cabeza, chupando los jugos de mi cerebro, y ni siquiera podía ocultarle mis pensamientos más íntimos.

Sin embargo, no renuncié. Simplemente, iba a tener que ser más listo, más metódico en la forma de realizarlo. Después de una amplia reflexión, llegué a la conclusión de que la causa principal de mis problemas era la granja misma. No podía salir de allí porque el lugar estaba muy bien organizado y era totalmente autosuficiente. Teníamos leche y mantequilla gracias a las vacas, huevos de las gallinas, carne de los cerdos, verduras del huerto, abundantes existencias de harina, sal, azúcar y telas, y no era necesario que nadie fuera al pueblo para comprar provisiones. Pero ¿y si nos quedáramos sin algo?, me dije, ¿y si hubiera una repentina escasez de algo vital sin lo cual no pudiésemos vivir? El maestro tendría que ir a buscar más, ¿no? Y tan pronto como se marchara, yo saldría furtivamente de allí y me escaparía.

Era todo tan sencillo, que estuve a punto de gritar a causa de la alegría cuando se me ocurrió esta idea. Debíamos estar ya en febrero, y durante el mes siguiente casi no pensé en otra cosa que en el sabotaje. Mi mente hervía con incontables conjuras y maquinaciones, inventando actos de indecible terror y devastación. Pensé que empezaría a pequeña escala –acuchillando un saco de harina o dos, quizá orinando en el barril del azúcar–, pero si esto no producía el resultado deseado, no tenía nada en contra de formas más grandiosas de vandalismo: soltar a las gallinas del gallinero, por ejemplo, o cortarles el cuello a los cerdos. No había nada que no estuviera dispuesto a hacer para salir de allí, y, si era preciso, estaba dispuesto incluso a prenderle fuego a la paja y quemar el establo.

Nada de ello salió como yo había imaginado. Tuve mis oportunidades, pero cada vez que estaba a punto de poner en marcha un plan, me faltaba misteriosamente el valor. El miedo llenaba mis pulmones, mi corazón empezaba a latir apresuradamente y justo cuando mi mano estaba preparada para cometer el acto, una fuerza invisible me robaba la energía. Nunca me había ocurrido nada semejante. Yo siempre había sido un enredador de tomo y lomo, con pleno dominio de mis impulsos y deseos. Si quería hacer algo, lo hacía, lanzándome con la temeridad de un delincuente nato. Ahora estaba bloqueado por una extraña parálisis de la voluntad y me despreciaba por actuar como un cobarde; no podía comprender que un truhán de mi calibre hubiera podido caer tan bajo. El maestro Yehudi me había derrotado de nuevo. Me había convertido en una marioneta, y cuanto más luchaba por vencerle, más tiraba él de los hilos.

Pasé un mes infernal antes de encontrar el valor necesario para volver a intentarlo. Esta vez la suerte parecía estar de mi parte. Unos diez minutos después de echar a andar por la carretera, me recogió un automovilista que pasaba y me llevó hasta Wichita. Era uno de los tipos más simpáticos que había conocido, un universitario que iba a ver a su prometida, y nos llevamos bien desde el principio; no paramos de contarnos cosas durante las dos horas y media de viaje. ¡Ojalá pudiera recordar su nombre! Era un muchacho rubio con pecas en la nariz y una bonita gorra de cuero. Por alguna razón, recuerdo que el nombre de su novia era Francine, pero eso debe de ser por lo mucho que me habló de ella, explayándose detalladamente acerca de los rosados pezones de sus pechos y los volantes de encaje de su ropa interior. Gorra de Cuero tenía un Ford nuevo y brillante y corría por aquella vacía carretera como si le fuera en ello la vida. Me entró la risa por lo libre y feliz que me sentía, y cuanto más parloteábamos de una cosa y otra, mayor era mi sensación de libertad y felicidad. Esta vez lo había conseguido, me dije. Realmente me había escapado de allí, y a partir de ahora no habría forma de detenerme.

No sabría decir qué esperaba exactamente de Wichita, pero ciertamente no el deprimente poblacho ganadero que descubrí aquella tarde de 1925. Aquello parecía la meca del aburrimiento. ¿Dónde estaban los bares, los pistoleros y los jugadores profesionales? ¿Dónde estaba Wyatt Earp? Al margen de lo que hubiera sido Wichita en el pasado, por aquel entonces era una sobria y triste mezcolanza de tiendas y casas, una ciudad construida tan pegada a la tierra que tu codo chocaba contra el cielo cada vez que te detenías a rascarte la cabeza. Había pensado montarme algún asuntillo, quedarme por allí unos días mientras reunía algún dinero y luego volver a Saint Louis lujosamente. Un rápido recorrido de las calles me convenció de abandonar la idea, y media hora después de haber llegado ya estaba buscando un tren para salir de allí.

Me sentía tan triste y desanimado, que ni siquiera me di cuenta de que había empezado a nevar. Marzo era el peor mes para las tormentas en aquella región, pero el día había amanecido tan soleado y claro que ni siquiera se me había ocurrido pensar que el tiempo pudiera cambiar. Empezó con una pequeña nevisca, unas cuantas rociadas de blancura que se escurrían de las nubes, pero mientras que yo continuaba mi paseo por la ciudad en busca de la estación de ferrocarril, los copos se hicieron más gruesos y más intensos, y cuando me detuve para orientarme cinco o diez minutos después, la nieve me llegaba hasta los tobillos. Nevaba mucho. Antes de que pudiera decir *tempestad de nieve*, el viento se levantó y empezó a arremolinar la nieve en todas direcciones a la vez. Era extraño lo rápido que sucedió. Un minuto yo iba caminando por las calles del centro de Wichita y al minuto siguiente estaba perdido, tropezando ciegamente en una tormenta blanca. Ya no tenía ni idea de dónde estaba. Tiritaba dentro de mi ropa mojada, el viento era un torbellino y yo estaba atrapado en medio, dando vueltas en círculo.

No estoy seguro de cuánto tiempo anduve dando tumbos bajo aquella nevada. No menos de tres horas, diría yo, quizá cinco o seis. Había llegado a la ciudad a primera hora de la tarde y seguía andando después de que cayera la noche, abriéndome paso a través de montañas de nieve, hundido en ella hasta las rodillas, luego hasta la cintura, luego hasta el cuello, buscando frenéticamente un refugio antes de que la nieve se tragara todo mi cuerpo. Tenía que continuar moviéndome. La más ligera pausa me enterraría, y antes de que pudiese salir habría muerto congelado o asfixiado. Así que seguía avanzando con gran esfuerzo, aunque sabía que era inútil, aunque sabía que cada paso me llevaba más cerca de mi fin. ¿Dónde están las luces?, me preguntaba insistentemente. Me estaba alejando cada vez más del pueblo, saliendo al campo, donde no vivía nadie, y, sin embargo, cada vez que cambiaba de rumbo, me encontraba en la misma oscuridad, rodeado por una noche y un frío sin fisuras.

Al cabo de algún tiempo ya nada me parecía real. Mi mente había dejado de funcionar y si mi cuerpo continuaba arrastrándose era solo porque no sabía qué otra cosa hacer. Cuando vi el débil brillo de una luz en la distancia, apenas me di cuenta. Fui tambaleándome hacia ella, no más consciente de lo que hacía que una falena cuando se lanza contra una vela. Como máximo, me parecía un sueño, una ilusión producida por las sombras de la muerte, y aunque permanecía delante de mí todo el tiempo, intuía que desaparecería antes de que llegara a ella.

No recuerdo haber subido a gatas los escalones de la casa ni estar de pie en el porche delantero, pero aún veo mi mano alargándose hacia el esférico tirador de porcelana blanca y recuerdo mi sorpresa cuando noté que giraba y la puerta se abría con un clic. Entré en el vestíbulo, y todo era tan luminoso allí, tan intolerablemente radiante, que tuve que cerrar los ojos. Cuando los abrí de nuevo había una mujer de pie ante mí, una hermosa mujer de cabello rojo. Llevaba un vestido blanco largo, y sus ojos azules me miraban con tal asombro, con tal expresión de alarma, que casi me eché a llorar. Durante un segundo o dos cruzó por mi mente la idea de que era mi madre, y cuando recordé que mi madre había muerto, imaginé que yo también debía de estar muerto y acababa de cruzar las puertas del más allá.

–Menudo aspecto! –exclamó la mujer–. ¡Pobrecito! ¡Hay que ver cómo te has puesto!

–Perdone la intromisión, señora –dije–. Mi nombre es Walter Rawley y tengo nueve años. Sé que esto puede sonarle extraño, pero le agradecería que me dijera dónde estoy. Tengo la sensación de que esto es el cielo y eso no me parece correcto. Después de todas las cosas malas que he hecho, siempre pensé que acabaría en el infierno.

–¡Dios mío! –dijo la mujer–. ¡Vaya pinta! Estás medio congelado. Entra en la sala y caliéntate junto al fuego.

Antes de que pudiera repetir mi pregunta, me cogió de la mano y me guió rodeando las escaleras hasta la sala. Justo cuando ella abría la puerta, le oí decir:

–Querido, quítale la ropa a este niño y siéntale junto al fuego. Yo voy arriba a coger unas mantas.

Así que crucé el umbral yo solo y entré en el calor de la sala al tiempo que puñados de nieve caían de mi cuerpo y empezaban a derretirse a mis pies. Había un hombre sentado junto a una mesita en un rincón bebiendo café en una delicada taza de porcelana china. Iba esmeradamente vestido con un traje gris perla y su pelo estaba peinado hacia atrás, sin raya, reluciente de brillantina bajo la luz amarilla de las lámparas. Estaba a punto de decirle algo cuando levantó la cabeza y me sonrió, y en ese mismo momento pensé que debía de haber muerto y había ido derecho al infierno. De todos los sustos que he sufrido en mi larga carrera, ninguno ha sido mayor que la electrocución que recibí aquella noche.

–Ahora ya lo sabes –dijo el maestro–. Vayas donde vayas, allí estaré yo. Por muy lejos que llegues, siempre estaré esperándote al final del camino. El maestro Yehudi está en todas partes, Walt, y no es posible escapar de él.

–¡Maldito hijo de puta! –dije–. ¡Canalla traicionero! ¡Cara de mierda, saco de basura!

—Vigila tu lengua, muchacho. Esta es la casa de la señora Witherspoon, y ella no tolerará palabrotas aquí. Si no quieres que te echemos a la tormenta, quítate esa ropa y pórtate bien.

—¡Oblígueme, judío de mierda! –le escupí–. ¡Intente obligarme!

Pero el maestro no tuvo que hacer nada. Un segundo después de darle esa respuesta, sentí que un río de lágrimas calientes y saladas corría por mis mejillas. Respiré hondo, acumulando en mis pulmones todo el aire que pude, y luego solté un aullido, un grito de pura e incontenible infelicidad. Cuando este había salido a medias de mi cuerpo, sentí la garganta áspera y me atraganté, y empezó a darme vueltas la cabeza. Me detuve para coger aire otra vez, y entonces, antes de que supiera lo que me estaba ocurriendo, me desmayé y caí al suelo.

Estuve enfermo mucho tiempo después de eso. Mi cuerpo estaba en llamas, y mientras la fiebre ardía dentro de mí, cada vez parecía más probable que mi siguiente dirección postal fuera una caja de madera. Pasé los primeros días en casa de la señora Witherspoon, languideciendo en el cuarto de invitados del piso de arriba, pero no recuerdo nada de eso. Tampoco recuerdo cuándo me llevaron a casa, ni ninguna otra cosa, en realidad, hasta que pasaron varias semanas. Según lo que me dijeron, me habría muerto de no ser por madre Sue, o madre Sioux, como finalmente llegué a llamarla. Se pasaba el día entero sentada junto a mi cama, cambiándome las compresas y echándome cucharadas de líquido por la garganta, y tres veces al día se levantaba de su silla y bailaba una danza alrededor de mi cama tocando un ritmo especial en su tambor oglala mientras entonaba oraciones al Gran Espíritu implorándole que me mirara con simpatía y me curase. Supongo que eso no me perjudicó, ya que ningún médico profesional fue llamado para examinarme, y considerando que volví en mí y me recuperé por completo, es posible que fuera su magia lo que surtió efecto.

Nadie le dio un nombre médico a mi enfermedad. Mi propia opinión era que había sido causada por las horas que había pasado en la tormenta, pero el maestro desechó esa explicación por considerarla irrelevante. Había sido la «tensión espiritual», dijo, entre el ansia de afirmar mi personalidad y la inevitabilidad de someterme a él, y tenía que afectarme antes o después. Era preciso purgar los venenos de mi organismo antes de que pudiera avanzar a la siguiente etapa de mi entrenamiento, y lo que podría haberse prolongado seis o nueve meses más (con incontables escaramuzas entre nosotros) se había abreviado gracias a nuestro afortunado encuentro en Wichita. El susto me había sometido, dijo, aplastado por la comprensión de que nunca triunfaría frente a él, y ese golpe mental había sido la chispa que desencadenó la enfermedad. Después de eso había quedado limpio de rencor, y cuando desperté de aquella pesadilla que me había tenido a un paso de la muerte, el odio que hervía dentro de mí se había transformado en amor.

No quiero contradecir la opinión del maestro, pero me parece que mi cambio de actitud fue mucho más simple que eso. Puede que comenzara justo después de que me bajase la fiebre, cuando me desperté y vi a madre Sioux sentada a mi lado con una de aquellas extasiadas y beatíficas sonrisas en la cara.

–Vaya –dijo–. Mi pequeño Walt ha vuelto a la tierra de los vivos.

Había tanta alegría en su voz, tan evidente preocupación por mi bienestar, que algo dentro de mí empezó a derretirse.

–No se angustie, hermana Ma –dije, casi sin saber lo que decía–. He estado durmiendo un rato, eso es todo.

Inmediatamente cerré los ojos y me hundí de nuevo en mi sopor, pero justo cuando estaba durmiéndome, noté claramente que los labios de madre Sioux rozaban mi mejilla. Era el primer beso que me daban desde que murió mi madre, y me produjo un calor tan agradable que comprendí que no me importaba de dónde viniera. Si aquella india rolliza quería besarme así, que lo hiciera, yo no iba a impedírselo.

Ese fue el primer paso, creo, pero hubo otros incidentes, y lo que ocurrió unos días después, en un momento en que mi fiebre había vuelto a subir mucho, no fue el menor de ellos. Me desperté a primera hora de la tarde y me encontré la habitación vacía. Estaba a punto de salir a rastras de la cama para intentar usar el orinal, pero cuando separé las orejas de la almohada, oí un murmullo fuera de mi puerta. El maestro Yehudi y Aesop estaban en el vestíbulo, sosteniendo una conversación susurrada y, aunque no pude entender todo lo que decían, pillé lo suficiente como para determinar su contenido. Aesop estaba reprendiendo al maestro allí fuera, enfrentándose al gran hombre y diciéndole que no fuese tan duro conmigo. Yo no podía creer lo que oía. Después de todos los problemas y los momentos desagradables que le había causado, me sentí mortalmente avergonzado al saber que Aesop estaba de mi parte.

–Usted ha aplastado su alma –murmuró Aesop– y ahora él yace ahí dentro en su lecho de muerte. No es justo, maestro. Sé que es un camorrista y un golfo, pero hay algo más que rebeldía en su corazón. Lo he sentido, lo he visto con mis propios ojos. Y aunque yo estuviera equivocado, él no merece la clase de tratamiento que le está dando. Nadie la merece.

Era una sensación extraordinaria el que alguien hablase de esa manera en mi defensa, pero aún más extraordinario fue que la arenga de Aesop no cayese en oídos sordos. Esa

46

misma noche, cuando yo estaba agitándome y dando vueltas en la oscuridad, el maestro Yehudi en persona entró sin hacer ruido en mi cuarto, se sentó en la cama empapada de sudor y me cogió la mano. Mantuve los ojos cerrados y no emití ni un sonido, fingiendo estar dormido mientras permaneció allí.

–No te me mueras, Walt –dijo en voz baja, como si hablara para sí–. Eres un bribonzuelo fuerte y aún no ha llegado el momento de que entregues el alma a Dios. Nos aguardan grandes cosas, cosas maravillosas que ni siquiera puedes imaginar. Puede que pienses que estoy contra ti, pero no es así. Lo que pasa es que sé cómo eres y sé que puedes soportar la presión. Tienes el don, hijo, y voy a llevarte más lejos de lo que nadie ha llegado nunca. ¿Me oyes, Walt? Te estoy diciendo que no te mueras. Te estoy diciendo que te necesito y que no debes morirte aún.

Vaya si le oía. Su mensaje me llegaba fuerte y claro y aunque tuve la tentación de responder algo, vencí el impulso y me mordí la lengua. Siguió un largo silencio. El maestro Yehudi se quedó allí sentado en la oscuridad acariciando mi mano, y al cabo de un rato, si no me equivoco, si no me dormí y soñé lo que sucedió a continuación, oí, o por lo menos creí oír, una serie de sollozos entrecortados, un rumor casi inaudible que se derramaba del pecho del gran hombre y traspasaba el silencio de la habitación, una, dos, una docena de veces.

Sería una exageración decir que abandoné mis sospechas inmediatamente, pero no hay duda de que mi actitud empezó a cambiar. Había aprendido que escapar era inútil, y puesto que estaba atrapado allí tanto si me gustaba como si no, decidí aprovechar al máximo lo que me habían dado. Quizá mi roce con la muerte tuvo algo que ver en ello, no lo sé, pero una vez que dejé mi cama de enfermo y volví a ponerme de pie, el rencor que había llenado mi corazón desapareció. Estaba tan contento de estar bien nuevamente, que ya no me importaba vivir con los parias del universo. Eran un curioso y desagradable grupo, pero a pesar de mis constantes gruñidos y mal comportamiento, cada uno de ellos había llegado a cogerme cierto afecto, y yo habría sido un patán si no lo hubiera valorado. Quizá todo se reducía al hecho de que finalmente me estaba acostumbrando a ellos. Si miras la cara de alguien durante el tiempo suficiente, acabarás por sentir que te estás mirando a ti mismo.

Dicho esto, no pretendo insinuar que mi vida se hizo más fácil. A corto plazo, resultó aún más dura que antes, y solo porque había sofocado un poco mi resistencia, no me volví menos sabelotodo, menos belicoso o menos vago de lo que había sido siempre. Estábamos en primavera y al cabo de una semana de mi recuperación me encontraba en los campos arando la tierra y sembrando, partiéndome la espalda como un sucio y lerdo paleto. Detestaba el trabajo manual, y dado que no tenía ninguna habilidad para él, consideré aquellos días como una penitencia, una interminable mortificación de ampollas, dedos sangrantes y pies machacados. Pero por lo menos no estaba allí solo. Los cuatro trabajamos juntos durante aproximadamente un mes suspendiendo todos los demás asuntos mientras nos apresurábamos para sembrar los cultivos a tiempo (maíz, trigo, avena, alfalfa) y para preparar el suelo del huerto de madre Sioux, que mantendría nuestros estómagos llenos durante todo el verano. El trabajo era demasiado duro para que nos detuviésemos a charlar, pero ahora tenía un público para mis quejas, y cada vez que soltaba uno de mis cáusticos apartes, siempre conseguía provocar la risa de alguien. Esa era la gran diferencia entre los días anteriores y posteriores a mi enfermedad. Mi boca nunca cesaba de hablar, pero mientras que antes mis comentarios habían sido interpretados como crueles y desagradecidos pullazos, ahora eran vistos como bromas, el travieso parloteo de un pequeño payaso listo. El maestro Yehudi trabajaba como un buey, afanándose en sus tareas como si hubiese nacido para la tierra, y siempre hacía más que el resto de nosotros juntos. Madre Sioux era perseverante, diligente y silenciosa, y avanzaba constantemente agachada mientras su enorme trasero se levantaba hacia el cielo. Venía de una raza de cazadores y guerreros y la agricultura era tan antinatural para ella como para mí. Pero, a pesar de lo inepto que yo era, Aesop era aún peor, y me consolaba saber que no estaba ni un ápice más entusiasmado que yo con perder su tiempo en aquella fatigosa labor. Quería estar en casa leyendo sus libros, soñando sus sueños y empollando sus ideas, y aunque nunca se enfrentó abiertamente al maestro con sus agravios, era particularmente receptivo a mis agudezas, interrumpiendo mis gracias con espontáneas carcajadas, y cada vez que se reía era como si exhalara un fuerte *amén*, confirmándome que había dado en el clavo. Yo siempre había pensado que Aesop era un santurrón, un inofensivo aguafiestas que nunca quebrantaría las reglas, pero después de escuchar su risa allí en el campo, empecé a formarme una nueva opinión de él. Había más picardía en aquellos huesos torcidos de lo que yo había imaginado, y a pesar de su formalidad y sus maneras altivas buscaba la diversión tanto como cualquier otro muchacho de quince años. Lo que yo hacía era proporcionarle un alivio cómico. Mi lengua afilada le hacía gracia, mi insolencia y coraje levantaba su espíritu, y a medida que pasaba el tiempo comprendí que ya no era un obstáculo ni un rival. Era un amigo, el primer amigo de verdad que yo había tenido.

No quiero ponerme sentimental, pero es de mi infancia de lo que estoy hablando, el entramado de mis primeros recuerdos, y con tan pocos vínculos afectivos de los que hablar respecto a años posteriores, mi amistad con Aesop es digna de mención. Tanto como el propio maestro Yehudi, él me marcó de un modo que alteró quién era yo, que cambió el curso y la sustancia de mi vida. No me estoy refiriendo solo a mis prejuicios, a la vieja intransigencia de no prescindir nunca del color de la piel de una persona, sino al hecho de la amistad misma, al vínculo que creció entre nosotros. Aesop se convirtió en mi camarada, mi ancla en un mar de cielo sin matices, y si él no hubiese estado allí para animarme, nunca habría encontrado el valor necesario para soportar los tormentos en que me vi sumido durante los siguientes doce o catorce meses. El maestro había llorado en la oscuridad de mi cuarto de enfermo, pero una vez que estuve bien de nuevo, se convirtió en un déspota, sometiéndome a torturas que ninguna alma viviente debería tener que sufrir. Cuando recuerdo ahora aquellos días, me asombro de no haber muerto, de estar aún aquí para hablar de ellos.

Una vez terminada la época de la siembra y cuando nuestros alimentos ya estaban en la tierra, empezó el verdadero trabajo. Fue justo después de mi décimo cumpleaños, una bonita mañana de finales de mayo. El maestro me llevó aparte después del desayuno, y me murmuró al oído:

–Prepárate, muchacho. La diversión está a punto de empezar.

–¿Quiere decir que no hemos estado divirtiéndonos? –dije–. Corríjame si me equivoco, pero pensaba que esos trabajos agrícolas eran lo más divertido que había hecho desde la última vez que jugué a las damas chinas.

–Trabajar la tierra es una cosa, una tarea aburrida pero necesaria. Pero ahora vamos a dirigir nuestros pensamientos al cielo.

–¿Quiere decir como los pájaros de los que me habló?

–Eso es, Walt, igual que los pájaros.

–¿Me está usted diciendo que sigue pensando en serio en ese plan suyo?

–Completamente en serio. Estamos a punto de pasar a la decimotercera etapa. Si haces lo que te digo, te mantendrás en el aire en las Navidades del año próximo.

–¿Decimotercera etapa? ¿Quiere usted decir que ya he pasado doce etapas?

–Eso es. Doce. Y las has pasado con completo éxito.

–¡Vaya, que me aspen! ¡Y yo sin tener ni idea! ¡Que callado se lo tenía, jefe!

–Solo te digo lo que necesitas saber. Yo soy quien tiene que preocuparse del resto.

–Doce etapas, ¿eh? ¿Y cuántas faltan?

–Hay treinta y tres en total.

–Si paso las próximas doce tan deprisa como las primeras, estaré ya en la recta final.

–No será así, te lo aseguro. Por mucho que creas haber sufrido hasta ahora, no es nada comparado con lo que te espera.

–Los pájaros no sufren. Simplemente, extienden las alas y levantan el vuelo. Si yo tengo el don, como usted dice, no veo por qué no va a ser fácil.

–Porque, mi pequeño zoquete, tú no eres un pájaro. Tú eres un hombre. Para que te levantes del suelo, tenemos que partir el cielo en dos. Tenemos que volver del revés todo el maldito universo.

Una vez más, no entendí ni la décima parte de lo que el maestro decía, pero asentí cuando me llamó hombre, percibiendo en esa palabra un nuevo tono de aprecio, un reconocimiento de la importancia que yo había adquirido a sus ojos. Me puso la mano suavemente en el hombro y me guió para salir a la mañana de mayo. En aquel momento no sentí más que confianza hacia él, y aunque su cara tenía una expresión severa y ensimismada, no se me pasó por la cabeza que fuera a hacer algo que quebrara esa confianza. Probablemente así es como se sentía Isaac cuando Abraham le llevó a aquella montaña según el Génesis, capítulo veintidós. Si un hombre dice que es tu padre, aunque sepas que no lo es, bajas la guardia y te vuelves estúpido por dentro. No imaginas que vaya a conspirar contra ti con Dios, el Señor de los Ángeles y de los Cielos. El cerebro de un niño no trabaja tan deprisa, no es lo bastante sutil para adivinar semejante engaño. Lo único que sabes es que ese tipo grande te ha puesto una mano en el hombro y te ha dado un apretón amistoso. Él te dice: ven conmigo, así que te vuelves en esa dirección y le sigues a donde vaya.

Pasamos por delante del establo y nos dirigimos al cobertizo de las herramientas, una desvencijada y pequeña estructura con el tejado hundido y las paredes hechas de tablas sin pintar. El maestro Yehudi abrió la puerta y se quedó allí en silencio durante un largo momento, mirando fijamente la oscura mezcolanza de objetos de metal que había dentro. Al fin alargó el brazo y sacó una pala, un utensilio herrumbroso que debía de pesar ocho o diez kilos. Me puso la pala en las manos y yo me sentí orgulloso de llevársela cuando echamos a andar de nuevo. Seguimos el borde del maizal más próximo, y recuerdo que hacía una mañana espléndida, llena de petirrojos y azulejos que volaban como saetas, y mi piel cosquilleaba con una extraña sensación de vitalidad por la bendición del calor del sol que caía sobre mí. Poco a poco llegamos a un trozo de tierra sin labrar, un trecho pelado en la linde entre dos campos, y el maestro se volvió hacia mí y me dijo:

–Aquí es donde vamos a hacer el hoyo. ¿Quieres cavar tú o prefieres que lo haga yo?

Lo intenté con mi mejor voluntad, pero mis brazos no pudieron. Yo era demasiado pequeño para manejar una pala tan pesada, y cuando el maestro me vio esforzándome para clavarla en la tierra, no digamos para que la pala se deslizara bajo ella, me dijo que me sentara y descansara, que él terminaría el trabajo. Durante las dos horas siguientes vi cómo transformaba aquel pedazo de tierra en una inmensa cavidad, un hoyo tan ancho y profundo como la tumba de un gigante. Trabajaba tan deprisa que parecía que la tierra se lo iba tragando, y al cabo de un rato había cavado tan hondo que yo ya no veía su cabeza. Oía sus gruñidos, los resoplidos de locomotora que acompañaban cada golpe de la pala, y luego una paletada de tierra suelta salía volando a la superficie, permanecía un segundo en el aire y caía sobre el montón que iba creciendo alrededor del hoyo. Siguió en la tarea como si hubiera diez hombres, un ejército de cavadores decididos a hacer un túnel que llegara hasta Australia, y cuando finalmente se detuvo y salió de la fosa, estaba tan manchado de tierra y sudor que parecía un hombre hecho de carbón, un demacrado actor de variedades a punto de morirse con el maquillaje negro sobre la cara. Yo nunca había visto a nadie jadear tan fuerte, nunca había visto un cuerpo tan falto de aliento, y cuando se tiró al suelo y no se movió durante diez minutos, yo estaba seguro de que el corazón estaba a punto de fallarle.

Estaba demasiado asustado para hablar. Estudiaba la caja torácica del maestro en busca de señales de colapso, pasando de la alegría a la tristeza a medida que su pecho subía y bajaba, subía y bajaba, hinchándose y encogiéndose contra el largo horizonte azul. Hacia la mitad de mi vigilia, una nube se situó delante del sol y el cielo se volvió ominosamente oscuro. Pensé que era el ángel de la muerte que pasaba sobre nuestras cabezas, pero los pulmones del maestro Yehudi continuaron bombeando, mientras el aire se iluminaba de nuevo lentamente, y un momento más tarde él se sentó y sonrió, limpiándose la suciedad de la cara.

–Bueno –dijo–, ¿qué te parece nuestro hoyo?

–Es un hoyo estupendo –dije–, tan profundo y bonito como pueda serlo un hoyo.

–Me alegro de que te guste, porque tú y ese hoyo vais a tener una relación íntima durante las próximas veinticuatro horas.

–No me importa. Me parece un sitio interesante. Con tal de que no llueva, puede ser divertido estar sentado ahí algún tiempo.

–No tienes por qué preocuparte de la lluvia, Walt.

–¿Es usted el hombre del tiempo, o qué? Puede que no se haya dado cuenta, pero aquí las condiciones cambian cada quince minutos o cosa así. Tratándose del tiempo, Kansas es de lo más voluble que hay.

–Cierto. No se puede confiar en los cielos en esta región. Pero no digo que no vaya a llover. Solo que no tienes por qué preocuparte si llueve.

–Claro, deme algo para cubrirme, una de esas cosas de lona, una tela encerada. Esa es una buena idea. Uno no puede equivocarse si prevé lo peor.

—No voy a meterte ahí para que te diviertas. Tendrás un respiradero, por supuesto, un largo tubo que tendrás que mantener en la boca para respirar, pero por lo demás vas a estar bastante húmedo e incómodo. Una incomodidad claustrofóbica y agusanada, si me perdonas por decírtelo. Dudo que olvides la experiencia mientras vivas.

—Ya sé que soy lerdo, pero si no deja usted de hablar en clave, estaremos aquí todo el día antes de que yo pille lo que quiere decir.

—Voy a enterrarte, hijo.

—¿Qué ha dicho?

—Voy a meterte en ese hoyo, cubrirte de tierra y enterrarte vivo.

—¿Y espera usted que acepte eso?

—No tienes elección. O te metes ahí por tu propia voluntad, o te estrangulo con mis dos manos desnudas. En un caso vivirás una vida larga y próspera; en el otro tu vida termina dentro de treinta segundos.

Así que me dejé enterrar vivo, una experiencia que no le recomendaría a nadie. Por muy desagradable que suene la idea, la realidad resulta muchísimo peor, y una vez que has pasado algún tiempo en las entrañas de la nada como me ocurrió a mí, el mundo nunca vuelve a parecerte el mismo. Se vuelve inexpresablemente más bello, pero esa belleza está empapada de una luz tan efímera, tan irreal, que nunca adquiere ninguna sustancia, y aunque puedes verla y tocarla como siempre, una parte de ti entiende que no es más que un espejismo. No es agradable sentir la tierra encima de ti, su peso y su frialdad, ser presa del pánico de una inmovilidad que parece la de la muerte, pero el verdadero terror no empieza hasta más tarde, hasta que te han desenterrado y puedes volver a andar nuevamente. A partir de entonces, todo lo que te sucede en la superficie está relacionado con esas horas que pasaste bajo tierra. Una pequeña semilla de locura ha quedado plantada en tu cabeza, y aunque has ganado la batalla de la supervivencia, casi todo lo demás lo has perdido. La muerte vive dentro de ti, comiéndose tu inocencia y tu esperanza, y al final no te queda nada más que la tierra, la solidez de la tierra, el eterno poder y triunfo de la tierra.

Así fue como empezó mi iniciación. Durante las semanas y los meses que siguieron viví más experiencias similares, un continuo alud de vejaciones. Cada prueba era más terrible que la anterior, y si conseguí no echarme atrás, fue solo por una pura obstinación de reptil, una estúpida pasividad que se escondía en el centro de mi alma. No tenía nada que ver con la voluntad, la determinación o el valor. Yo no tenía ninguna de esas cualidades, y cuanto más me espoleaban, menos orgullo sentía por mis logros. Me flagelaron con un látigo; me tiraron de un caballo al galope; estuve atado al tejado del establo durante dos días sin comida ni agua; me untaron el cuerpo de miel y me dejaron desnudo bajo el calor de agosto mientras miles de moscas y avispas bullían sobre mí; estuve sentado en medio de un círculo de fuego toda una noche mientras mi cuerpo se chamuscaba y se cubría de ampollas; me sumergieron repetidas veces durante seis horas seguidas en una tina de vinagre; me cayó un rayo; bebí orines de vaca y comí excrementos de caballo; cogí un cuchillo y me cercené la primera falange del meñique izquierdo; colgué de las vigas del desván dentro de un haz de cuerdas durante tres días y tres noches. Hice estas cosas porque el maestro Yehudi me dijo que las hiciera, y aunque no pude llegar a amarle, tampoco le odié ni le guardé rencor por los sufrimientos que soporté. Él ya no tenía que amenazarme. Yo seguía sus órdenes con ciega obediencia, sin molestarme nunca en preguntarle cuál era su propósito. Me decía que saltara y yo saltaba. Me decía que dejara de respirar y yo dejaba de respirar. Era el hombre que me había prometido hacerme volar, y aunque nunca le creí, dejé que me utilizara como lo hacía. Teníamos un trato, después de todo, el pacto que habíamos hecho aquella primera noche en Saint Louis, y yo nunca lo olvidé. Si no cumplía lo prometido antes de mi decimotercer cumpleaños, le cortaría la cabeza con un hacha. No había nada personal en ese acuerdo; era una simple cuestión de justicia. Si el hijo de puta me fallaba, le mataría, y él lo sabía tan bien como yo.

Mientras duraron estas penosas pruebas, Aesop y madre Sioux me apoyaron como si yo fuera carne de su carne, la niña de sus ojos. Había períodos de calma entre las distintas etapas de mi desarrollo, a veces días, a veces semanas, y con mucha frecuencia el maestro Yehudi desaparecía, abandonando por completo la granja mientras mis heridas se curaban y yo me recuperaba para enfrentarme al siguiente asalto a mi persona. No tenía ni idea de adónde iba en esas pausas y tampoco se lo pregunté a los otros, ya que siempre me sentía aliviado cuando se marchaba. No solo estaba a salvo de nuevas pruebas, sino que me sentía liberado de la carga de la presencia del maestro —sus cavilosos silencios y atormentadas miradas, la enormidad del espacio que ocupaba—, y eso me tranquilizaba, me daba la oportunidad de respirar de nuevo. La casa era un lugar más feliz sin él, y nosotros tres vivíamos juntos con notable armonía. La gorda madre Sioux y sus dos flacos muchachos. Aquellos fueron los días en que Aesop y yo nos convertimos en compañeros, y aunque la mayor parte de esa época fue desgraciada para mí, también contiene algunos buenos recuerdos, quizá los mejores de todos. Aesop era magnífico contando cuentos, ¡vaya si lo era!, y a mí nada me gustaba más que escuchar aquella dulce voz suya largando los cuentos increíbles que llenaban su cabeza. Sabía cientos de ellos, y siempre que se lo pedía, mientras yacía en la cama magullado y dolorido por mi última paliza, se sentaba allí durante horas recitando un cuento tras otro. Jack el Gigante Asesino, Simbad el Marino, Ulises el Errante, Billy el Niño, Lancelote y el Rey Arturo, Paul Bunyan, se los oí todos. Los mejores, sin embargo, los que reservaba para cuando yo me sentía particularmente abatido, eran los de mi tocayo, Sir Walter Raleigh. Recuerdo lo pasmado que me quedé cuando me dijo que yo tenía un nombre famoso, el nombre de un héroe y aventurero de la vida real. Para demostrarme que no se lo estaba inventando, Aesop fue a la librería y sacó un grueso volumen que tenía el retrato de Sir Walter. Yo nunca había visto una cara más elegante y pronto cogí la costumbre de estudiarla durante diez o quince minutos todos los días. Me encantaban la barba puntiaguda y los ojos penetrantes, el pendiente con una perla en el lóbulo izquierdo. Era la cara de un pirata, un auténtico caballero bravucón, y a partir de entonces llevé a Sir Walter dentro de mí como un segundo yo, un hermano invisible que me apoyaría contra viento y marea. Aesop me contó las historias de la capa que tendió sobre un charco para que la reina Isabel no se mojara los pies, de la búsqueda de El Dorado, de la colonia perdida de Roanoke, de los trece años en la Torre de Londres, las valientes palabras que pronunció antes de que le decapitaran. Fue el mejor poeta de su tiempo; fue un erudito, un científico y un librepensador. Fue un gran amante.

–Piensa en ti y en mí juntos –dijo Aesop– y empezarás a tener una idea de cómo era. Un hombre con mi cerebro y tu coraje y además alto y guapo, así era Sir Walter Raleigh, el hombre más perfecto que ha existido.

Todas las noches madre Sioux entraba en mi habitación, me arropaba y se sentaba en mi cama durante todo el tiempo que yo tardaba en dormirme. Llegué a depender de este ritual, y aunque estaba creciendo muy deprisa en todos los demás aspectos, seguía siendo solo un niñito con ella. Nunca me permitía llorar delante del maestro Yehudi o de Aesop, pero con madre Sioux dejé correr las lágrimas en innumerables ocasiones, lloriqueando en sus brazos como un desventurado niño de mamá. Recuerdo que una vez incluso llegué a mencionar el tema del vuelo, y lo que ella me dijo fue tan inesperado, tan sereno en su seguridad, que calmó el torbellino que había dentro de mí durante las semanas que siguieron; no porque yo lo creyera, sino porque lo creía ella, y ella era la persona en quien yo más confiaba en el mundo.

—Es un hombre malvado —dije, refiriéndome al maestro—, y para cuando acabe conmigo, estaré tan jorobado y tullido como Aesop.

—No, hijito, no es así. Estarás bailando con las nubes en el cielo.

—Con un arpa en las manos y alas saliéndome de la espalda.

—Dentro de tu propia piel. Con tu propia carne y tus propios huesos.

—Es una fanfarronada, madre Sioux, un montón de asquerosas mentiras. Si pretende enseñarme lo que dice, ¿por qué no se pone a ello? Durante un año entero he sufrido todas las indignidades conocidas por el hombre. Me ha enterrado, me ha quemado, me ha mutilado, y sigo tan sujeto a la tierra como siempre.

–Esas son las etapas. Hay que hacerlo así. Pero lo peor ya casi ha pasado.

–Así que él también la ha engañado a usted y le ha hecho creerlo.

–Nadie engaña a madre Sioux. Soy demasiado vieja y demasiado gorda para tragarme lo que la gente me dice. Las palabras falsas son como huesos de pollo. Se me atragantan y los escupo.

–Los hombres no pueden volar. Es así de sencillo. Los hombres no pueden volar porque Dios no lo quiere.

–Se puede hacer.

–En otro mundo quizá. Pero no en este.

–Yo lo he visto. Cuando era niña. Lo vi con mis propios ojos. Y si sucedió antes puede volver a suceder.

–Lo soñó. Creyó verlo, pero era solo en sueños.

–Mi propio padre, Walt. Mi propio padre y mi propio hermano. Les vi moverse por el aire como espíritus. No era volar como tú te imaginas. No como los pájaros o las mariposas, no con alas ni nada semejante. Pero se sostenían en el aire y se movían. Muy despacio y de un modo extraño. Como si estuvieran nadando. Avanzaban por el aire como nadadores, como espíritus andando por el fondo de un lago.

–¿Por qué no me lo ha dicho usted antes?

–Porque antes no me habrías creído. Por eso te lo digo ahora. Porque el momento está cada vez más cercano. Si haces caso de lo que el maestro te diga, llegará antes de lo que tú piensas.

Cuando la primavera llegó por segunda vez, el trabajo agrícola fue como unas vacaciones para mí, y me volqué en él con maníaco buen ánimo, encantado de tener la oportunidad de vivir nuevamente como una persona normal. En lugar de rezagarme y protestar por mis dolores, avanzaba a toda velocidad, desafiándome a continuar, recreándome en mi propio esfuerzo. Yo seguía siendo pequeño para mi edad, pero ahora era mayor y más fuerte, y aunque era imposible, hice todo lo que pude para mantenerme a la altura del maestro Yehudi. Supongo que me proponía demostrar algo, asombrarle para que me respetara y se fijara en mí. Esta era una nueva manera de luchar, y cada vez que el maestro me decía que redujera la marcha, que me lo tomara con calma y no trabajara tanto («Esto no es un deporte olímpico», me decía. «No estamos compitiendo para conseguir medallas, muchacho»), yo sentía que había logrado una victoria, como si estuviera recobrando gradualmente la posesión de mi alma.

La articulación de mi meñique había sanado para entonces. Lo que había sido una masa sanguinolenta de tejidos y hueso se había cerrado y alisado hasta convertirse en un extraño muñón sin uña. Ahora me gustaba mirarlo y pasar el pulgar sobre la cicatriz, tocando el trocito de mí que había desaparecido para siempre. Debía hacerlo cincuenta o cien veces al día, y cada vez que lo hacía, repetía las palabras *Saint Louis* en mi cabeza. Luchaba por conservar mi pasado, pero para entonces las palabras eran solo palabras, un ejercicio ritual de memoria. No evocaban ninguna imagen, no me llevaban en ningún viaje de vuelta al lugar de donde procedía. Tras dieciocho meses en Cibola, Saint Louis se había convertido para mí en una ciudad fantasma, y cada día se desvanecía un poco más.

Una tarde de esa primavera el tiempo se volvió desmedidamente caluroso, ascendiendo hasta niveles de pleno verano. Estábamos los cuatro trabajando en los campos, y cuando el maestro se quitó la camisa para mayor comodidad, vi que llevaba algo alrededor del cuello: una correa fina de la que colgaba un pequeño globo transparente como si fuese una joya o un adorno. Cuando me acerqué a él para mirarlo mejor —por simple curiosidad, sin ningún motivo ulterior—, vi que era la falange de mi meñique, encapsulada en el colgante junto con un líquido claro. El maestro debió de advertir mi sorpresa, porque se miró el pecho con expresión de alarma, como si creyera que una araña corría por él. Cuando vio de qué se trataba, cogió el globo entre sus dedos y me lo enseñó, sonriendo con satisfacción.

—Bonito chisme, ¿eh, Walt? —dijo.

—No sé si es bonito —dije—, pero me resulta muy familiar.

—Claro. Antes te pertenecía. Durante los primeros diez años de tu vida fue parte de ti.

—Aún lo es. Solo porque esté separado de mi cuerpo no quiere decir que sea menos mío que antes.

–Está metido en formaldehído. Conservado como un feto muerto en un frasco. Ya no te pertenece. Pertenece a la ciencia.

–¿Sí? Entonces, ¿qué está haciendo alrededor de su cuello? Si pertenece a la ciencia, ¿por qué no lo dona al museo de cera?

–Porque tiene un significado especial para mí, compañero. Lo llevo para que me recuerde la deuda que tengo contigo. Como el lazo corredizo de un ahorcado. Esto es el nudo que he hecho en mi conciencia y no puedo dejar que caiga en manos de un extraño.

–¿Y qué me dice de mis manos? Lo que es justo es justo, y quiero recuperar mi falange. Si alguien lleva ese collar, tengo que ser yo.

–Haré un trato contigo. Si me dejas conservarlo un poco más, lo consideraré tuyo. Te lo prometo. Lleva tu nombre, y una vez que consiga que te eleves del suelo, podrás quedártelo.

–¿Para siempre?

–Sí, claro, para siempre.

–¿Y cuánto tiempo será ese «un poco más»?

–No mucho. Ya estás al borde.

–El único borde en el que estoy es el borde de la perdición. Y si es ahí donde estoy, también es ahí donde está usted. ¿No es así, maestro?

–Aprendes rápido, hijo. Unidos nos mantenemos en pie, divididos caemos. Tú para mí y yo para ti, y nadie sabe dónde nos detendremos.

Esta era la segunda vez que recibía noticias alentadoras acerca de mis progresos. La primera me la dio madre Sioux y ahora el maestro. No negaré que me sentí halagado, pero a pesar de su confianza en mis habilidades, yo no veía que estuviera ni un ápice más cerca del éxito. Después de aquella tarde sofocante de mayo, pasamos un período de calor épico, el verano más caluroso del que se tenía memoria. El suelo era un caldero, y cada vez que andabas sobre él, notabas que las suelas de tus zapatos se derretían. Todas las noches, a la hora de la cena, rezábamos pidiendo lluvia, pero durante tres meses ni una sola gota cayó del cielo. El aire estaba tan reseco, tan delirante en su deshidratación, que podías oír el zumbido de un moscardón a cien metros. Todo parecía picar y chirriar como los cardos al rozar contra el alambre de espino, y el olor del retrete exterior era tan fétido que te chamuscaba los pelos de la nariz. El maíz se agostó, languideció y murió; las lechugas crecieron hasta alturas enormes y grotescas, alzándose en el huerto como torres mutantes. A mediados de agosto podías tirar un guijarro al pozo y contar hasta seis antes de que diera en el agua. No hubo judías verdes, ni mazorcas de maíz, ni suculentos tomates como el verano anterior. Subsistimos a base de huevos, puré de patatas y jamón ahumado, y aunque teníamos lo suficiente para llegar hasta el final del verano, nuestras decrecientes existencias no presagiaban nada bueno para los meses venideros.

–Apretaos el cinturón, niños –nos decía el maestro durante la cena–, apretaos el cinturón y masticad la comida hasta que ya no sepa a nada. Si no estiramos lo que tenemos, vamos a pasar un invierno hambriento y muy largo.

A pesar de todas las calamidades que nos asaltaron durante la sequía, yo era feliz, mucho más feliz de lo que habría parecido posible. Había resistido las partes más horribles de mi iniciación, y lo que me esperaba ahora eran las etapas de lucha mental, la confrontación decisiva conmigo mismo. El maestro Yehudi ya apenas era un obstáculo. Daba sus órdenes y luego desaparecía de mi mente, llevándome a lugares tan interiores que ya no recordaba quién era yo. Las etapas físicas habían sido una guerra, un acto de desafío contra la destructiva crueldad del maestro, y él nunca se apartaba de mi vista, permaneciendo a mi lado mientras estudiaba mis reacciones, observando mi cara para no perderse ni un microscópico estremecimiento de dolor. Todo eso había terminado. Se había convertido en un amable y munificente guía que me hablaba con la voz suave de un seductor mientras me inducía a aceptar una extravagante tarea tras otra. Me hizo entrar en el establo y contar cada brizna de paja del pesebre del caballo. Me hizo sostenerme sobre una sola pierna durante toda una noche y luego sobre la otra durante toda la noche siguiente. Me ató a un poste bajo el sol de mediodía y me ordenó que repitiera su nombre diez mil veces. Me impuso un voto de silencio y durante veinticuatro horas no le hablé a nadie, ni emití un sonido incluso cuando estaba solo. Me hizo rodar por el patio, me hizo brincar, me hizo saltar por unos aros. Me enseñó a llorar a voluntad, y luego me enseñó a reír y a llorar al mismo tiempo. Me hizo enseñarme a mí mismo juegos malabares, y una vez que pude hacer malabarismos con tres piedras, me obligó a utilizar cuatro. Me tuvo con los ojos vendados durante una semana, luego con los oídos taponados otra semana, luego me ató los brazos y las piernas durante una semana más y me hizo arrastrarme sobre el vientre como un gusano.

El tiempo cambió a principios de septiembre. Aguaceros, rayos y truenos, fuertes vientos, un tornado que casi se llevó nuestra casa. Los niveles de agua subieron, pero por lo demás no estábamos mejor que antes. Las cosechas se habían perdido, y sin nada que añadir a nuestras reservas de alimentos no perecederos, las perspectivas de futuro eran sombrías, precarias en el mejor de los casos. El maestro nos informó de que las granjas de toda la región habían quedado similarmente devastadas y que el ambiente en la ciudad se estaba poniendo feo. Los precios habían bajado, casi nadie quería vender al fiado y se hablaba de que los bancos iban a ejecutar las hipotecas. Cuando las cartillas de ahorros están vacías, decía el maestro, los cerebros se llenan de cólera y pensamientos aviesos.

–Por lo que a mí respecta, esos pobres diablos pueden pudrirse –continuó–, pero pasado algún tiempo van a buscar a alguien a quien culpar de sus problemas, y cuando eso suceda, más nos vale a los cuatro agachar la cabeza.

Durante todo ese extraño otoño de tormentas y mojaduras, el maestro Yehudi parecía distraído a causa de la preocupación, como si estuviera contemplando un desastre innombrable, algo tan negro que no se atrevía a decirlo en voz alta. Después de mimarme durante todo el verano, animándome a seguir adelante con los rigores de mis ejercicios espirituales, de repente parecía haber perdido el interés por mí. Sus ausencias se hicieron más frecuentes, una o dos veces volvió tambaleándose y su aliento parecía oler a alcohol, y prácticamente había abandonado sus sesiones de estudio con Aesop. Una nueva tristeza había aparecido en sus ojos, una mirada de añoranza y malos presagios. La mayor parte de todo esto me resulta oscuro ahora, pero recuerdo que durante los breves momentos en que me honraba con su compañía, se comportaba con sorprendente cordialidad. Un incidente destaca en medio de las imágenes borrosas: una tarde de principios de octubre cuando entró en la casa con un periódico bajo el brazo y una gran sonrisa en el rostro.

–Tengo buenas noticias para ti –me dijo, sentándose y extendiendo el periódico sobre la mesa de la cocina–. Tu equipo ha ganado. Espero que eso te alegre, porque dice aquí que hacía treinta y ocho años que no quedaban los primeros.

–¿Mi equipo? –dije.

–Los Cardinals de Saint Louis. Ese es tu equipo, ¿no?

–Claro que sí. Estaré con esos cardenales hasta el final de los tiempos.

–Bueno, pues acaban de ganar la Serie Mundial. Según lo que dice aquí, el séptimo juego fue la competición más emocionante y fascinante que se haya visto nunca.

Así fue como me enteré de que mis chicos se habían convertido en los campeones de 1926. El maestro Yehudi me leyó el relato de la espectacular séptima entrada, cuando Grover Cleveland Alexander entró para eliminar a Tony Lazzeri con las bases llenas. Durante los primeros minutos, pensé que el maestro se lo estaba inventando. La última vez que había oído hablar de él, Alexander era el mandamás en la plantilla del Filadelfia, y Lazzeri era un nombre que no me decía nada. Sonaba como un montón de tallarines extranjeros cubiertos con salsa de ajo, pero el maestro me informó de que era un novato y de que Grover había sido traspasado a los Cardinals en mitad de la temporada. Había lanzado nueve entradas justamente el día anterior, obligando a los Yankees a terminar la serie con tres juegos por barba, y aquí estaba Rogers Hornsby sacándole del banquillo para parar una gran serie del equipo contrario. Y el tipo salió tranquilamente, borracho como una cuba por la juerga de la noche anterior, y se cargó a la joven estrella de Nueva York. De no ser por unos cinco centímetros, la historia habría sido otra. En el lanzamiento anterior al tercero, Lazzeri echó una pelota contra los asientos de la parte izquierda del campo, un gran golpe, ciertamente, que salió fuera en el último segundo. Era como para darle un ataque a cualquiera. Alexander aguantó durante la octava y la novena entradas para asegurarse la victoria, y, como remate, el juego y la serie terminaron cuando Babe Ruth, el único Sultán del Golpe Seco, fue eliminado al tratar de ganar la segunda base. Nunca se había visto nada semejante. Fue el partido más loco e infernal de la historia, y mis cardenales eran los campeones, el mejor equipo del mundo.

Aquello fue un hito para mí, un suceso crucial en mi joven vida, pero por lo demás el otoño fue una época sombría, un largo interludio de aburrimiento y tranquilidad. Al cabo de algún tiempo, me puse tan nervioso que le pregunté a Aesop si no le importaría enseñarme a leer. Él estaba más que dispuesto, pero primero tenía que hablarlo con el maestro Yehudi, y cuando el maestro dio su aprobación, confieso que me sentí un poco dolido. Siempre había dicho que quería mantenerme estúpido –que eso era una ventaja en lo que se refería a mi entrenamiento– y ahora se volvía atrás alegremente sin una explicación. Durante algún tiempo pensé que eso significaba que me había dado por imposible, y la decepción emponzoñó mi corazón, una pena solapada que derribaba todos mis brillantes sueños y los convertía en polvo. ¿Qué había hecho mal?, me preguntaba. ¿Por qué me abandonaba cuando más le necesitaba?

Así que aprendí las letras y los números con ayuda de Aesop, y una vez que empecé, me entraban tan rápidamente que me pregunté por qué le daban tanta importancia. Si no iba a volar, por lo menos podría convencer al maestro de que no era ningún imbécil, pero exigía tan poco esfuerzo que pronto me pareció una victoria vacía. Los ánimos de la casa se levantaron durante algún tiempo en noviembre cuando nuestra escasez de comida quedó eliminada de repente. Sin decirle a nadie de dónde había sacado el dinero para hacer tal cosa, el maestro había hecho en secreto un pedido de alimentos enlatados. Nos pareció un milagro cuando sucedió, un inesperado golpe de suerte. Una mañana llegó un camión a nuestra puerta y dos hombres corpulentos empezaron a descargar cajas de cartón de la trasera. Había cientos de cajas y cada una contenía dos docenas de latas: verduras de todas clases, carnes y caldos, pudines, albaricoques y melocotones en conserva, un río de inimaginable abundancia.

Los hombres tardaron más de una hora en trasladar el cargamento al interior de la casa, y el maestro permaneció allí durante todo el tiempo con los brazos cruzados sobre el pecho y sonriendo como un viejo búho astuto. Aesop y yo nos quedamos con la boca abierta, y al cabo de un rato él nos llamó para que nos acercáramos y nos puso una mano en el hombro a cada uno.

–No le llega ni a la suela del zapato a los platos cocinados por madre Sioux –dijo–, pero es mucho mejor que el puré de patatas, ¿eh, muchachos? Cuando vengan mal dadas, recordad con quién podéis contar. Por muy negras que sean nuestras dificultades, yo siempre encontraré la forma de salir de ellas.

No sé cómo se las había arreglado para resolverla, pero la crisis había terminado. Nuestra despensa estaba llena nuevamente y ya no nos levantábamos de la mesa ansiando más, ya no nos quejábamos de nuestras sonoras tripas. Se podría haber pensado que este cambio de situación le habría ganado nuestra imperecedera gratitud, pero la realidad fue que nos acostumbramos rápidamente a darlo por sentado. Al cabo de diez días nos parecía perfectamente normal comer bien, y al final del mes nos resultaba difícil recordar los días en que no había sido así. Eso es lo que ocurre con la necesidad. Mientras te falta algo, lo ansías sin cesar. Si pudiera tener eso, te dices a ti mismo, todos mis problemas se resolverían. Pero una vez que lo consigues, una vez que te ponen en las manos el objeto de tus deseos, empieza a perder su encanto. Otras necesidades se afirman, otros deseos se hacen sentir, y poco a poco descubres que estás de nuevo en el punto de partida. Así ocurrió con mis lecciones de lectura; así ocurrió con la recién encontrada abundancia que abarrotaba los armarios de la cocina. Yo había pensado que esas cosas supondrían una diferencia, pero al final no eran más que sombras, anhelos sustitutorios de lo único que realmente deseaba, que era precisamente lo que no podía tener. Necesitaba que el maestro me amara de nuevo. A eso se reducía la historia de aquellos meses. Ansiaba el afecto del maestro, y ninguna cantidad de comida iba a satisfacerme nunca. Después de dos años, había aprendido que todo lo que yo era venía directamente de él. Me había hecho a su propia imagen, y ahora ya no estaba allí para mí. Por razones que yo no podía comprender, sentía que le había perdido para siempre.

Nunca se me ocurrió pensar en la señora Witherspoon. Ni siquiera cuando madre Sioux dejó caer una indirecta una noche acerca de la «viuda» del maestro en Wichita até cabos. Yo estaba retrasado a ese respecto, era un sabelotodo de once años que no entendía nada de lo que sucedía entre los hombres y las mujeres. Suponía que era todo carnal, intermitentes espasmos de caprichosa lujuria, y cuando Aesop me habló de plantar su polla tiesa en un cálido chochito (él acababa de cumplir diecisiete años), inmediatamente pensé en las putas que había conocido en Saint Louis, las desaliñadas y chistosas muñecas que se paseaban arriba y abajo por las callejuelas a las dos de la madrugada, vendiendo sus cuerpos a cambio

70

de frías y duras monedas. No sabía nada del amor adulto, del matrimonio o de los llamados sentimientos elevados. El único matrimonio que yo había visto era el del tío Slim y la tía Peg, y aquella era una combinación tan brutal, tal frenesí de mala baba, insultos y gritos, que probablemente era natural que fuese tan ignorante. Cuando el maestro se marchaba, yo me figuraba que estaría jugando al póquer en alguna parte o echándose al coleto una botella de matarratas en alguna taberna ilegal de Cibola. Nunca pensé que estuviera en Wichita cortejando a una señora de clase alta como Marion Witherspoon, y dejándose romper el corazón gradualmente en el proceso. Yo la había visto, pero estaba tan enfermo y febril en aquel momento que apenas la recordaba. Era una alucinación, una ficción nacida en las angustias de la muerte, y aunque su cara se iluminaba en mi mente de vez en cuando, no la creía real. En todo caso, pensaba que era mi madre, pero luego me asustaba, espantado de no poder reconocer al fantasma de mi propia madre.

Fueron precisos un par de casi desastres para que yo viera las cosas claras. A principios de diciembre Aesop se cortó en un dedo al abrir una lata de melocotón. Al principio parecía que no era nada, un simple arañazo que sanaría enseguida, pero en lugar de formársele una costra, como debería haber sucedido, se le hinchó terriblemente y se le llenó de pus y dolor, y al tercer día el pobre Aesop languidecía en la cama con fiebre alta. Fue una suerte que el maestro Yehudi estuviera en casa entonces, porque, además de sus otros talentos, tenía conocimientos bastante amplios de medicina, y cuando subió a la habitación de Aesop a la mañana siguiente para ver cómo iba el paciente, volvió a salir dos minutos después meneando la cabeza y parpadeando para contener las lágrimas.

–No hay tiempo que perder –me dijo–. Tiene gangrena y, a menos que amputemos ese dedo ahora, es probable que se extienda por la mano y el brazo. Sal corriendo y dile a madre Sioux que deje lo que esté haciendo y ponga dos ollas de agua a hervir. Yo bajaré a la cocina y afilaré los cuchillos. Tenemos que operar antes de una hora.

Hice lo que me ordenaba y, una vez que encontré a madre Sioux delante del establo, volví corriendo a la casa, subí las escaleras hasta el segundo piso y me estacioné al lado de mi amigo. Aesop tenía una cara malísima. El negro lustroso de su piel se había convertido en un gris polvoriento y moteado, y yo oía las flemas en su pecho mientras su cabeza giraba de izquierda a derecha sobre la almohada.

–Aguanta, compañero –le dije–. Ya no falta mucho. El maestro te va a curar, y dentro de nada estarás abajo dándoles otra vez a las teclas, tocando una de tus tontas melodías de jazz.

–¿Walt? –dijo él–. ¿Eres tú, Walt?

Abrió sus ojos inyectados en sangre y miró en dirección a mi voz, pero sus pupilas estaban tan vidriosas, que no estaba seguro de que pudiera verme.

–Claro que soy yo –contesté–. ¿Quién, si no, iba a estar sentado aquí en un momento como este?

–Me va a cortar el dedo, Walt, estaré deformado para el resto de mi vida y ninguna chica me querrá nunca.

–Ya estás deformado para el resto de tu vida, y eso no te ha quitado las ganas de follar, ¿verdad? No te va a cortar el pito, Aesop. Solo un dedo, y un dedo de la mano izquierda, además. Mientras tengas tu picha, podrás ir de putas hasta que te mueras.

–No quiero perder el dedo –gimió–. Si pierdo el dedo, significará que no hay justicia. Significará que Dios me ha vuelto la espalda.

–Yo tampoco tengo más que nueve dedos y medio, y no me preocupa nada. Una vez que pierdas el tuyo, seremos como gemelos. Socios de honor del Club de los Nueve Dedos, hermanos hasta el día que la diñemos, como siempre ha dicho el maestro.

Hice lo que pude para tranquilizarle, pero una vez que comenzó la operación me echaron a un lado y me olvidaron. Me quedé en el umbral con las manos sobre la cara, mirando por entre los dedos de vez en cuando mientras el maestro y madre Sioux hacían su trabajo. No había éter ni anestesia, y Aesop aulló y aulló, emitiendo unos sonidos terroríficos que helaban la sangre y no amainaron desde el principio hasta el final. A pesar de la pena que me daba, aquellos aullidos casi me destrozaron. Eran inhumanos, y el terror que expresaban era tan profundo y tan prolongado, que estuve a punto de empezar a gritar yo también. El maestro Yehudi llevó a cabo su tarea con la calma de un médico profesional, pero los aullidos afectaron a madre Sioux tanto como a mí. Eso era lo último que yo esperaba de ella. Siempre había pensado que los indios ocultaban sus sentimientos, que eran más valientes y más estoicos que los blancos, pero la verdad es que madre Sioux estaba deshecha, y mientras la sangre seguía manando y el dolor de Aesop continuaba aumentando, ella resollaba y gemía como si el cuchillo estuviera desgarrando su propia carne. El maestro Yehudi le dijo que se dominara. Ella se dominó, pero quince segundos más tarde empezó a sollozar de nuevo. Era una enfermera lamentable, y al cabo de un rato sus llorosas interrupciones distrajeron tanto al maestro, que tuvo que echarla de la habitación.

–Necesitamos un nuevo cubo de agua hirviendo –le dijo–. ¡Date prisa, mujer! ¡Rápido!

No era más que una excusa para librarse de ella, que cuando pasó apresuradamente por mi lado y salió al rellano de la escalera se tapaba la cara con las manos y continuó llorando ciegamente hasta llegar al primer escalón. Tuve una visión clara de todo lo que sucedió después: la forma en que su pie tropezó al empezar a descender, y cómo se le dobló la rodilla cuando intentó recuperar el equilibrio, y luego la caída de cabeza rodando por las escaleras, los golpes sordos, los tumbos que dio su enorme cuerpo hasta que se estrelló abajo. Aterrizó con un golpe tal que toda la casa se estremeció. Un instante más tarde soltó un chillido, luego se agarró la pierna izquierda y empezó a retorcerse por el suelo.

–¡Estúpida vieja zorra! –se dijo a sí misma–. ¡Estúpida y vieja furcia, mira lo que has hecho! ¡Te has caído por las escaleras y te has roto la maldita pierna!

Durante las dos semanas siguientes la casa estuvo tan triste como un hospital. Había dos enfermos a los que cuidar y el maestro y yo nos pasábamos los días corriendo arriba y abajo, sirviéndoles la comida, vaciando sus orinales y haciendo todo excepto limpiarles el culo. Aesop estaba sumido en la autocompasión y el abatimiento, madre Sioux se maldecía a sí misma de la mañana a la noche, y entre cuidar a los animales del establo, limpiar las habitaciones, hacer las camas, fregar los platos y alimentar la estufa, al maestro y a mí no nos quedaba ni un minuto para hacer nuestro trabajo. Se aproximaban las Navidades, la época en la que se suponía que yo me elevaría del suelo, y seguía tan sujeto a las leyes de la gravedad como siempre. Fue mi momento más sombrío en más de un año. Me había convertido en un ciudadano normal que cumplía con sus deberes y sabía leer y escribir, y si las cosas continuaban así, probablemente acabaría recibiendo clases de declamación y apuntándome a los Boy Scouts.

Una mañana me desperté un poco más temprano que de costumbre. Fui a comprobar cómo se encontraban Aesop y madre Sioux, vi que ambos seguían durmiendo y bajé las escaleras de puntillas con la intención de sorprender al maestro con mi madrugón. Normalmente, él estaba en la cocina a esa hora, haciendo el desayuno y preparándose para empezar el día. Pero de la cocina no me llegaba el olor del café, ni el ruido del tocino crepitando en la sartén, y, efectivamente, cuando entré, la habitación estaba vacía. Estará en el establo, me dije, recogiendo los huevos u ordeñando a una de las vacas, pero entonces me di cuenta de que la estufa no estaba encendida. Encender el fuego era lo primero que hacíamos en las mañanas de invierno, y la temperatura en el piso de abajo era glacial, tan fría que yo echaba una nube de vapor cada vez que espiraba. Bueno, continué para mí, puede que el hombre estuviera molido y quisiera recuperar sueño. Eso ciertamente sería una novedad, ¿no? Que yo le despertara a él en lugar de viceversa. Así que volví a subir y llamé a la puerta de su dormitorio, y cuando no hubo respuesta después de varios intentos, la abrí y crucé el umbral cautelosamente. El maestro Yehudi no estaba en ninguna parte. No solo no estaba en su cama, sino que esta, cuidadosamente hecha, no mostraba señales de que nadie hubiera dormido en ella aquella noche. Nos ha abandonado, me dije. Se ha fugado y no volveremos a verle nunca más.

Durante la siguiente hora mi mente fue un caos de pensamientos desesperados. Pasé de la pena a la cólera, de la beligerancia a la risa, de un hosco dolor a una vil burla de mí mismo. El universo se había desvanecido en humo y a mí me habían dejado entre las cenizas, solo para siempre entre las ardientes ruinas de la traición.

Madre Sioux y Aesop dormían en sus camas, inconscientes de mis desvaríos y mis lágrimas. De un modo u otro (no recuerdo cómo llegué allí) estaba de nuevo en la cocina, tumbado boca abajo con la cara apretada contra el suelo, frotando la nariz contra las sucias tablas de madera. Ya no me quedaban lágrimas, solo un seco y estrangulado jadeo, consecuencia de los hipos y los abrasadores y ahogados sollozos. Luego me quedé inmóvil, casi tranquilo, y poco a poco me inundó una sensación de calma que se extendía por mis músculos y fluía hacia las puntas de los dedos de mis manos y mis pies. No había más pensamientos en mi cabeza ni más sentimientos en mi corazón. Me sentía ingrávido dentro de mi propio cuerpo, flotando en una plácida ola de nada, absolutamente distanciado e indiferente al mundo que me rodeaba. Y fue entonces cuando lo hice por primera vez, sin previo aviso, sin la menor intuición de que estaba a punto de suceder. Muy despacio, noté que mi cuerpo se elevaba del suelo. El movimiento era tan natural, tan exquisito en su suavidad, que hasta que no abrí los ojos no comprendí que mis miembros solo tocaban el aire. No estaba muy lejos del suelo –no más de tres o cuatro centímetros–, pero me hallaba allí sin esfuerzo, suspendido como la luna en el cielo nocturno, inmóvil y flotando, consciente solo del aire que entraba y salía de mis pulmones. No sabría decir cuánto tiempo permanecí así, pero en un momento dado, con la misma lentitud y suavidad que antes, volví a tocar el suelo. Para entonces me había quedado vacío de todo y mis ojos ya estaban cerrados. Sin un solo pensamiento sobre lo que acababa de suceder, caí en un profundo sueño sin sueños, hundiéndome como una piedra hasta el fondo del mundo.

Me despertó el sonido de voces y el arrastrar de zapatos contra el suelo de madera desnuda. Cuando abrí los ojos me encontré mirando directamente la negrura de la pernera izquierda del pantalón del maestro Yehudi.

—Buenos días, muchacho —dijo, empujándome suavemente con la punta del pie—. Te has echado un sueñecito sobre el frío suelo de la cocina. No es el mejor lugar para una siesta si quieres conservar la salud.

Traté de sentarme, pero mi cuerpo estaba tan insensible y rígido que necesité todas mis fuerzas solo para incorporarme sobre un codo. Mi cabeza era una masa temblorosa de telarañas y por más que me froté los ojos y parpadeé no conseguí enfocarlos correctamente.

—¿Qué te pasa, Walt? —continuó el maestro—. No te habrás levantado sonámbulo, ¿verdad?

—No, señor. Nada de eso.

—Entonces ¿por qué estás tan alicaído? Parece que vienes de un funeral.

Una inmensa tristeza se adueñó de mí cuando él dijo eso, y de pronto sentí que estaba al borde de las lágrimas.

—¡Oh, maestro! —dije, agarrándome a su pierna con ambos brazos y apretando la mejilla contra su espinilla—. ¡Oh, maestro, pensé que me había abandonado! ¡Pensé que me había abandonado para no volver nunca más!

En el mismo momento en que estas palabras salieron de mis labios, comprendí que estaba equivocado. No era el maestro quien me había causado aquella sensación de vulnerabilidad y desesperación, era lo que había hecho justo antes de dormirme. Todo volvió a mí en una vivida y nauseabunda oleada: los momentos que había pasado separado del suelo, la certidumbre de que había hecho lo que ciertamente no podía haber hecho. En lugar de llenarme de éxtasis o alegría, este descubrimiento me llenó de horror. Ya no me conocía. Estaba habitado por algo que no era yo, y esa cosa era tan terrible, tan ajena en su novedad, que no era capaz de hablar de ella. En lugar de eso me permití llorar. Dejé que las lágrimas manaran de mis ojos, y una vez que empecé, no estaba seguro de poder parar nunca.

–¡Querido muchacho –dijo el maestro–, mi querido y dulce niño!

Se agachó y me abrazó, dándome palmaditas en la espalda y estrechándome contra sí mientras yo continuaba llorando. Luego, después de una pausa, le oí hablar de nuevo, pero sus palabras ya no iban dirigidas a mí. Por primera vez desde que recobré la conciencia, comprendí que había otra persona en la habitación.

–Es el chico más valiente que ha existido nunca –dijo el maestro–. Ha trabajado tanto, que se ha agotado. El cuerpo solo puede aguantar hasta cierto punto, y me temo que el pobre muchacho está rendido.

Fue entonces cuando finalmente levanté la vista. Alcé la cabeza del regazo del maestro Yehudi, miré a mi alrededor por un momento y allí estaba la señora Witherspoon, de pie en la luz del umbral. Llevaba un abrigo carmesí y un sombrero de piel negra, recuerdo, y sus mejillas estaban aún sonrojadas por el frío invernal. En el instante en que nuestros ojos se encontraron, ella sonrió.

–Hola, Walt –dijo.

–Hola, señora –dije, sorbiendo mis últimas lágrimas.

–Te presento a tu hada madrina –dijo el maestro–. La señora Witherspoon ha venido a salvarnos y se quedará en la casa durante algún tiempo. Hasta que las cosas vuelvan a la normalidad.

–Usted es la señora de Wichita, ¿no? –dije, comprendiendo por qué su cara me resultaba tan conocida.

—Eso es —dijo ella—. Y tú eres el niño que se perdió en la tormenta.

—Eso fue hace mucho tiempo —dije, desenredándome de los brazos del maestro y levantándome al fin—. La verdad es que no recuerdo mucho de aquello.

—No —dijo ella—, es probable que no. Pero yo sí.

—La señora Witherspoon no es solo una amiga de la familia —dijo el maestro—, sino que es nuestra adalid número uno y socia comercial. Solo para que conozcas la verdadera situación, Walt. Quiero que tengas eso en cuenta mientras ella esté aquí con nosotros. La comida que te alimenta, la ropa que te viste, el fuego que te calienta, todo eso viene por cortesía de la señora Witherspoon, y sería un día triste aquel en que lo olvidases.

—No se preocupe —dije, sintiendo de pronto algo de energía en mi alma—. No soy ningún palurdo. Cuando una dama distinguida entra en mi casa, sé cómo debe comportarse un caballero.

Sin perder un instante, volví los ojos hacia la señora Witherspoon y, con todo el aplomo y el arrojo que pude reunir, le dirigí el guiño más insinuante y ridículo jamás visto por una mujer. En honor suyo hay que decir que la señora Witherspoon ni se ruborizó ni tartamudeó. Pagándome con la misma moneda, soltó una risita y luego, tan fresca y tranquila como una vieja celestina, me lanzó un travieso guiño. Fue un momento que aún valoro, y en el instante en que sucedió supe que íbamos a ser amigos.

No tenía ni idea de cuál era el arreglo que el maestro había hecho con ella y en aquel entonces no pensé mucho en el asunto. Lo que me interesaba era que la señora Witherspoon estaba allí y que su presencia me relevaba de mi trabajo como enfermera y fregona. Ella se hizo cargo de todo aquella primera mañana y durante las siguientes tres semanas la casa funcionó tan suavemente como un par de patines nuevos. Para ser sincero, yo no la había creído capaz de ello, por lo menos no cuando la vi con aquel lujoso abrigo y aquellos guantes caros. Parecía una mujer acostumbrada a tener criados que la sirvieran y, aunque era bastante bonita en un estilo frágil, su piel era demasiado pálida para mi gusto y tenía demasiado poca carne sobre los huesos. Tardé algún tiempo en adaptarme a ella, ya que no encajaba en ninguna de las categorías femeninas que yo conocía. No era una jovencita descocada ni una fulana, tampoco era una sufrida ama de casa, ni una maestra solterona, ni una vieja gruñona, sino que de alguna manera tenía un poco de todas ellas, lo cual quería decir que nunca podías definirla ni predecir cuál iba a ser su siguiente paso. Lo único de lo que me sentía seguro era de que el maestro estaba enamorado de ella. Siempre se quedaba muy quieto y hablaba en voz baja cuando ella entraba en la habitación, y más de una vez le pillé mirándola fijamente con una expresión lejana en los ojos cuando ella tenía la cabeza vuelta hacia otro lado. Puesto que dormían juntos en la misma cama todas las noches y puesto que yo oía que el somier chirriaba y saltaba con cierta regularidad, di por sentado que ella sentía lo mismo por él. Lo que yo no sabía era que ella había rechazado ya tres veces sus propuestas de matrimonio, pero aunque lo hubiese sabido, dudo que me hubiese hecho cambiar de opinión. Yo tenía otras cosas en la cabeza entonces y eran mucho más importantes para mí que los altibajos de la vida amorosa del maestro.

Durante esas semanas yo pasaba solo el mayor tiempo posible, escondido en mi cuarto mientras estudiaba los misterios y terrores de mi nuevo don. Hice todo lo que pude para domarlo, para llegar a un acuerdo con él, para estudiar sus dimensiones exactas y aceptarlo como una parte fundamental de mí mismo. Esa era la lucha: no solo dominar aquella facultad, sino absorber sus horribles y perturbadoras implicaciones, arrojarme en las fauces de la bestia. Me había marcado con un destino especial, y estaría apartado de los demás el resto de mi vida. Imagínense que al despertar una mañana descubren que tienen una nueva cara, y luego imagínense las horas que tendrían que pasar delante del espejo antes de acostumbrarse a ella, antes de poder empezar a sentirse cómodos consigo mismos de nuevo. Día tras día, me encerraba en mi cuarto, me tumbaba en el suelo y deseaba que mi cuerpo se levantara en el aire. Practiqué tanto, que no pasó mucho tiempo antes de que pudiera levitar a voluntad, elevándome del suelo en cuestión de segundos. Pasadas dos semanas, descubrí que no era necesario que me tumbara en el suelo. Si me ponía en el trance adecuado, podía hacerlo de pie y flotar mis buenos quince centímetros en el aire en posición vertical. Tres días más tarde, descubrí que podía empezar el ascenso con los ojos abiertos. En realidad, podía mirar hacia abajo y ver mis pies separándose del suelo y el hechizo no se rompía.

Mientras tanto, la vida de los otros se arremolinaba a mi alrededor. A Aesop le quitaron las vendas, a madre Sioux le dieron un bastón y empezó a moverse por la casa de nuevo cojeando, el maestro y la señora Witherspoon sacudían los muelles de su cama todas las noches, llenando la casa con sus gemidos. Con tanto alboroto, no siempre resultaba fácil encontrar una excusa para encerrarme en mi cuarto. Un par de veces estuve seguro de que el maestro me había calado, de que entendía mi duplicidad y se mostraba indulgente solo porque quería que le dejara en paz. En cualquier otro momento, me habría consumido de celos al verme rehuido de esa manera, al saber que él prefería la compañía de una mujer a mi valiosa e inimitable presencia. Ahora que podía permanecer suspendido en el aire, sin embargo, el maestro Yehudi estaba empezando a perder sus propiedades divinas para mí y ya no me sentía bajo el poder de su influencia. Le veía como un hombre, un hombre ni mejor ni peor que otros, y si él quería pasar su tiempo retozando con una flaca moza de Wichita, era cosa suya. Él tenía sus asuntos y yo tenía los míos, y así sería de ahora en adelante. Después de todo, me había enseñado a mí mismo a volar, o por lo menos algo que se parecía a volar, y supuse que eso significaba que ahora era mi propio amo, que no estaba obligado por gratitud a nadie excepto a mí mismo. Luego resultó que simplemente había avanzado a la siguiente etapa de mi desarrollo. Tortuoso y astuto como siempre, el maestro seguía yendo muy por delante de mí y yo tenía un largo camino por recorrer antes de convertirme en el tipo extraordinario que creía ser.

Aesop languidecía en su estado de nueve dedos, era una desganada sombra de su antigua personalidad, y aunque yo pasaba con él todo el tiempo que podía, estaba demasiado ocupado con mis experimentos para dedicarle la clase de atención que necesitaba. Él no cesaba de preguntarme por qué pasaba tantas horas solo en mi habitación, y una mañana (debió de ser el quince o el dieciséis de diciembre) solté una pequeña mentira para ayudar a calmar sus dudas respecto a mí. No quería que creyera que había dejado de quererle y, dadas las circunstancias, me parecía mejor mentir que no decir nada.

—Es una especie de sorpresa —dije—. Si me prometes no decir una palabra, te daré una pista.

Aesop me miró con sospecha.

–Esto es otra de tus jugarretas, ¿no?

–Nada de jugarretas, te lo juro. Lo que te digo va en serio, es toda la verdad directamente de la mejor fuente.

–No te andes por las ramas. Si tienes algo que decir, dímelo.

–Lo haré. Pero primero tienes que prometérmelo.

–Más te vale que esto sea algo importante. No me gusta dar mi palabra sin ningún motivo, ya lo sabes.

–Oh, ya lo creo que es importante, puedes fiarte de mí.

–Bueno –dijo, empezando a perder la paciencia–. ¿De qué se trata, hermanito?

–Levanta la mano derecha y jura que no se lo dirás a nadie. Júralo por la tumba de tu madre. Júralo por el blanco de tus ojos. Júralo por el coño de todas las putas del barrio negro.

Aesop suspiró, se agarró los huevos con la mano izquierda –así era como los dos hacíamos los juramentos sagrados– y levantó la mano derecha.

–Lo prometo –dijo, y luego repitió las cosas que yo le había dicho que dijera.

–Bueno –dije, improvisando sobre la marcha–. Lo que pasa es lo siguiente. La semana que viene es Navidad, y como la señora Witherspoon está aquí y todo eso, he oído decir que tendremos una celebración el veinticinco. Pavo y pudín, regalos, puede que incluso un abeto con chucherías y palomitas. Si esta fiesta sale como yo creo, no quiero que me coja con los pantalones bajados. Ya sabes lo que pasa. No tiene gracia recibir un regalo si tú no puedes hacer otro a cambio. Eso es lo que he estado haciendo en mi cuarto todos estos días. Estoy trabajando en el regalo, preparando la sorpresa más grande y más buena que se le ha ocurrido a mi pobre cerebro. Te la descubriré dentro de unos días, hermano mayor, y espero que no te desilusione.

Todo lo que dije sobre la fiesta de Navidad era verdad. Había oído al maestro y a su dama hablando de ello una noche a través de las paredes, pero hasta entonces no se me había ocurrido hacerle un regalo a nadie. Ahora que había plantado la idea en mi cabeza, lo vi como una oportunidad dorada, la ocasión que había estado esperando todo el tiempo. Si había una cena de Navidad (y esa misma noche el maestro anunció que la habría), aprovecharía la ocasión para mostrarles mi nuevo talento. Ese sería mi regalo para ellos. Me pondría de pie y levitaría delante de sus ojos, y el mundo conocería al fin mi secreto.

La semana y media siguiente la pasé en ascuas. Una cosa era poner en práctica mis habilidades en privado, pero ¿cómo podía estar seguro de que no me caería de bruces cuando me elevase delante de ellos? Si no lo lograba, me convertiría en un hazmerreír, el blanco de todas las bromas durante los siguientes veintisiete años. Así comenzó el día más largo y atormentado de mi vida. Desde cualquier ángulo que lo mire, el festejo navideño fue un triunfo, un verdadero banquete de risas y alegría, pero yo no me divertí ni pizca. Apenas podía masticar el pavo por miedo a atragantarme con él y el puré de nabos me sabía como una mezcla de engrudo y barro. Cuando pasamos a la sala para cantar e intercambiar los regalos, yo estaba a punto de desmayarme. Empezó la señora Witherspoon dándome un jersey azul con ciervos rojos bordados en el delantero. Siguió madre Sioux con un par de calcetines de rombos de colores hechos a mano, y luego el maestro me dio un flamante balón de béisbol blanco. Finalmente, Aesop me regaló el retrato de Sir Walter Raleigh, que había recortado del libro y montado en un marco de ébano pulido. Todos ellos eran regalos generosos, pero cada vez que desenvolvía uno, lo único que era capaz de hacer era mascullar unas tristes e inaudibles gracias. Cada regalo significaba que estaba más cerca del momento de la verdad, y cada uno agotaba un poco más mi espíritu. Me hundí en la silla y para cuando abrí el último paquete, prácticamente había resuelto cancelar la demostración. No estaba preparado, me dije, aún necesitaba más práctica, y una vez que empecé con estos argumentos, no tuve dificultad para disuadirme a mí mismo. Luego, justo cuando ya había conseguido pegar mi culo a la silla para siempre, Aesop metió baza y el techo se me vino encima.

—Ahora le toca a Walt —dijo con toda inocencia, pensando que yo era un hombre de palabra—. Se guarda algo en la manga y me muero por ver qué es.

—Efectivamente —dijo el maestro, volviéndose hacia mí con una de sus penetrantes miradas—. El joven señor Rawley aún no ha dicho esta boca es mía.

Estaba en un aprieto. No tenía otro regalo, y si daba más largas me verían como el ingrato egoísta que realmente era. Así que me levanté de la silla, con las rodillas entrechocando, y dije con una débil vocecita:

—Allá va, señoras y caballeros. Si no sale bien, no podrán decir que no lo he intentado.

Los cuatro me miraban con tanta curiosidad, con tanta perplejidad y atención, que cerré los ojos para borrarlos. Hice una larga y lenta inhalación y espiré, extendí los brazos de la forma floja y relajada que había practicado durante tantas horas y entré en trance. Comencé a elevarme casi inmediatamente, separándome del suelo en un ascenso suave y gradual, y cuando llegué a una altura de quince o veinte centímetros —el máximo de que era capaz en aquellos primeros meses–, abrí los ojos y miré a mi público. Aesop y las dos mujeres estaban boquiabiertos de asombro, las tres bocas formando idénticas oes. El maestro sonreía, sin embargo, sonreía mientras las lágrimas rodaban por sus mejillas, y cuando aún estaba suspendido delante de él vi que se llevaba las manos a la tira de cuero que había debajo del cuello de su camisa. Cuando bajé flotando, él ya se había quitado el collar por la cabeza y me lo ofrecía en su palma extendida. Nadie dijo una palabra. Eché a andar hacia él, cruzando la habitación con los ojos fijos en los suyos, sin atreverme a mirar a otro sitio. Cuando llegué al lugar donde el maestro estaba sentado, cogí la falange de mi dedo y caí de rodillas, enterrando la cara en su regazo. Permanecí así durante casi un minuto, y cuando finalmente encontré el valor necesario para levantarme de nuevo, dejé la habitación corriendo, fui hacia la cocina y salí al aire frío de la noche, anhelante por llenarme los pulmones y recobrar el aliento bajo la inmensidad de las estrellas invernales.

Nos despedimos de la señora Witherspoon tres días más tarde, diciéndole adiós con la mano desde la puerta de la cocina mientras ella se alejaba en su Chrysler sedán verde esmeralda. Estábamos en 1927, y durante los primeros seis meses de ese año trabajé con salvaje concentración, esforzándome por adelantar un poco más cada semana. El maestro Yehudi dejó claro que la levitación era solo el comienzo. Era un logro estupendo, por supuesto, pero nada que sirviera para triunfar en el mundo. Docenas de personas poseían la facultad de elevarse del suelo, y aun descontando a los faquires indios, los monjes tibetanos y los hechiceros congoleños, había numerosos ejemplos en las llamadas naciones civilizadas, los países blancos de Europa y Norteamérica. Solo en Hungría, dijo el maestro, había cinco levitadores activos a final de siglo, tres de ellos en su ciudad natal, Budapest. Era una facultad maravillosa, pero el público se cansaba pronto de ella, y a menos que pudieses hacer algo más que permanecer suspendido en el aire a unos cuantos centímetros del suelo, no había ninguna posibilidad de convertirlo en una carrera rentable. El arte de la levitación había sido mancillado por farsantes y charlatanes, los tipos del humo y el espejo que buscaban una ganancia rápida, e incluso el mago más torpe y poco elegante de los circuitos de variedades podía realizar el número de la chica flotante: una mujer atractiva con un vestido atrevido y brillante que permanece suspendida tendida en el aire mientras pasan un aro alrededor de un extremo a otro de su cuerpo («Vean: nada de hilos, nada de alambres»). Esto era ahora un procedimiento corriente, parte habitual del repertorio, y había dejado a los verdaderos levitadores fuera del negocio.

Todo el mundo sabía que era un truco, y la falsificación estaba tan extendida que incluso cuando se ofrecía un número de auténtica levitación, los públicos se empeñaban en creer que se trataba de una impostura.

—Solamente hay dos maneras de retener su atención —dijo el maestro—. Cualquiera de ellas nos proporcionará una buena vida, pero si consigues combinar las dos en un solo número, nadie sabe hasta dónde podríamos llegar. No hay banco en el mundo que pueda contener todo el dinero que ganaríamos.

—Dos maneras —dije—. ¿Son parte de las treinta y tres etapas o ya estamos más allá de eso?

—Estamos más allá. Has ido tan lejos como fui yo cuando tenía tu edad, y pasado este punto entramos en un nuevo territorio, continentes que nadie ha visto nunca. Puedo ayudarte con consejos e instrucción, puedo guiarte cuando te salgas del camino, pero todo lo esencial tendrás que descubrirlo por ti mismo. Hemos llegado a la encrucijada, y de ahora en adelante todo depende de ti.

—Hábleme de esas dos maneras. Cuénteme todos los secretos del asunto y veremos si soy capaz de ello o no.

—Elevación y locomoción, esas son las dos maneras. Por elevación entiendo ascender en el aire. No solo quince centímetros, sino un metro, dos metros, seis metros. Cuanto más alto subas, más espectaculares serán los resultados. Un metro queda bonito, pero no será suficiente para asombrar a las multitudes. Eso te pone solo un poco por encima del nivel de los ojos de la mayoría de los adultos, y eso no basta a la larga. A dos metros, estás suspendido por encima de sus cabezas, y una vez que les obligues a mirar hacia arriba, estarás creando la clase de impresión que buscamos. A tres metros, el efecto será trascendental. A seis metros, estarás entre los ángeles, Walt, serás algo maravilloso de ver: una aparición de luz y belleza que derramará alegría en el corazón de cada hombre, mujer o niño que levante la cara hacia ti.

–Me está usted poniendo la carne de gallina, maestro. Cuando habla así, me tiemblan todos los huesos.

–La elevación es solo la mitad del asunto, hijo. Antes de que te entusiasmes, detente a considerar la locomoción. Me refiero a moverte por el aire. Hacia delante o hacia atrás, según sea el caso, pero preferiblemente ambas cosas. La velocidad no es importante, pero la duración es vital, la esencia misma del asunto. Imagínate el espectáculo de planear por el aire durante diez segundos. La gente se quedaría boquiabierta. Te señalarían con incredulidad, pero antes de que pudiesen aprehender la realidad de lo que estaban presenciando, el milagro habría terminado. Ahora prolonga la actuación hasta treinta segundos o un minuto. Mejora, ¿no es cierto? El alma empieza a expandirse, la sangre comienza a fluir más dulcemente por tus venas. Ahora alárgala hasta cinco minutos, diez minutos, imagínate haciendo figuras y piruetas mientras te mueves, inagotable y libre, con cincuenta pares de ojos fijos en ti mientras flotas por encima de la hierba del campo de polo de la ciudad de Nueva York. Trata de imaginarlo, Walt, y verás lo que yo he estado viendo durante todos estos meses y años.

—¡En el nombre del Señor, maestro Yehudi, creo que no puedo soportarlo!

—Pero espera, Walt, espera un segundo. Supón, por el gusto de la argumentación, solo supón, que por un inmenso golpe de suerte fueras capaz de dominar ambas cosas y realizarlas al mismo tiempo.

—¿La elevación y la locomoción juntas?

—Eso es, Walt. La elevación y la locomoción juntas. ¿Qué pasaría entonces?

—Volaría, ¿no? Volaría por el aire como un pájaro.

—No como un pájaro, hombrecito. Como un Dios. Serías la maravilla de las maravillas, Walt, el bendito de los benditos. Mientras los hombres anduviesen sobre la tierra, te adorarían como el hombre más grande entre los hombres.

Pasé la mayor parte del invierno trabajando solo en el establo. Los animales estaban allí, pero no me hacían ningún caso y contemplaban mis proezas antigravitatorias con estúpida indiferencia. De vez en cuando el maestro pasaba por allí para ver cómo iba, pero, aparte de unas pocas palabras de estímulo, solía hablar poco. Enero resultó el mes más duro, y no hice ningún progreso. Para entonces la levitación me resultaba casi tan sencilla como respirar, pero estaba atascado en la misma despreciable altura de quince centímetros, y la idea de moverme por el aire me parecía imposible. No era que no pudiese aprender a hacer esas cosas, ni siquiera podía concebirlas, y por más que trabajaba a fin de persuadir a mi cuerpo para que las expresara, no podía encontrar el modo de comenzar. El maestro tampoco estaba en situación de ayudarme.

—Probar y corregir errores —decía—, probar y corregir errores, ese es el método. Ahora has llegado a la parte difícil y no puedes esperar alcanzar los cielos de la noche a la mañana.

A principios de febrero Aesop y el maestro Yehudi dejaron la granja para hacer un recorrido por los colegios y universidades del Este. Querían decidir dónde debía matricularse Aesop en septiembre y pensaban estar fuera un mes entero. No necesito añadir que rogué que me llevasen con ellos. Visitarían ciudades como Boston y Nueva York, gigantescas metrópolis con equipos de béisbol de primera, tranvías y máquinas tragaperras, y la idea de quedarme en el quinto infierno era un poco dura de tragar. Si hubiese estado haciendo algún progreso en mi elevación y locomoción, tal vez no habría sido tan espantoso que me dejaran allí, pero no estaba consiguiendo nada y le dije al maestro que un cambio de escenario era justamente lo que necesitaba para que los jugos fluyesen de nuevo. Se rió de aquella forma condescendiente tan suya y me dijo:

–Tu momento se acerca, campeón, pero ahora le toca el turno a Aesop. El pobre chico no ha visto una acera o un semáforo desde hace siete años, y es mi deber como padre enseñarle un poco del mundo. Los libros solo sirven hasta cierto punto, después de todo. Llega un momento en que tienes que experimentar las cosas en carne propia.

–Hablando de la carne –dije, tragándome mi decepción–, no deje de ocuparse del compañerito de Aesop. Si hay una experiencia que ansía vivamente, es la oportunidad de ponerlo en algún sitio que no sea su propia mano.

–Pierde cuidado, Walt. Está en el orden del día. La señora Witherspoon me ha dado algo de dinero extra precisamente con ese propósito.

–Eso es muy considerado por su parte. Puede que haga lo mismo por mí algún día.

–Estoy seguro de que lo haría, pero dudo que vayas a necesitar su ayuda.

–Ya veremos. Tal y como están las cosas ahora mismo, no me interesa.

–Razón de más para que te quedes en Kansas y hagas tu trabajo. Si perseveras, puede que haya una sorpresa o dos esperándome cuando regrese.

Así que pasé el mes de febrero solo con madre Sioux, viendo caer la nieve y escuchando cómo soplaba el viento sobre la pradera. Durante las dos primeras semanas el tiempo fue tan frío que no fui capaz del esfuerzo de ir al establo. Pasaba la mayor parte del tiempo haraganeando por la casa, demasiado abatido para pensar en practicar mi numerito. Aun estando los dos solos, madre Sioux tenía que continuar con sus tareas domésticas, y con el esfuerzo adicional impuesto por su pierna mala, se cansaba más fácilmente que antes. Así y todo, yo la importunaba y la distraía, tratando de conseguir que hablara conmigo mientras hacía su trabajo. Durante más de dos años yo no había pensado mucho en nadie excepto en mí mismo, aceptando a la gente que me rodeaba más o menos como parecían ser en la superficie. Nunca me había molestado en sondear su pasado, nunca me había importado realmente saber quiénes habían sido antes de que yo entrara en sus vidas. Ahora, de pronto, fui presa de una necesidad compulsiva de enterarme de todo lo que pudiera acerca de cada uno de ellos. Creo que la cosa comenzó por lo mucho que les echaba de menos, al maestro y a Aesop sobre todo, pero también a la señora Witherspoon. Me había gustado tenerla en la casa, y el lugar resultaba mucho más aburrido desde que ella se había ido. Hacer preguntas era una forma de recuperarlos, y cuanto más hablaba de ellos madre Sioux, menos solo me sentía.

A pesar de toda mi insistencia, no le sacaba mucho durante el día. Alguna que otra anécdota, unos pocos comentarios sueltos o insinuaciones. La caída de la tarde era más propicia para la conversación, y, por mucho que la importunara, raras veces se ponía a hablar antes de que nos sentáramos a cenar. Madre Sioux era una persona callada, poco dada a la charla ociosa o el cotilleo, pero una vez que se instalaba en el estado de ánimo adecuado, no era mala contando historias. Su modo de expresarse era plano y no incluía muchos detalles pintorescos, pero tenía el don de hacer pausas de cuando en cuando en medio de una frase o una idea, y aquellas pequeñas interrupciones en el relato producían efectos bastante sorprendentes. Te daban la oportunidad de pensar, de continuar la historia tú mismo, y cuando ella la reanudaba, descubrías que tu cabeza estaba llena de toda clase de vívidas imágenes que no estaban allí antes.

Una noche, sin ningún motivo que yo pudiera entender, me llevó a su cuarto en el segundo piso. Me dijo que me sentara en la cama, y una vez que me hube puesto cómodo, abrió la tapa de un viejo y baqueteado baúl que estaba en un rincón. Yo siempre había pensado que ella guardaba allí sus sábanas y mantas, pero resultó que estaba lleno de objetos de su pasado: fotografías y collares de cuentas, mocasines y vestidos de piel, puntas de flecha, recortes de periódico y flores secas. Uno por uno, trajo estos recuerdos hasta la cama, se sentó a mi lado y me explicó lo que significaban. Resultó ser verdad que había trabajado para Buffalo Bill, y lo que más me impresionó al mirar sus viejas fotos fue lo bonita que había sido entonces, vivaz y esbelta, con todos sus dientes blancos y dos largas y preciosas trenzas. Había sido una auténtica princesa india, una *squaw* de ensueño como las de las películas, y resultaba difícil asociar a aquella graciosa chica con la gorda lisiada que nos llevaba la casa, aceptar el hecho de que eran la misma persona. Había empezado cuando tenía dieciséis años, me dijo, en el apogeo de la moda de la Danza de los Espíritus que había barrido los territorios indios a finales de la década de 1880. Aquellos eran malos tiempos, los años del fin del mundo, y los pieles rojas creían que la magia era lo único que podría salvarlos de la extinción. La caballería los acorralaba por todas partes, expulsándolos de las praderas y encerrándolos en pequeñas reservas, y los Casacas Azules tenían demasiados hombres para que un contraataque fuese viable. Bailar la Danza de los Espíritus era la última línea de la resistencia: sacudirte hasta el frenesí, saltar y brincar como los Holy Rollers[1] y los chiflados que presumían de haber recibido el don de lenguas. Entonces podías volar fuera de tu cuerpo y las balas del hombre blanco ya no te tocaban, ya no te mataban, ya no vaciaban tus venas de sangre. La danza prendió en todas partes y finalmente el propio Toro Sentado se unió a ella. El ejército de Estados Unidos se asustó, temiendo que se estuviera preparando una rebelión, y ordenó al tío abuelo de madre Sioux que detuviera aquello. Pero el viejo les dijo que se fueran al diablo, que él podía bailar en su propia tienda si le daba la gana. ¿Quiénes eran ellos para entrometerse en sus asuntos? Así que el general Casaca Azul (creo que su nombre era Miles, o Niles) llamó a Buffalo Bill para conferenciar con el jefe indio. Eran amigos de los tiempos en que Toro Sentado había trabajado en el Espectáculo del Salvaje Oeste, y Cody era casi el único rostro pálido del que se fiaba. Así

---

1. Miembros de una secta protestante cuyas reuniones de culto se caracterizan por una frenética excitación. *(N. de la T.)*

que Bill fue hasta la reserva, en Dakota del Sur, como un buen soldado, pero, una vez allí, el general cambió de opinión y no le permitió reunirse con Toro Sentado. Bill estaba comprensiblemente enojado. Sin embargo, justo cuando iba a marcharse de allí hecho una furia, vio a la joven madre Sioux (cuyo nombre entonces era La Que Sonríe Como El Sol) y la contrató como miembro de su compañía. Por lo menos el viaje no había sido completamente en balde. Para madre Sioux probablemente supuso la diferencia entre la vida y la muerte. Unos días después de su partida hacia el mundo del espectáculo, Toro Sentado fue asesinado en una refriega con algunos soldados que le tenían prisionero, y poco después trescientas mujeres, niños y ancianos fueron muertos por un regimiento de caballería en la llamada batalla de Wounded Knee, que no fue tanto una batalla como una cacería de pavos, una matanza en masa de inocentes.

Había lágrimas en los ojos de madre Sioux cuando me hablaba de esto.

–La venganza de Custer –murmuró–. Yo tenía dos años cuando Caballo Loco le llenó el cuerpo de flechas, y cuando cumplí los dieciséis, no quedaba nada.

–Aesop me lo explicó una vez –dije–. Ahora lo tengo un poco borroso, pero recuerdo que me contó que no hubiese habido esclavos negros traídos de África si a los blancos les hubiesen dejado las manos libres con los indios. Dijo que querían convertir a los pieles rojas en esclavos, pero que el jefe católico del viejo país dijo que ni hablar. Así que los piratas fueron a África y cogieron a un montón de morenos y se los llevaron encadenados. Así es como me lo contó Aesop, y que yo sepa él nunca miente. A los indios debían tratarlos bien. Como eso de vivir y dejar vivir que el maestro dice siempre.

—Debían —contestó madre Sioux—. Pero deber no es lo mismo que hacer.

—Tiene usted razón, madre. Si no cumples lo que prometes, puedes hacer todas las promesas que quieras, pero no valen un pepino.

Después de eso sacó más fotos y luego empezó a enseñarme los programas de teatro, los carteles y los recortes de periódicos. Madre Sioux había actuado en todas partes, no solo en Estados Unidos y Canadá, sino al otro lado del océano. Había actuado delante del rey y la reina de Inglaterra, le había dado su autógrafo al zar de Rusia y había bebido champán con Sarah Bernhardt. Tras cinco o seis años de gira con Buffalo Bill, se casó con un irlandés llamado Ted, un pequeño jockey que participaba en carreras de obstáculos en toda Gran Bretaña. Tenían una hija que se llamaba Narcisa, una casita de piedra con enredaderas de campanillas azules y rosales trepadores color de rosa en el jardín, y durante siete años su felicidad no conoció límites. Luego vino el desastre. Ted y Narcisa se mataron en un choque de trenes, y madre Sioux volvió a América con el corazón roto. Se casó con un fontanero que también se llamaba Ted, pero, al revés que Ted Uno, Ted Dos era un borracho y un camorrista, y poco a poco madre Sioux se dio a la bebida, tan grande era su pena cada vez que comparaba su nueva vida con la antigua. Acabaron viviendo en una chabola de cartón alquitranado en las afueras de Memphis, Tennessee, y de no ser por la repentina y afortunada aparición del maestro Yehudi en su camino una mañana del verano de 1912, madre Sioux habría sido un cadáver antes de tiempo. Él iba andando con el pequeño Aesop en sus brazos (justo dos días después de haberle salvado en el campo de algodón) cuando oyó gritos y chillidos procedentes de la destartalada choza que madre Sioux llamaba su hogar. Ted Dos estaba pegándole con sus peludos puños y ya le había saltado seis o siete dientes con los primeros golpes; y el maestro Yehudi, que nunca fue hombre que huyera de las dificultades, entró en la chabola, dejó al niño tullido suavemente en el suelo y puso fin a la trifulca acercándose furtivamente por la espalda a Ted Dos, clavando el pulgar y el dedo corazón en el cuello del rufián y aplicando suficiente presión como para despacharle a la tierra de los sueños. El maestro enjugó entonces la sangre de las encías y los labios de madre Sioux, la ayudó a levantarse y miró la miseria del cuarto. No necesitó más de doce segundos para tomar una decisión.

–Tengo una propuesta que hacerle –le dijo a la apaleada mujer–. Deje a este canalla tirado en el suelo y véngase conmigo. Tengo a un niño víctima del raquitismo que necesita una madre, y si usted acepta cuidarle, yo me comprometo a cuidarla. Yo nunca me quedo mucho tiempo en ninguna parte, así que tendrá que cogerle gusto a viajar, pero le juro por el alma de mi padre que nunca permitiré que usted y el niño pasen hambre.

El maestro tenía entonces veintinueve años y era un radiante ejemplar de hombre que lucía un bigote encerado con las puntas hacia arriba y una corbata impecablemente anudada. Madre Sioux se alió con él esa mañana y durante los siguientes quince años permaneció a su lado en todos los giros y cambios de su carrera, criando a Aesop como si fuera su propio hijo. No recuerdo todos los lugares de los que me habló, pero las mejores historias siempre parecían centrarse en Chicago, una ciudad que visitaban con frecuencia. De allí procedía la señora Witherspoon, y una vez que madre Sioux entró en ese tema, empezó a darme vueltas la cabeza. Solo me hizo un somero resumen, pero los hechos desnudos eran tan curiosos, tan extrañamente teatrales, que no pasó mucho tiempo antes de que yo los hubiera adornado hasta convertirlos en una obra dramática completa. Marion Witherspoon se había casado con su difunto esposo cuando tenía veinte o veintiún años. Él se había criado en Kansas, hijo de una rica familia de Wichita, y se había marchado a la gran ciudad en el mismo momento en que recibió su herencia. Madre Sioux le describió como un guapo calavera amante de las diversiones, uno de esos melosos seductores que pueden meterse debajo de las faldas de una mujer gracias a su labia en menos tiempo del que tardaba Jim Thorpe, el famoso atleta, en atarse las zapatillas. La joven pareja vivió por todo lo alto durante tres o cuatro años, pero el señor Witherspoon tenía debilidad por los ponis, por no hablar de la afición a jugar una amistosa partida de cartas quince o veinte noches al mes, y, dado que mostraba más entusiasmo que habilidad en los vicios elegidos, su enorme fortuna fue reduciéndose a una miseria. Hacia el final, la situación se volvió tan desesperada que parecía que él y su esposa tendrían que regresar al hogar familiar en Wichita y que él, Charlie Witherspoon, el mundano jugador de polo y juerguista del North Side, tendría que buscarse un empleo de nueve a cinco en alguna deprimente compañía de seguros. Fue entonces cuando el maestro Yehudi entró en escena, en la trastienda de una sala de apuestas de Rush Street a las cuatro de la madrugada con el mencionado señor Witherspoon y dos o tres tipos anónimos, todos ellos sentados alrededor de una mesa cubierta de fieltro verde y sosteniendo naipes en las manos. Como dicen en los periódicos cómicos, aquella no era la noche de Charlie, y él estaba a punto de ir a la quiebra, con tres jotas y un par de reyes y sin un céntimo que tirar al montón. El maestro Yehudi era el único que quedaba en la partida, y puesto que estaba claro que esta iba a ser la última oportunidad que Charlie tendría en su vida, decidió jugarse el todo por el todo. Primero apostó su propiedad en Cibola, Kansas (que en otro tiempo había sido la granja de sus abuelos), firmando la cesión de la casa y las tierras en un pedazo de papel, y luego, cuando el maestro Yehudi aguantó y subió la apuesta, el caballero firmó otro pedazo de papel en el cual renunciaba a todo derecho sobre su propia esposa. El maestro Yehudi tenía cuatro sietes, y puesto que cuatro cartas iguales siempre ganan a un full, por mucha realeza que haya en ese full, ganó la granja y la mujer, y el pobre y derrotado Charlie Witherspoon, desesperado al fin, volvió dando tumbos a su casa al amanecer, entró en la habitación donde su esposa dormía, sacó un revólver de la mesilla de noche y se voló la tapa de los sesos allí mismo, sobre la cama.

Así fue como el maestro Yehudi llegó a plantar su tienda en Kansas. Después de años de vagabundeo, finalmente tenía un sitio que podía llamar suyo, y aunque no era exactamente el sitio que había tenido en mente, tampoco iba a rechazar lo que aquellos cuatro sietes le habían proporcionado. Lo que me dejó perplejo era cómo encajaba la señora Witherspoon en esa situación. Si su marido había muerto arruinado, ¿de dónde había salido el dinero para que ella viviera tan cómodamente en su mansión de Wichita, para que se regalara con ropas finas y coches verde esmeralda y aún le quedase lo suficiente como para financiar los proyectos del maestro Yehudi? Madre Sioux tenía una respuesta preparada para esa pregunta. Porque era lista. Una vez que se dio cuenta de las costumbres derrochadoras de su marido, la señora Witherspoon había comenzado a sisar, poniendo pequeñas cantidades de su renta mensual en inversiones de alta rentabilidad, acciones, bonos y otras transacciones financieras. Para cuando enviudó, estas trapisondas habían producido robustos beneficios, multiplicando su desembolso inicial por cuatro, y con esta considerable fortunita guardada en su bolso, podía permitirse comer, beber y divertirse. Pero ¿y el maestro Yehudi?, pregunté. Él había ganado limpiamente al póquer, y si la señora Witherspoon le pertenecía, ¿por qué no estaban casados? ¿Por qué no estaba ella aquí con nosotros zurciendo sus calcetines, guisando su comida y llevando sus criaturas en la matriz? Madre Sioux sacudió la cabeza despacio.

–Vivimos en un nuevo mundo –dijo–. Ya nadie puede ser propietario del cuerpo de otro. Una mujer no es un bien mueble que los hombres puedan comprar y vender, y menos aún una de estas mujeres nuevas como la dama del maestro. Ellos se aman y se odian, luchan cuerpo a cuerpo y galantean, quieren y no quieren, y a medida que el tiempo pasa penetran más profundamente bajo la piel del otro. Es un verdadero espectáculo, niño mío, la revista y el circo todo en uno, y apuesto dólares contra rosquillas a que va a ser así hasta que se mueran.

Estas historias me dieron mucho que rumiar en las horas que pasaba solo, pero cuanto más meditaba lo que madre Sioux me había dicho, más retorcido y embrollado se volvía. Mi cabeza se fatigaba al tratar de analizar los pormenores de tan complejos sucesos, y en un determinado momento lo dejé, diciéndome que produciría un cortocircuito en los cables de mi cerebro si continuaba con todas esas reflexiones. Los adultos eran seres impenetrables, y si alguna vez llegaba a serlo yo, prometía escribirle una carta a mi antiguo yo explicándole por qué se volvían así, pero de momento había tenido suficiente. Fue un alivio soltarlos, pero una vez que abandoné estos pensamientos, caí en un aburrimiento tan profundo, tan agotador en su blanda y liviana uniformidad, que, finalmente, volví al trabajo. No era porque quisiera hacerlo, era simplemente que no se me ocurría ninguna otra forma de llenar el tiempo. Me encerré de nuevo en mi cuarto y después de tres días de vanos intentos, descubrí qué era lo que había estado haciendo mal. Todo el problema estaba en mi enfoque. Se me había metido en la cabeza que la elevación y la locomoción solo podían lograrse por medio de un proceso en dos etapas. Primero levitar lo más alto que pudiera, luego empujar y moverme. Me había entrenado a mí mismo para hacer lo primero y supuse que podría lograr lo segundo injertándolo en lo primero. Pero la verdad era que lo segundo cancelaba lo que venía antes. Una y otra vez, me elevaba en el aire de acuerdo con el viejo método, pero tan pronto como empezaba a pensar en moverme hacia delante, volvía al suelo, aterrizando de nuevo sobre mis pies antes de tener la oportunidad de ponerme en marcha. Fracasé una y mil veces, y al cabo de algún tiempo me sentía tan disgustado, tan desesperado por mi incompetencia, que me daban pataletas y aporreaba el suelo con los puños. Al fin, en pleno acceso de cólera y fracaso, me levanté y salté directamente contra la pared, esperando estrellarme y perder la conciencia. Salté y durante un brevísimo segundo, justo antes de que mi hombro chocara contra el yeso, sentí que estaba flotando, que a la vez que me precipitaba hacia delante, perdía contacto con la gravedad, subiendo con un conocido y boyante impulso mientras me lanzaba por el aire. Antes de que pudiera comprender lo que estaba sucediendo, había rebotado en la pared y me desmoronaba presa del dolor. Todo mi lado izquierdo latía a causa del impacto, pero no me importaba.

Me puse de pie de un brinco y bailé una pequeña danza alrededor de la habitación, riéndome como un loco durante los siguientes veinte minutos. Había dado por fin con el secreto. Había comprendido. Olvida los ángulos rectos, me dije. Piensa en arco, piensa en trayectorias. No se trataba de subir primero y luego ir hacia delante, se trataba de subir e ir hacia delante al mismo tiempo, de lanzarme en un suave e ininterrumpido gesto a los brazos de la gran nada ambiente.

Trabajé como un burro durante los próximos dieciocho o veinte días, practicando esta nueva técnica hasta que estuvo incrustada en mis músculos y mis huesos, un acto reflejo que ya no requería la menor pausa para pensar. La locomoción era una habilidad perfectible, un andar como en sueños por el aire que no difería esencialmente de andar por el suelo, e igual que un niño se tambalea y cae cuando da sus primeros pasos, experimenté una buena dosis de tropezones y caídas cuando empecé a extender mis alas. La duración era el tema constante para mí en aquel punto, la cuestión de cuánto tiempo y cuán lejos podía mantenerme en movimiento. Los primeros resultados variaron ampliamente, oscilando entre tres y quince segundos, y puesto que la velocidad a la que me movía era dolorosamente lenta, lo más que podía conseguir eran dos metros o dos metros y medio, ni siquiera la distancia de una pared a otra de mi cuarto. No era un andar vigoroso o cómodo, sino una especie de andar fantasmal y vacilante, como avanza un equilibrista por la cuerda floja. Sin embargo, continué trabajando con confianza, sin ser ya presa de ataques de desaliento como antes. Ahora adelantaba poco a poco y nada iba a detenerme. Aunque no me había elevado por encima de mis acostumbrados quince centímetros, pensé que era mejor concentrarse en la locomoción por el momento. Una vez que lograra cierto dominio en ese terreno, dedicaría mi atención a la elevación y resolvería también ese problema. Era lo más sensato, y aunque tuviese que repetirlo todo de nuevo, no cambiaría ese plan. ¿Cómo podía saber que tenía ya poco tiempo, que quedaban menos días de los que ninguno de nosotros había imaginado?

Cuando el maestro Yehudi y Aesop regresaron, los ánimos en la casa subieron como nunca. Era el final de una época y todos mirábamos ahora hacia el futuro, anticipando las nuevas vidas que nos esperaban más allá de los límites de la granja. Aesop sería el primero en partir –a Yale en septiembre–, pero si las cosas salían según lo previsto, los demás le seguiríamos a principios de año. Ahora que yo había pasado a la siguiente etapa de mi entrenamiento, el maestro calculaba que estaría listo para actuar en público dentro de nueve meses aproximadamente. Era un largo camino por recorrer para alguien de mi edad, pero ahora él hablaba de ello como de algo real, y al usar expresiones como *reservas de entradas, actuaciones* y *recaudación de taquilla,* me tenía en un estado de permanente actividad y excitación. Yo ya no era Walt Rawley, un desgraciado que no tenía un orinal donde mear, era Walt el Niño Prodigio, el atrevido niño que desafiaba las leyes de la gravedad, el único as del aire. Una vez que emprendiésemos la gira y dejásemos que el mundo viese lo que yo era capaz de hacer, iba a causar sensación, sería la personalidad más comentada de los Estados Unidos.

En cuanto a Aesop, su viaje por el Este había sido un éxito indiscutible. Le habían hecho exámenes especiales, le habían entrevistado, habían escudriñado y sondeado el contenido de su lanoso cráneo y, según contaba el maestro, los había dejado patidifusos a todos. Ni una sola universidad le había rechazado, pero Yale le ofrecía una beca de cuatro años –incluyendo alojamiento, comida y una pequeña asignación– y eso había inclinado la balanza en su favor. Así pues, la vida universitaria se había abierto para él. Recordando ahora estos hechos, comprendo la hazaña que representaba que un joven negro autodidacto hubiese escalado las murallas de aquellas instituciones insensibles. Yo no sabía nada de libros, no tenía ninguna vara para medir los talentos de mi amigo frente a los de otro, pero tenía una fe ciega en que era un genio, y la idea de que un puñado de tipos estirados con cara de acelga en la Universidad de Yale quisiera tenerle como alumno me parecía natural, la cosa más lógica del mundo.

Además de ser demasiado estúpido para comprender la importancia del triunfo de Aesop, me quedé más que sorprendido por las nuevas ropas que trajo de su viaje. Regresó con un abrigo de mapache y un gorro azul y blanco, y parecía tan extraño con aquel atuendo que no pude evitar echarme a reír cuando entró por la puerta. El maestro le había mandado hacer a la medida dos trajes de *tweed* marrón en Boston y, al volver, le dio por llevarlos por casa en lugar de sus viejas ropas de granjero, junto con una camisa blanca, cuello duro, corbata y un par de relucientes zapatones color estiércol. Su porte con aquellos trapos era absolutamente impresionante, como si le hicieran más erguido, más digno, más consciente de su propia importancia. Aunque no tenía por qué hacerlo, empezó a afeitarse todas las mañanas, y yo le hacía compañía en la cocina mientras se enjabonaba la jeta y sumergía su navaja de hoja recta en el cubo helado, sosteniendo un espejito delante de él y oyéndole contar las cosas que había visto y hecho en las grandes ciudades de la costa atlántica. El maestro había hecho algo más que meterle en la universidad, le había proporcionado los mejores días de su vida, y Aesop recordaba cada minuto de los mismos: los relevantes, los irrelevantes y todos los puntos intermedios. Hablaba de los rascacielos, los museos, los espectáculos de variedades, los restaurantes, las bibliotecas, las aceras abarrotadas de gente de todos los colores y clases.

–Kansas es un espejismo –dijo una mañana mientras se rasuraba–, un alto en el camino hacia la realidad.

–No hace falta que me lo jures –dije–. Este agujero está tan atrasado que el estado adoptó la ley seca antes de que en el resto del país hubieran oído hablar siquiera de su existencia.

–En Nueva York bebí una cerveza, Walt.

–Bueno, ya me figuraba que lo habrías hecho.

–En un establecimiento ilegal en MacDougal Street, en el corazón mismo de Greenwich Village. Me hubiera gustado que estuvieras allí conmigo.

–No soporto el sabor de la cerveza, Aesop. Pero dame un buen whisky y soy capaz de beber más que cualquiera.

–No digo que estuviera buena. Pero era emocionante estar allí, bebiendo grandes tragos en un sitio lleno de gente.

–Apuesto a que no fue la única cosa emocionante que hiciste.

–No, ni mucho menos. Fue solo una entre muchas.

–Apuesto a que tu pájaro también tuvo una buena oportunidad de practicar. No es más que una suposición atrevida, por supuesto, así que corrígeme si me equivoco.

Aesop se detuvo con la navaja en el aire, se puso pensativo.

–Digamos solo que no lo descuidamos, hermanito, y dejémoslo así.

–¿No puedes decirme su nombre? No quiero ser entrometido, pero siento curiosidad por saber quién fue la afortunada.

–Bueno, si te empeñas en saberlo, se llamaba Mabel.

–No está mal. Me suena a una muñeca con los huesos bien cubiertos de carne. ¿Era vieja o joven?

–No era vieja ni joven. Pero has acertado en lo de la carne. Mabel era la mujer más gorda y más negra a la que esperarías hincarle el diente. Era tan grande que yo no sabía dónde empezaba y dónde terminaba. Aquello era como forcejear con un hipopótamo, Walt. Pero una vez que le coges el tranquillo a la cosa, la anatomía se encarga de lo demás. Te metes en su cama siendo un niño y media hora después sales de ella siendo un hombre.

Ahora que se había graduado en hombría, Aesop decidió que había llegado el momento de ponerse a escribir su autobiografía. Así era como pensaba pasar los meses anteriores a su partida de casa, contando la historia de su vida hasta entonces, desde su nacimiento en una choza rural en Georgia hasta su desvirgamiento en un burdel de Harlem, rodeado por los sebosos brazos de Mabel, la puta. Las palabras empezaron a fluir, pero el título le inquietaba y recuerdo cómo vacilaba respecto al mismo. Un día el libro se iba a llamar *Confesiones de un niño negro abandonado;* al día siguiente lo sustituía por *Aventuras de Aesop: La verdadera historia y las sinceras opiniones de un niño perdido*; al otro día iba a titularse *El camino a Yale: la vida de un estudioso negro desde sus humildes orígenes hasta el presente.* Estos fueron solo algunos de los títulos, y durante todo el tiempo que trabajó en aquel libro continuó probando diferentes títulos, barajando una y otra vez sus ideas hasta que fue acumulando una pila de páginas de título tan alta como el propio manuscrito. Debía de trabajar laboriosamente en su obra ocho o diez horas diarias; recuerdo que miraba a hurtadillas por su puerta entornada y le veía encorvado sobre su mesa, maravillándome de que una persona pudiera pasar tanto tiempo sentada, ocupada en la única actividad de guiar la punta de una pluma sobre una hoja de papel en blanco. Era mi primera experiencia con la creación de un libro, e incluso cuando Aesop me llamaba a su habitación para leerme en voz alta pasajes selectos de su obra, me resultaba difícil hacer cuadrar tanto silencio y concentración con las historias que salían a borbotones de sus labios. Todos nosotros estábamos en el libro –el maestro Yehudi, madre Sioux, yo mismo–, y para mi torpe e ineducado oído la cosa tenía toda la intención de convertirse en una obra maestra. Me reía en algunas partes y lloraba en otras, y ¿qué más podía pedirle una persona a un libro que sentir la punzada de tales goces y penas? Ahora que yo también estoy escribiendo un libro, no pasa un solo día en el que no piense en Aesop allí en su cuarto. Eso ocurrió hace sesenta y cinco primaveras y todavía le veo sentado a su mesa, escribiendo sus memorias juveniles a la luz que entraba a raudales por la ventana y revelaba las partículas de polvo que bailaban a su alrededor. Si me concentro lo suficiente, aún oigo el aliento que entraba y salía de sus pulmones, aún oigo la punta de su pluma arañando el papel.

Mientras Aesop trabajaba en casa, el maestro Yehudi y yo pasábamos nuestros días en los campos, afanándonos en mi número durante innumerables horas. En un acceso de optimismo, después de su regreso nos anunció en la cena que ese año no habría siembra.

–¡Al diablo las cosechas! –dijo–. Tenemos suficiente comida para que nos dure todo el invierno, y cuando llegue la primavera, hará tiempo que nos habremos ido de aquí. Tal y como yo lo veo, sería un pecado cultivar alimentos que nunca necesitaremos.

Esta nueva política despertó el regocijo general y, por una vez, el comienzo de la primavera estuvo exento del fatigoso trabajo de arar, las interminables semanas de espaldas dobladas y caminar pesadamente por el barro. Mi descubrimiento de la locomoción había cambiado la suerte, y el maestro Yehudi se sentía tan confiado ahora que estaba dispuesto a dejar que la granja se echase a perder. Era la única decisión sensata que se podía tomar. Todos habíamos cumplido nuestro tiempo, y ¿por qué comer tierra cuando pronto estaríamos contando el oro?

Eso no quiere decir que no trabajásemos como burros, especialmente yo. Pero disfrutaba con el trabajo, y por mucho que el maestro me apremiase, nunca quería dejarlo. Una vez que el tiempo fue cálido, generalmente continuábamos hasta después de anochecido, trabajando a la luz de las antorchas en los prados lejanos mientras la luna ascendía por el cielo. Yo era inagotable, consumido por una felicidad que me impulsaba de un desafío al siguiente. El primero de mayo ya era capaz de andar de diez a doce metros como si nada. El cinco de mayo lo había alargado hasta veinte metros y menos de una semana después había llegado a hacer cuarenta: cuarenta metros de locomoción por el aire, casi diez minutos ininterrumpidos de pura magia. Fue entonces cuando al maestro se le ocurrió la idea de hacerme practicar sobre el agua. Había un estanque en el rincón noreste de la finca y desde entonces hicimos todo el trabajo allí. Todas las mañanas, después de desayunar, íbamos en la calesa hasta un punto desde el cual ya no podíamos ver la casa y pasábamos horas y horas solos y juntos en los campos silenciosos, casi sin decir una palabra. El agua me intimidaba al principio, y puesto que no sabía nadar, no era cosa de broma poner a prueba mi facultad por encima de ese elemento. El estanque debía de tener unos dieciocho metros de ancho y el nivel del agua me cubría por lo menos en la mitad del mismo. Me caí quince o veinte veces el primer día, y en cuatro de esas ocasiones el maestro tuvo que saltar al agua para sacarme. Después de eso, íbamos equipados con toallas y varias mudas de ropa, pero al final de la semana ya no eran necesarias. Dominé mi miedo al agua fingiendo que no estaba allí. Si no miraba hacia abajo, descubrí que podía impulsar mi cuerpo sobre la superficie sin mojarme. Era así de sencillo, y en los últimos días de mayo de 1927 yo andaba sobre el agua con la misma habilidad que el propio Jesús.

A mediados de ese mes Lindbergh hizo su vuelo en solitario a través del Atlántico, volando sin escalas desde Nueva York a París en treinta y tres horas. Nos enteramos de ello por la señora Witherspoon, que vino un día desde Wichita con un montón de periódicos en el asiento trasero de su coche. La granja estaba tan aislada del mundo, que incluso noticias importantes como esa se nos escapaban. De no ser porque ella quiso ir hasta allí, nunca habríamos sabido nada del asunto. Siempre he encontrado extraño que la hazaña de Lindbergh coincidiera tan exactamente con mis esfuerzos, que en el preciso momento en que él estaba cruzando el océano yo estuviera atravesando mi pequeño estanque en Kansas, los dos juntos en el aire, cada uno realizando su proeza al mismo tiempo. Era como si el cielo se hubiera abierto de repente al hombre, y nosotros fuimos los primeros pioneros, el Colón y el Magallanes del vuelo humano. Yo no sabía nada del Águila Solitaria, pero me sentí unido a él desde entonces, como si compartiésemos un oscuro lazo fraternal. No podía ser una coincidencia que su avión se llamara el *Espíritu de St. Louis*. Esa era también mi ciudad, la ciudad de los campeones y los héroes del siglo XX, y, sin saberlo, Lindbergh había bautizado a su avión en mi honor. La señora Witherspoon se quedó un par de días con sus noches. Después de su marcha, el maestro y yo volvimos al trabajo, centrando ahora nuestra atención en la elevación. Yo había hecho todo lo que podía en el viaje horizontal; ahora era el momento de intentar el viaje vertical. Lindbergh fue una inspiración para mí, lo confieso libremente, pero quería superarle: quería hacer con mi cuerpo lo que él había hecho con una máquina. Sería a menor escala, quizá, pero sería infinitamente más sensacional, algo que empequeñecería su fama de la noche a la mañana. Sin embargo, por más que lo intentaba, no adelantaba ni un centímetro. Durante semana y media el maestro y yo nos esforzamos junto al estanque, igualmente amilanados por la tarea que nos habíamos impuesto, y al final de ese tiempo yo no subía más que antes. Luego, la tarde del cinco de junio, el maestro me hizo una sugerencia que empezó a cambiar las cosas.

–Solo estoy especulando –dijo–, pero se me ocurre que tu collar podría tener algo que ver con ello. No debe de pesar más de una onza o dos, pero dadas las matemáticas de lo que estás intentando, eso podría ser suficiente. Por cada milímetro que te elevas en el aire, el peso del objeto aumenta en proporción geométrica a la altura; lo cual quiere decir que cuando estás quince centímetros por encima del suelo, soportas el equivalente a veinte kilos más. Eso viene a ser la mitad de tu peso total. Si mis cálculos son correctos, no es de extrañar que estés teniendo tantas dificultades.

–Lo llevo desde Navidad –dije–. Es mi amuleto de la suerte y no puedo hacer nada sin él.

–Sí puedes, Walt. La primera vez que te elevaste del suelo, esto estaba colgado de mi cuello, ¿recuerdas? No digo que no le tengas un apego sentimental, pero ahora estamos entrando en cuestiones espirituales profundas, y tal vez no puedas estar entero para hacer lo que tienes que hacer, tal vez tengas que dejar una parte de ti atrás antes de poder alcanzar toda la magnitud de tu don.

–Eso no es más que un galimatías. Llevo ropa, ¿no? Llevo zapatos y calcetines, ¿no? Si el collar me está empantanando, entonces también las otras cosas. Y puede estar seguro de que no voy a exhibirme en público sin ropa.

–No puede perjudicarte el intentarlo. No hay nada que perder, Walt, y todo que ganar. Si me equivoco, no se hable más. Si no me equivoco, sería una pena no tener la oportunidad de descubrirlo.

Ahí me había pillado, así que con mucho escepticismo y renuencia me quité el amuleto de la suerte y lo puse en la mano del maestro.

–De acuerdo –dije–, lo intentaremos. Pero si no resulta como usted dice, no volveremos a hablar del asunto.

En el curso de la hora siguiente conseguí doblar mi marca anterior, ascendiendo a alturas de entre treinta y treinta y cinco centímetros. Al anochecer me había elevado setenta y cinco centímetros por encima del suelo, demostrando que la corazonada del maestro Yehudi había sido correcta, una intuición profética respecto a las causas y consecuencias de las artes de la levitación. La excitación fue espectacular –sentirme suspendido en el espacio a tal distancia de la tierra, estar literalmente al borde del vuelo–, pero por encima de los sesenta centímetros me era difícil mantener una posición vertical sin empezar a tambalearme y marearme. Era todo tan nuevo para mí allí arriba, que no era capaz de encontrar mi equilibrio natural. Me sentía como si estuviera compuesto de segmentos y no hecho de una pieza continua, y la cabeza y los hombros respondían de un modo mientras las canillas y los tobillos respondían de otro. Para no caerme, me encontré tumbándome boca abajo cuando llegué allí, sabiendo instintivamente que sería más seguro y más cómodo tener todo el cuerpo tendido por encima del suelo en lugar de solo las plantas de los pies. Aún estaba demasiado nervioso para pensar en moverme hacia delante en esa posición, pero ya tarde, justo antes de que lo dejáramos y nos fuésemos a la cama, metí la cabeza debajo del pecho y conseguí dar una lenta voltereta en el aire, realizando un círculo completo sin rozar ni una vez la tierra.

El maestro y yo volvimos a casa esa noche ebrios de alegría. Todo nos parecía posible ahora: la conquista de la elevación y la locomoción a la vez, la ascensión a un verdadero vuelo, el sueño de los sueños. Creo que ese fue nuestro momento más grandioso juntos, el momento en que todo nuestro futuro encajó en su lugar. El seis de junio, sin embargo, solo una noche después de alcanzar aquel pináculo, mi entrenamiento se interrumpió de un modo brusco e irrevocable. Lo que el maestro Yehudi había temido durante tanto tiempo sucedió finalmente, y lo hizo con tanta violencia, causando tales estragos y trastornos en nuestros corazones, que ninguno de nosotros volvió a ser el mismo nunca.

Yo había trabajado todo el día y, como era nuestra costumbre durante toda aquella milagrosa primavera, decidimos quedarnos hasta entrada la noche. A las siete y media cenamos unos emparedados que madre Sioux nos había preparado esa mañana y luego reanudamos nuestras labores mientras la oscuridad se condensaba en los campos que nos rodeaban. Debían de ser cerca de las diez cuando oímos el ruido de caballos. Al principio no era más que un débil retumbar, una perturbación en el suelo que me hizo pensar en un trueno lejano, como si se estuviera formando una tormenta en algún lugar del condado vecino. Yo acababa de completar un doble salto mortal al borde del estanque y estaba esperando los comentarios del maestro, pero en lugar de hablar con voz normal y tranquila, me agarró un brazo con un repentino gesto de pánico.

–¡Escucha! –dijo. Y luego repitió–: ¡Escucha eso! ¡Vienen! ¡Vienen esos cabrones!

Agucé el oído y, efectivamente, el sonido se hacía más fuerte. Pasaron un par de segundos y luego comprendí que era el ruido de caballos, una estampida de cascos cargando en dirección a nosotros.

–No te muevas –dijo el maestro–. Quédate donde estás y no muevas ni un músculo hasta que yo vuelva.

Luego, sin una palabra de explicación, echó a correr hacia la casa, atravesando los campos como un velocista. No hice caso de su orden y fui tras él, corriendo lo más deprisa que me permitían mis piernas. Estábamos casi a medio kilómetro de la casa, pero antes de haber recorrido cien metros, las llamas eran ya visibles, un resplandor rojo y amarillo que latía contra el cielo negro. Oímos gritos de guerra, una andanada de disparos, y luego el inconfundible sonido de los gritos humanos. El maestro siguió corriendo, aumentando constantemente la distancia entre nosotros, pero una vez que llegó al grupo de robles junto al establo, se detuvo. Yo también llegué hasta el borde de los árboles, decidido a continuar hasta la casa, pero el maestro me vio por el rabillo del ojo y forcejeó conmigo hasta tirarme al suelo antes de que pudiese ir más allá.

–Llegamos demasiado tarde –dijo–. Si entramos allí ahora, lo único que conseguiremos será que nos maten. Ellos son doce y nosotros dos, y todos tienen rifles y escopetas. Rézale a Dios para que no nos encuentren, Walt, pero no podemos hacer absolutamente nada por los otros.

Así que nos quedamos allí, inmóviles detrás de los árboles, viendo cómo el Ku Klux Klan hacía su trabajo. Una docena de hombres a caballo cabrioleaban en el patio, una chusma de asesinos aulladores con sábanas blancas sobre la cabeza, y nosotros no podíamos hacer nada para desbaratar sus planes. Sacaron a Aesop y madre Sioux a rastras de la casa en llamas, les pusieron sogas al cuello y los colgaron del olmo junto al camino, cada uno en una rama diferente. Aesop aullaba, madre Sioux no dijo nada, y al cabo de unos minutos ambos habían muerto. Mis dos mejores amigos asesinados delante de mis ojos, y yo no pude hacer otra cosa que quedarme mirando, conteniendo las lágrimas mientras el maestro Yehudi me tapaba la boca con la mano. Una vez concluido el asesinato, un par de los hombres del Klan clavó una cruz de madera en el suelo, la rociaron con gasolina y le prendieron fuego. La cruz ardió al tiempo que ardía la casa, los hombres gritaron un poco más, disparando salvas de perdigones al aire, y luego todos montaron en sus caballos y se alejaron en dirección a Cibola. La casa estaba incandescente ahora, una bola de calor y maderas rugientes, y para cuando el último de los hombres se hubo ido, el tejado ya se había hundido, cayendo al suelo con una lluvia de chispas y meteoros. Me sentí como si hubiera visto la explosión del sol. Me sentí como si acabara de presenciar el fin del mundo.

II

Los enterramos en la granja esa noche, bajando sus cuerpos a dos tumbas sin marcar al lado del establo. Deberíamos haber rezado alguna oración, pero nuestros pulmones estaban demasiado llenos de sollozos para poder hacerlo, así que simplemente los cubrimos de tierra sin decir nada, trabajando en silencio mientras el agua salada corría por nuestras mejillas. Luego, sin volver a la casa humeante, sin molestarnos siquiera en ver si alguna de nuestras pertenencias estaba aún intacta, enganchamos la yegua a la calesa y partimos en la oscuridad, dejando atrás Cibola para siempre.

Tardamos toda la noche y la mitad de la mañana siguiente en llegar a casa de la señora Witherspoon en Wichita, y durante el resto de aquel verano la aflicción del maestro fue tan terrible que pensé que había peligro de que muriese él también. Apenas se levantaba de la cama, apenas comía, apenas hablaba. De no ser por las lágrimas que caían de sus ojos cada tres o cuatro horas, no había forma de saber si estabas mirando a un hombre o a un bloque de piedra. Aquel hombre corpulento estaba completamente hundido, devastado por el dolor y las recriminaciones que se hacía a sí mismo, y por más intensamente que yo deseaba que dejase de mortificarse, lo único que hacía era empeorar a medida que pasaban las semanas.

–Lo veía venir –murmuraba a veces para sí–. Lo veía venir y no moví un dedo para impedirlo. Es culpa mía. Es culpa mía que estén muertos. No lo habría hecho mejor si les hubiese matado con mis propias manos, y un hombre que mata no merece piedad. No merece vivir.

Yo me estremecía al verle así, tan inútil e inerte, y aquello terminó por asustarme tanto como lo que les había sucedido a Aesop y madre Sioux, tal vez aún más. No quisiera parecer insensible, pero la vida es para los vivos, y aunque estaba horrorizado por la masacre de mis amigos, no era más que un niño todavía, un enano saltarín con un culo inquieto y rodillas de goma, y no estaba en mi naturaleza andar gimoteando y lamentándome por mucho tiempo. Derramé mis lágrimas, maldije a Dios, me di de cabezazos contra el suelo, pero al cabo de unos días estaba dispuesto a dar por terminado el asunto y pasar a otras cosas. Supongo que esto no habla demasiado bien de mí como persona, pero no tiene sentido fingir que sentía lo que no sentía. Echaba de menos a Aesop y madre Sioux, ansiaba estar con ellos de nuevo, pero habían muerto, y por mucho que suplicara no iba a recuperarlos. En lo que a mí se refería, había llegado el momento de menear los pies y poner manos a la obra. Mi cabeza seguía llena de sueños respecto a mi nueva carrera, y aunque esos sueños fueran codiciosos, estaba impaciente por empezar, por lanzarme al firmamento y deslumbrar al mundo con mi grandeza.

Imaginen mi decepción, entonces, al ver que junio daba paso a julio y el maestro Yehudi continuaba languideciendo; imaginen cómo decayó mi ánimo cuando julio se convirtió en agosto y él seguía sin dar muestras de reponerse de la tragedia. No solo constituía un obstáculo para mis planes, sino que me sentía desilusionado, frustrado, dejado en la estacada. Se me había revelado un defecto esencial del carácter del maestro, y le guardé rencor por su falta de resistencia interior, por su negativa a enfrentarse con la mierda de la vida. Había dependido de él durante tantos años, había extraído tanta fuerza de su fuerza, y ahora él se portaba como cualquier otro charlatán optimista, uno más de esos tipos que reciben con los brazos abiertos lo bueno cuando viene pero no pueden aceptar lo malo. Se me revolvía el estómago al verle desmoronarse así, y a medida que su dolor se prolongaba, yo no podía evitar perder parte de mi fe en él. De no ser por la señora Witherspoon, es posible que hubiese tirado la toalla y me hubiese largado.

–Tu maestro es un gran hombre –me dijo una mañana–, y los grandes hombres tienen grandes sentimientos. Sienten más que otros hombres, grandes alegrías, grandes cóleras, grandes penas. Ahora está afligido, y le va a durar más de lo que le duraría a otra persona. No dejes que eso te asuste, Walt. Al final lo superará. Solo tienes que tener paciencia.

Eso es lo que me dijo, pero no estoy seguro de que en el fondo ella creyese esas palabras. Con el paso del tiempo, intuí que ella estaba tan hastiada de él como yo, y me gustó que fuésemos de la misma opinión en un tema tan importante. La señora W. era una mujer ingeniosa y aguda, y ahora que vivía en su casa y pasaba todos los días en su compañía, comprendí que teníamos muchas más cosas en común de lo que yo había sospechado anteriormente. Se había portado lo mejor posible cuando visitó la granja, siempre muy decorosa y formal para no ofender a Aesop y madre Sioux, pero ahora que estaba en su propio terreno se sentía libre de dejarse llevar y mostrar su verdadera naturaleza. Durante las dos primeras semanas casi todo lo que veía de esa naturaleza me sorprendía, ya que estaba llena de malas costumbres e incontrolados accesos de desenfreno. No estoy hablando solamente de su inclinación a la bebida (ingería no menos de seis o siete ginebras con tónica al día), ni de su pasión por los cigarrillos (fumaba marcas hoy desconocidas como Picayunes y Sweet Caporals de la mañana a la noche), sino de cierta relajación general, como si acechando detrás de su apariencia distinguida hubiera un alma disoluta y desordenada luchando por liberarse. Esto era evidente sobre todo cuando se había tomado una ronda o dos de su bebida favorita, pues entonces su boca caía en el lenguaje más grosero y vulgar que yo había oído nunca de labios de una mujer y soltaba punzantes palabrotas tan deprisa como una ametralladora escupe las balas. Después de la vida aséptica que yo había llevado en la granja, me resultaba refrescante tratar con alguien que no estaba condicionado por un elevado propósito moral, alguien cuya única meta en la vida era divertirse y ganar todo el dinero que pudiera. Así que nos hicimos amigos, y dejábamos al maestro Yehudi entregado a su angustia mientras nosotros sudábamos durante los largos y aburridos días del caluroso verano de Wichita.

Yo sabía que ella me tenía cariño, pero no quiero exagerar la profundidad de su afecto, por lo menos no en aquella primera etapa. La señora Witherspoon tenía una razón concreta para tenerme contento, y aunque me halagaría creer que era porque me encontraba un compañero valioso, un tipo divertido y audaz, la verdad era que estaba pensando en la futura salud de su cuenta bancaria. ¿Por qué, si no, habría de molestarse una mujer de su pujanza y atractivo sexual en hacerse amiga de un crío de pilila diminuta como yo? Ella me veía como una oportunidad comercial, un símbolo del dólar en forma de niño, y sabía que si mi carrera era llevada con el cuidado y la perspicacia necesarios, iba a convertirla en la mujer más rica de trece condados. No digo que no pasáramos buenos ratos juntos, pero siempre era al servicio de sus propios intereses, y me hacía la pelota y me conquistaba para mantenerme en el redil, para asegurarse de que no me escapara antes de que ella hubiera obtenido beneficios de mi talento.

Era lógico. No la culpo por obrar así, y si yo hubiera estado en su lugar, probablemente hubiera hecho lo mismo. Sin embargo, no negaré que a veces me fastidiaba ver la poca impresión que le hacía mi magia. Durante aquellas tristes semanas y meses me mantuve en forma practicando mi número no menos de una o dos horas al día. Para no asustar a la gente que pasaba por delante de la casa me confinaba en el interior, trabajando en la sala del piso de arriba con las cortinas corridas. La señora Witherspoon no solo raras veces se molestaba en presenciar estas sesiones, sino que las pocas ocasiones en que entraba en la habitación observaba el espectáculo de mis levitaciones sin mover un músculo, estudiándome con la inexpresiva objetividad de un carnicero inspeccionando un pedazo de carne de buey. Por muy extraordinarias que fueran las proezas que yo realizaba, ella las aceptaba como parte del orden natural de las cosas, nada más extraño o inexplicable que el crecimiento de la luna o el ruido del viento. Puede que estuviera demasiado borracha para notar la diferencia entre un milagro y un suceso cotidiano, o puede que el misterio de aquella facultad mía la dejase fría, pero cuando se trataba de diversiones, prefería conducir bajo una tormenta para ver una película de tercera categoría antes que contemplarme flotando por encima de las malditas mesas y sillas de su cuarto de estar. Para ella mi número no era más que un medio para conseguir un fin. Con tal que el fin estuviera asegurado, el medio la tenía sin cuidado.

Pero era buena conmigo, no lo niego. Fueran cuales fueran sus motivos, no escatimaba en diversiones y ni una sola vez dudó en aflojar la pasta en beneficio mío. Dos días después de mi llegada me llevó de compras al centro de Wichita y me equipó con todo un guardarropa nuevo. Después de eso fuimos a la heladería, la confitería, el salón de juegos. Siempre se me adelantaba, y antes incluso de que yo supiera que quería algo, ya me lo estaba ofreciendo, poniéndomelo en las manos con un guiño y una palmadita en la cabeza. Después de todas las dificultades que yo había atravesado, no puedo decir que me opusiera a pasar mis días rodeado de lujo. Dormía en una cama blanda con sábanas bordadas y almohadas de plumas, comía las abundantes comidas que cocinaba Nelly Boggs, la criada de color, y nunca tenía que ponerme los mismos calzoncillos dos mañanas seguidas. La mayoría de las tardes escapábamos del calor dando un paseo por el campo en el sedán verde esmeralda, rodando por las carreteras vacías con las ventanillas abiertas y el aire entrando por todos lados. A la señora Witherspoon le encantaba la velocidad, y creo que nunca la vi más feliz que cuando estaba pisando el acelerador: riéndose entre tragos de su botellita de plata con su pelo rojo rizado agitándose como las patas de una oruga en posición invertida. Aquella mujer no tenía miedo, no tenía conciencia de que un coche que viaja a cien o ciento veinte kilómetros por hora puede matar a alguien. Yo trataba de mantener la calma cuando ella aceleraba así, pero una vez que llegábamos a los noventa o cien, ya no podía dominarme. El pánico que crecía dentro de mí tenía algún efecto en mi vientre, y al poco rato estaba soltando un pedo tras otro, toda una cadena de bombas fétidas acompañadas de una fuerte música staccato. No necesito añadir que casi me moría de la vergüenza, pero la señora Witherspoon no era alguien que dejara pasar sin comentario tales indiscreciones. La primera vez que sucedió, estalló en carcajadas tan fuertes que pensé que su cabeza iba a salir volando. Luego, sin previo aviso, pisó el freno y el coche se detuvo patinando.

–Unos cuantos cuescos más como esos –dijo–, y tendremos que llevar máscaras antigás en nuestros paseos en coche.

–Yo no huelo nada –dije, dando la única respuesta que me parecía posible.

La señora Witherspoon olfateó ruidosamente, luego frunció la nariz e hizo una mueca.

–Huele otra vez, compañero. Toda la brigada de las alubias está viajando con nosotros, trompeteando desde tu trasero.

–Es solo un poco de gas –dije, cambiando sutilmente de táctica–. Si no me equivoco, un coche no funciona si no se le llena el depósito de gasolina.

–Depende de los octanos, cielo. La clase de experimento químico del que estamos hablando aquí es probable que nos haga reventar a los dos.

–Bueno, por lo menos es una forma mejor de morir que estrellados contra un árbol.

–No te preocupes, chatito –dijo, suavizando inesperadamente el tono. Alargó la mano y me tocó la cabeza, pasando dulcemente las puntas de los dedos por mi pelo–. Soy una conductora fantástica. Por muy deprisa que vayamos, siempre estarás a salvo con Lady Marion al volante.

–Eso suena bien –dije, disfrutando de la presión de su mano en mi cuero cabelludo–, pero me sentiría mucho mejor si me lo pusiera por escrito.

Ella soltó una risotada breve y ronca y me sonrió.

–Te voy a dar un consejo para el futuro –dijo–. Si piensas que voy demasiado rápido, cierra los ojos y chilla. Cuanto más fuerte chilles, más divertido será para los dos. Así que eso es lo que hice, o por lo menos lo que intenté hacer. En las salidas siguientes siempre me proponía cerrar los ojos cuando el cuentakilómetros alcanzara los cien, pero algunas veces los pedos se presentaban traidoramente al llegar a noventa, una vez incluso a ochenta (cuando parecía que estábamos a punto de chocar con un camión que venía en dirección contraria y viramos en el último segundo). Esos deslices no hacían nada para beneficiar mi autoestima, pero nada fue peor que el trauma que padecí a principios de agosto cuando se me aflojó el ojo del culo y acabé cagándome en los pantalones. Hacía un calor brutal. No había llovido desde hacía más de dos semanas y todas las hojas de todos los árboles de la llanura estaban cubiertas de polvo. Creo que la señora Witherspoon estaba un poco más borracha que de costumbre, y para cuando dejamos atrás la ciudad se había ido excitando hasta encontrarse en uno de esos estados de ánimo agresivos de que-se-joda-el-mundo. Puso su cacharro a más de setenta y cinco en la primera curva y a partir de ahí no hubo modo de pararla. El polvo volaba por todas partes. Caía sobre el parabrisas, bailaba dentro de nuestra ropa, se metía entre nuestros dientes, y lo único que ella hacía era reírse, pisando el acelerador como si se propusiera superar el récord de velocidad de la carretera de Mokey Dugway. Cerré los ojos y aullé a pleno pulmón, agarrándome al salpicadero mientras el coche se bamboleaba y rugía por la seca carretera. Al cabo de veinte o treinta segundos de creciente terror, comprendí que había llegado mi hora. Iba a morirme en aquella carretera y estaba viviendo mis últimos momentos en la tierra. Fue entonces cuando se me escapó el zurullo: un mojón blando y resbaladizo que cayó en mis calzoncillos con una cálida y nauseabunda humedad y luego empezó a escurrirse por mi pierna. Cuando me di cuenta de lo que había sucedido, no se me ocurrió mejor reacción que echarme a llorar.

Mientras tanto, el paseo continuaba, y para cuando el coche se detuvo, unos diez o doce minutos después, yo estaba completamente empapado, de sudor, de mierda, de lágrimas. Todo mi ser estaba inundado de fluidos corporales y desdicha.

–Bueno, vaquero –anunció la señora Witherspoon, encendiendo un cigarrillo para saborear su triunfo–. Lo logramos. Hemos batido la marca del siglo. Te apuesto a que soy la primera mujer de todo este estado de mojigatos que ha hecho esto nunca. ¿Qué te parece? Está bastante bien para una vieja fea como yo, ¿no?

–Usted no es una vieja fea, señora –dije.

–Ah, muy amable. Te lo agradezco. Tienes buena mano con las damas, muchacho. Dentro de unos cuantos años harás que caigan redondas a tus pies con esa labia.

Yo deseaba seguir charlando con ella de ese modo, tan tranquilo como si no hubiera pasado nada, pero ahora que el coche había parado, el olor de mis pantalones se estaba haciendo más perceptible, y yo sabía que era solo cuestión de segundos el que se descubriera mi secreto. La humillación me atormentaba de nuevo, y antes de poder decir una palabra más, estaba sollozando con las manos sobre la cara.

–Jesús, Walt! –la oí decir–. ¡Dios santo! Esta vez te lo has hecho de verdad, ¿no?

–Lo siento –dije, sin atreverme a mirarla–. No pude remediarlo.

–Probablemente son todos esos caramelos que te he estado dando. Tus tripas no están acostumbradas a ellos.

–Puede. O puede que sea que no tengo agallas, simplemente.

–No seas bobo, muchacho. Has tenido un pequeño accidente, eso es todo. Le ocurre a todo el mundo.

–Claro. Mientras lleva pañales. No me he sentido más avergonzado en toda mi vida.

–Olvídalo. Este no es el momento de compadecerte de ti mismo. Tenemos que limpiarte el trasero antes de que algo de esa plasta manche la tapicería. ¿Me estás oyendo, Walt? Me tienen sin cuidado tus malditos movimientos intestinales, lo único que no quiero es que mi coche pague el pato. Hay un estanque detrás de esos árboles y ahí es donde voy a llevarte ahora. Te quitaremos la mostaza y la salsa con un buen restregón y te quedarás como nuevo.

Yo no tenía más remedio que seguirla. Fue bastante espantoso tener que ponerme de pie y andar, con todo el chapoteo y el culebreo que tenía lugar dentro de mis pantalones, y puesto que no había dejado de sollozar, mi pecho subía y bajaba y se estremecía, emitiendo toda una gama de extraños sonidos medio ahogados. La señora Witherspoon iba delante de mí, guiándome hacia el estanque. Este se hallaba a unos treinta metros de la carretera, separado de su entorno por una barrera de árboles raquíticos y matorrales, un pequeño oasis en medio de la planicie. Cuando llegamos a la orilla, me dijo que me desnudara, apremiándome con un tono de voz impersonal. Yo no quería hacerlo, por lo menos no mientras ella estuviera mirándome, pero una vez que me di cuenta de que no iba a volverse de espaldas, clavé los ojos en el suelo y me sometí a la penosa experiencia. Primero me desató los zapatos y me quitó los calcetines; luego, sin la más ligera pausa, me desabrochó el cinturón y la bragueta y dio un tirón. Los pantalones y los calzoncillos cayeron hasta mis tobillos de golpe, y allí estaba yo de pie con el pito al aire delante de una mujer adulta, mis blancas piernas manchadas de churretes marrones y mi culo apestando como la basura del día anterior. Ciertamente, fue uno de los momentos más bajos de mi vida, pero el inmenso mérito de la señora Witherspoon (y esto es algo que no he olvidado nunca) consistió en que no emitió ni un sonido. Ni un gruñido de asco, ni una boqueada de horror. Con toda la ternura de una madre lavando a su hijo recién nacido, metió las manos en el agua y comenzó a limpiarme, mojando y frotando mi piel desnuda hasta eliminar todo rastro de mi vergüenza.

—Ya está —dijo, secándome con un pañuelo que sacó de su bolso de cuentas rojas—. Ojos que no ven, corazón que no siente.

—Eso está muy bien —dije—, pero ¿qué hacemos con los calzoncillos sucios?

—Se los dejamos aquí a los pájaros, y eso vale también para los pantalones.

—¿Y espera que vuelva a casa así? ¿Sin ponerme nada en los bajos?

—¿Por qué no? Los faldones de la camisa te llegan a las rodillas, y además no hay mucho que esconder. Se trata de cosas microscópicas, muchacho, como las joyas de la corona de Liliput.

—No lance calumnias sobre mis partes, señora. Puede que para usted sean bagatelas, pero yo estoy orgulloso de ellas de todas formas.

—Por supuesto. Y eres un pajarito muy bonito, Walt, con esas pelotitas peladas y esos muslos suaves de bebé. Tienes todo lo que hace falta para ser un hombre. —Y entonces, para

127

asombro mío, cogió todo mi paquete con la palma de su mano y le dio una buena y sana sacudida–. Pero todavía no lo eres. Además, nadie te verá en el coche. Hoy nos saltaremos la heladería e iremos derechos a casa. Si eso te hace sentirte mejor, te meteré en casa a hurtadillas por la puerta trasera. ¿Qué te parece? Yo soy la única que lo sabrá, y puedes apostar tu último dólar a que nunca se lo diré a nadie.

–¿Ni siquiera al maestro?

–Al maestro menos que a nadie. Lo que ha sucedido aquí hoy quedará estrictamente entre nosotros.

Aquella mujer podía ser una buena persona, y cuando realmente contaba, era casi la mejor del mundo. Otras veces, sin embargo, yo no me aclaraba con ella. Justo cuando pensabas que era tu amiga del alma, daba media vuelta y hacía algo inesperado –tomarte el pelo, por ejemplo, o rechazarte, o quedarse callada– y el hermoso mundo en el que habías estado viviendo se agriaba de pronto. Había muchas cosas que yo no comprendía, cosas de adultos que aún escapaban a mi entendimiento, pero poco a poco empecé a darme cuenta de que suspiraba por el maestro Yehudi. Se emborrachaba hasta perder el sentido mientras esperaba que él reaccionara, y si las cosas hubieran seguido así mucho más tiempo, no dudo de que ella habría perdido los estribos.

El momento crucial llegó dos noches después del episodio de la mierda. Estábamos sentados en unas tumbonas en el jardín trasero, viendo cómo las luciérnagas entraban y salían como un rayo de los arbustos y escuchando a los grillos chicharrear sus metálicas canciones. Eso pasaba por ser entretenimiento a lo grande en aquellos tiempos, incluso en los llamados bulliciosos años veinte. Odio desdorar las leyendas populares, pero no era mucho lo que bullía en Wichita, y al cabo de dos meses de explorar aquella soñolienta villa en busca de ruido y diversión, habíamos más que agotado los recursos disponibles. Habíamos visto todas las películas, sorbido todos los helados, jugado en todas las máquinas tragaperras, montado en todos los tiovivos. Ya no valía la pena hacer el esfuerzo de salir y durante varias noches seguidas nos habíamos quedado en casa, dejando que la apatía se extendiera por nuestros huesos como una enfermedad mortal. Recuerdo que esa noche yo estaba bebiendo un vaso de limonada tibia y la señora W. se estaba pillando otra cogorza, y ninguno de los dos había perforado el silencio desde hacía más de cuarenta minutos.

–¡Y yo creía –dijo ella finalmente, siguiendo alguna secreta sucesión de ideas– que era el garañón más brioso que jamás había salido al trote de la maldita caballeriza!

Tomé un sorbito de mi bebida, miré las estrellas en el cielo nocturno y bostecé.

–¿Quién? –dije, sin molestarme en ocultar mi aburrimiento.

–¿Quién iba a ser, bobo?

Su dicción era confusa y apenas comprensible. Si no la hubiese conocido, la habría tomado por un boxeador con los sesos machacados.

–¡Ah! –dije, comprendiendo de pronto por dónde iba la conversación.

–Sí, el mismo, el señor Pájaro, a ese me refiero.

–Bueno, él está mal ahora, señora, ya lo sabe, y lo único que podemos hacer es esperar que su alma se cure antes de que sea demasiado tarde.

–No estoy hablando de su alma, idiota. Estoy hablando de su pito. Sigue teniéndolo, ¿no?

–Supongo que sí. Pero no tengo la costumbre de preguntarle por él.

–Bueno, un hombre tiene que cumplir con su obligación. No puede dejar a una chica en seco durante dos meses y esperar irse de rositas. Las cosas no son así. Un conejito necesita amor. Necesita que lo acaricien y lo alimenten, igual que cualquier otro animal.

Incluso en la oscuridad, sin que hubiera nadie mirándome, noté que me ruborizaba.

–¿Está usted segura de que quiere decirme todo esto, señora Witherspoon?

–No tengo a nadie más, corazón. Y, además, ya eres lo bastante mayor como para saber estas cosas. No querrás ir por la vida como todos esos otros zopencos, ¿verdad?

–Siempre pensé que dejaría que la naturaleza se cuidara de sí misma.

–Ahí es donde te equivocas. Un hombre tiene que cuidar su tarro de miel. Tiene que asegurarse de que el tapón está puesto y no se queda sin jugo. ¿Oyes lo que te digo?

–Creo que sí.

–¿Crees que sí? ¿Qué clase de estúpida contestación es esa?

–Sí, la oigo.

–No es que no haya tenido otras ofertas, ¿sabes? Soy una chica joven y sana, y estoy harta de esperarle. Llevo todo el verano jugueteando con mi propio chocho y ya no aguanto más. No puedo dejarlo más claro, ¿verdad?

–Según he oído, usted ya ha rechazado al maestro tres veces.

–Bueno, las cosas cambian, ¿no, señor Sabelotodo?

–Puede que sí y puede que no. No soy quién para decirlo.

La cosa estaba a punto de ponerse fea, y yo no quería tomar parte en ello, quedarme allí sentado oyéndola decir disparates sobre su coño decepcionado. Yo no estaba preparado para sostener esa clase de conversación, y aunque yo también estaba enojado con el maestro, no tenía valor para participar en un ataque contra su virilidad. Podía haberme levantado y haberme marchado, supongo, pero entonces ella habría empezado a gritarme y nueve minutos después todos los polis de Wichita habrían estado allí, en el jardín, y nos habrían llevado a la cárcel por alteración del orden público.

Resultó que no tenía por qué preocuparme. Antes de que ella pudiera decir una palabra más, un fuerte ruido estalló de pronto dentro de la casa. Era más un retumbo que un estampido, creo, una especie de detonación larga y hueca que inmediatamente dio paso a varios resonantes batacazos: *¡zas, zas!, ¡pum!,* como si las paredes estuvieran a punto de venirse abajo. Por alguna razón, a la señora Witherspoon esto le pareció gracioso. Echó la cabeza hacia atrás con un ataque de risa y durante los siguientes quince segundos el aire salió de su gaznate como un enjambre de saltamontes voladores. Yo nunca había oído una risa semejante. Sonaba como una de las diez plagas, como ginebra de doscientos grados, como cuatrocientas hienas rondando por las calles de la Ciudad de la Locura. Luego, mientras los porrazos continuaban, ella empezó a desbarrar a voz en cuello.

–¿Oyes eso? –gritaba–. ¿Oyes eso, Walt? ¡Soy yo! ¡Ese es el sonido de mis pensamientos, el sonido de los pensamientos que saltan en mi cerebro! ¡Igual que palomitas de maíz, Walt! ¡Mi cráneo está a punto de partirse en dos! Ja, ja, ja! ¡Toda mi cabeza va a estallar en pedacitos!

Justo entonces, los porrazos fueron sustituidos por el ruido de cristales rotos. Primero se rompió una cosa, luego otra: tazas, espejos, botellas, un estrépito ensordecedor. Resultaba difícil saber qué era, pero cada cosa sonaba de un modo diferente, y aquello continuó largo tiempo, más de un minuto, diría yo, y después de los primeros segundos el estruendo estaba por todas partes, la noche entera vibraba con el sonido del cristal hecho añicos. Sin pensarlo, me levanté de un salto y corrí hacia la casa. La señora Witherspoon hizo una tentativa de seguirme, pero estaba demasiado beoda para ir muy lejos. Lo último que recuerdo es que miré hacia atrás y la vi resbalar y caer de bruces, igual que un borracho de película cómica. Soltó un gañido, luego, comprendiendo que no tenía sentido tratar de levantarse, comenzó otra juerga de risas alcohólicas. Así fue como la dejé: rodando por el suelo y riéndose, riéndose hasta echar sus pobres tripas ajumadas por todo el césped.

La única idea que pasó por mi cabeza fue que alguien había entrado en la casa y estaba atacando al maestro Yehudi. Para cuando entré por la puerta trasera y empecé a subir las escaleras, sin embargo, todo estaba tranquilo de nuevo. Esto me pareció extraño, pero aún más extraño fue lo que sucedió a continuación. Crucé el vestíbulo hasta la habitación del maestro, llamé suavemente a la puerta y le oí decir con voz clara y perfectamente normal:

–Adelante.

Así que entré, y allí estaba el maestro Yehudi, de pie en medio de la habitación, en bata y zapatillas, con las manos en los bolsillos y una curiosa sonrisita en la cara. Todo era destrucción a su alrededor. La cama estaba hecha pedazos, las paredes melladas, un millón de plumas blancas flotaban en el aire. Marcos rotos, cristales rotos, sillas rotas, pedazos de cosas irreconocibles, todo esparcido por el suelo como escombros. Me dio un par de segundos para asimilar lo que estaba viendo, y luego habló, dirigiéndose a mí con toda la calma de un hombre que acaba de salir de un baño caliente.

—Buenas noches, Walt —dijo—. ¿Qué te trae por aquí a esta hora tardía?

—Maestro Yehudi —dije—. ¿Está usted bien?

—¿Bien? Por supuesto que estoy bien. ¿Es que no lo parezco?

—No sé. Sí, bueno, puede que sí. Pero esto —dije, indicando los añicos a mis pies—, ¿qué es esto? No lo entiendo. La habitación es un revoltijo, todo está hecho trizas.

—Un ejercicio de catarsis, hijo.

—¿Un ejercicio de qué?

—No importa. Es una especie de medicina para el corazón, un bálsamo para curar el espíritu.

—¿Quiere decir que todo esto lo ha hecho usted?

—Había que hacerlo. Lamento el escándalo, pero antes o después había que hacerlo.

Por la forma en que me miraba, intuí que había vuelto a ser él mismo. Su voz había recobrado su timbre altivo y parecía estar mezclando la amabilidad y el sarcasmo con la antigua y conocida astucia.

—¿Quiere eso decir —dije, sin atreverme aún a esperarlo—, quiere eso decir que las cosas van a ser diferentes a partir de ahora?

—Tenemos la obligación de recordar a los muertos. Esa es la ley fundamental. Si no los recordásemos, perderíamos el derecho a llamarnos humanos. ¿Me captas, Walt?

—Sí, señor, le capto. No pasa un día en que no piense en nuestros seres queridos y en lo que les hicieron. Solo que...

—¿Solo qué, Walt?

—Solo que el tiempo pasa, y cometeríamos una injusticia con el mundo si no pensásemos también en nosotros.

—Tienes una mente rápida, hijo. Puede que todavía haya esperanza para ti.

–No soy solo yo, entiéndalo. También está la señora Witherspoon. Durante las dos últimas semanas ha ido cogiéndose una rabieta tremenda. Si mis ojos no me engañan, creo que se ha desmayado en el jardín y está roncando en un charco de su propio vómito.

–No voy a disculparme por cosas que no necesitan disculpa. Hice lo que tenía que hacer y me llevó el tiempo que tenía que llevarme. Ahora empieza un nuevo capítulo. Los demonios han huido y la negra noche del alma ha terminado. –Respiró hondo, sacó las manos de los bolsillos y me cogió firmemente por el hombro–. ¿Qué me dices, hombrecito? ¿Estás listo para mostrar tus facultades?

–Estoy listo, jefe. Puede apostar sus botas a que lo estoy. Consígame un sitio donde hacerlo, y seré su chico hasta que la muerte nos separe.

Hice mi primera actuación pública el veinticinco de agosto de 1927, presentándome como Walt el Niño Prodigio en un único espectáculo en la Feria del Condado de Pawnee en Lamed, Kansas. Sería difícil imaginar un debut más modesto, pero, tal y como se desarrollaron las cosas, faltó un pelo para que fuese mi canto del cisne. No es que yo estropeara el número, pero la multitud era tan estridente y mezquina, estaba tan llena de borrachos y abucheadores, que, de no haber sido por la rapidez mental del maestro, puede que no hubiese vivido para ver un nuevo día.

Habían acordonado un campo al otro lado de la exposición hortícola, más allá de los puestos con las mazorcas de maíz premiadas, la vaca de dos cabezas y el cerdo de trescientos kilos, y recuerdo que recorrí lo que me pareció un kilómetro antes de llegar a un pequeño estanque de agua verde y turbia con espumilla blanca flotando en la superficie. Me pareció un sitio deplorable para tan histórica ocasión, pero el maestro quería que empezase a pequeña escala, sin bombo ni platillo.

–Incluso Ty Cobb jugó en las ligas de tercera –dijo, cuando nos bajábamos del coche de la señora Witherspoon–. Es preciso que tengas unas cuantas actuaciones en tu haber. Si lo haces bien aquí, empezaremos a hablar del gran momento dentro de unos meses.

Desgraciadamente, no había tribuna para los espectadores, lo cual contribuía a que hubiese muchas piernas cansadas y quejas desabridas, y con las entradas a diez centavos, el público ya estaba sintiéndose embaucado antes de que yo hiciese mi aparición. No habría más de sesenta o setenta personas, un puñado de paletos de cuello grueso con monos y camisas de franela, delegados del Primer Congreso Internacional de Palurdos. La mitad de ellos estaban bebiendo whisky casero en pequeños frascos marrones de jarabe para la tos y la otra mitad acababan de terminar los suyos y estaban deseosos de más. Cuando el maestro Yehudi se adelantó con su frac negro y su sombrero de copa para anunciar el debut mundial de Walt el Niño Prodigio, empezaron los comentarios chistosos y los insultos. Puede que no les gustara su ropa o puede que les desagradara su acento de Brooklyn-Budapest, pero estoy seguro de que no ayudó mucho el hecho de que yo llevara el peor vestuario de los anales del espectáculo: una túnica blanca larga que me hacía parecer un San Juan Bautista enano, junto con sandalias de cuero y una cuerda de cáñamo atada a la cintura. El maestro había insistido en lo que él llamaba un «aspecto ultramundano», pero yo me sentía un cretino con aquel atuendo, y cuando oí que un gracioso gritaba a voz en cuello «Walt la Niña Prodigio» comprendí que no era el único que tenía aquella impresión.

Si encontré el valor necesario para empezar, fue solo gracias a Aesop. Yo sabía que él me estaba mirando desde dondequiera que se encontrase y no iba a permitirme fallarle. Él contaba con que yo tuviera una actuación brillante, y pensara de mí lo que pensara aquella chusma de necios borrachos, le debía a mi hermano el hacerlo lo mejor que pudiera. Así que anduve hasta el borde del estanque y me dispuse para mi rutina de extender los brazos y entrar en trance, procurando no escuchar la rechifla y los insultos. Oí algunos ¡oh! y ¡ah! cuando mi cuerpo se elevó del suelo, pero débilmente, solo débilmente, porque para entonces ya estaba en un mundo separado, aislado de amigos y enemigos por igual en la gloria de mi ascensión. Era mi primera actuación pública, pero ya tenía las cualidades esenciales de un artista del espectáculo, y estoy seguro de que habría conquistado a la gente de no ser por un imbécil al que se le ocurrió arrojarme una botella. Había diecinueve posibilidades contra una de que el proyectil pasara volando a mi lado sin hacerme daño, pero aquel era un día de chiripas e improbabilidades y el dichoso objeto me dio de lleno en el coco. El golpe estropeó mi concentración (por no hablar de que me dejó inconsciente), y antes de que supiera lo que pasaba, estaba hundiéndome como un saco de monedas hasta el fondo del estanque. Si el maestro no hubiese estado alerta y no se hubiera tirado de cabeza tras de mí sin molestarse en quitarse el frac, probablemente me habría ahogado en aquel miserable agujero y aquella habría sido mi primera y última salida a escena.

Así que nos marchamos de Lamed avergonzados, huimos de allí mientras aquellos sanguinarios patanes nos tiraban huevos, piedras y tajadas de sandía. A nadie parecía importarle que yo hubiese estado a punto de morir a consecuencia de aquel golpe en la cabeza y continuaron riéndose mientras el buen maestro me rescataba del agua y me llevaba a la seguridad del coche de la señora W. Yo estaba aún medio delirante a causa de mi visita a los fondos marinos y tosí y vomité sobre la camisa del maestro mientras él corría por el campo con mi cuerpo mojado saltando en sus brazos. No pude oír todo lo que decían, pero llegó a mis oídos lo suficiente como para deducir que las opiniones estaban fuertemente divididas. Algunas personas adoptaban el punto de vista religioso, afirmando atrevidamente que estábamos aliados con el diablo. Otros nos llamaban farsantes y charlatanes, y había quienes no tenían ninguna opinión. Gritaban por el puro placer de gritar, contentos simplemente de formar parte del alboroto mientras lanzaban coléricos aullidos sin palabras. Afortunadamente, el coche nos esperaba al otro lado de la zona acordonada y conseguimos meternos dentro antes de que los camorristas nos alcanzaran. Unos cuantos huevos se estrellaron contra la ventanilla trasera mientras arrancábamos, pero no se rompió ningún cristal ni se oyó ningún disparo y, bien mirado, supongo que tuvimos suerte de escapar con el pellejo intacto.

Debimos recorrer unos tres kilómetros antes de que ninguno de los dos encontrara el valor necesario para hablar. Ahora circulábamos por entre granjas y pastos, traqueteando por un camino apartado lleno de baches, con la ropa empapada. A cada sacudida del coche, otro chorro de agua de estanque brotaba de nuestros cuerpos y mojaba la lujosa tapicería de ante de la señora Witherspoon. Parece gracioso al contarlo, pero yo no tenía ningunas ganas de reír en aquel momento. Iba sentado en el asiento delantero, reconcomido, tratando de controlar mi mal humor y averiguar qué era lo que había salido mal. A pesar de sus errores, no parecía justo culpar al maestro. Él había sufrido mucho, y yo sabía que su juicio no era todo lo que debería ser. Pero la culpa era mía por haberle seguido la corriente. Nunca debí haber permitido que me metieran en una operación tan mal planeada y necia. Era mi pellejo el que estaba en peligro y, en resumidas cuentas, era asunto mío protegerlo.

–Bueno, socio –dijo el maestro, haciendo lo posible por sonreír–, bienvenido al mundo del espectáculo.

–Eso no ha sido un espectáculo –dije–. Lo que ha sucedido allí ha sido asalto y agresión. Ha sido como caer en una emboscada y que te arranquen el cuero cabelludo.

–Esos son los zarandeos y los revolcones, el toma y daca de las multitudes, muchacho. Una vez que se levanta el telón, nunca se sabe qué va a ocurrir.

–No pretendo ser irrespetuoso, señor, pero esta clase de charla no es más que pura palabrería.

–Ajá –dijo él, divertido por mi atrevida respuesta–. El muchachito está enfadado. Y ¿qué clase de charla propone que tengamos, señor Rawley?

–Una charla práctica, señor. La clase de charla que nos impedirá repetir nuestras equivocaciones.

–No nos hemos equivocado. Hemos atraído a un mal público, eso es todo. Unas veces se tiene suerte y otras no.

–La suerte no tiene nada que ver con esto. Hoy hemos hecho muchas tonterías y hemos acabado pagándolas.

–A mí me ha parecido que has estado brillante. De no ser por esa botella voladora, habría sido un éxito de cuatro estrellas.

–Bueno, para empezar, sinceramente, me gustaría abandonar este disfraz. Es el vestuario más horroroso que he visto nunca. No necesitamos adornos ultramundanos. El número ya tiene suficiente de eso, y no debemos confundir a la gente vistiéndome como un ángel mariquita. Les molesta. Hace que parezca que pretendo ser mejor que ellos.

–Lo eres, Walt. No lo olvides nunca.

–Puede. Pero si se lo hacemos saber, la hemos jodido. Estaban contra mí antes de que empezara.

–El disfraz no tiene nada que ver con eso. Esa gente estaba ajumada, borracha como una cuba. Estaban tan bizcos que ninguno de ellos vio siquiera lo que llevabas puesto.

–Es usted el mejor profesor que existe, maestro, y le estoy verdaderamente agradecido por haberme salvado la vida hoy, pero, en este asunto concreto, está usted todo lo equivocado que pueda estar un hombre. El disfraz apesta. Lamento ser tan brusco, pero, por mucho que me grite, no pienso volver a ponérmelo nunca.

–¿Por qué iba a gritarte? Estamos juntos en esto, hijo, y eres libre de expresar tus opiniones. Si quieres vestirte de otro modo, lo único que tienes que hacer es decírmelo.

–¿En serio?

–Tenemos un largo viaje hasta Wichita, y no hay razón para que no discutamos estas cosas ahora.

–No quisiera parecer quejica –dije, entrando de un salto por la puerta que acababa de abrirme–, pero, tal y como yo lo veo, no tenemos nada que hacer si no los conquistamos desde el principio. A estos rústicos no les gustan las cosas finas. No les agradó su traje de pingüino y no les agradó mi túnica de mariquita. Y toda esa charla pomposa que les echó al principio, no se enteraron de la misa la media.

–No era más que un galimatías. Solo para ponerles en el estado de ánimo adecuado.

–Lo que usted diga. Pero ¿qué le parece si nos la saltamos en el futuro? Hágalo sencillo y coloquial, ya sabe, algo como: «Señoras y caballeros, estoy orgulloso de presentarles a...», y luego se retira y deja que entre yo. Si se pone un simple traje de sarga y un bonito canotier, nadie se ofenderá.

Pensarán que es usted un tipo simpático y bonachón que trata de ganarse unos pavos honradamente. Esa es la clave, ese es el intríngulis. Me presento ante ellos como un pequeño ignorante, un cándido muchacho campesino vestido con un mono de dril y una camisa a cuadros. Ni zapatos, ni calcetines; un cualquiera descalzo con la misma jeta de bruto que sus propios hijos y sobrinos. Me echan un vistazo y se tranquilizan. Es como si fuera un miembro de la familia. Y entonces, en el momento en que empiezo a elevarme por el aire, se les para el corazón. Es así de sencillo. Primero se les ablanda y luego se les embruja. Tiene que salir bien. A los dos minutos de empezar el número estarán comiendo en nuestras manos como ardillas.

Tardamos casi tres horas en llegar a casa y estuve hablando durante todo el viaje, diciéndole al maestro lo que pensaba como no lo había hecho nunca. Cubrí todo lo que se me ocurrió –desde trajes a fechas, desde venta de entradas a música, desde horarios a publicidad– y él me dejó hablar. No hay duda de que estaba impresionado, puede que incluso un poco desconcertado por mi minuciosidad y mis firmes opiniones, pero yo estaba luchando por mi vida aquella tarde, y no habría ayudado a la causa que me callase y midiese las palabras. El maestro Yehudi había botado un barco que estaba lleno de agujeros, y en lugar de tratar de taponar esos agujeros mientras entraba el agua y nos hundíamos, yo quería llevarlo de nuevo a puerto y reconstruirlo de arriba abajo. El maestro escuchó mis ideas sin interrumpirme ni burlarse de mí. Y al final cedió en la mayoría de los puntos que yo había planteado. No debió resultarle fácil aceptar su fracaso como empresario de espectáculos, pero el maestro Yehudi quería que las cosas salieran bien tanto como yo, y era lo bastante noble como para admitir que nos había llevado por mal camino. No era que no tuviese un método, pero ese método estaba pasado de moda, era más apropiado para el estilo cursi de antes de la guerra en el que él había crecido que para el ritmo agitado de los nuevos tiempos. Yo buscaba algo moderno, algo sencillo, claro y directo, y poco a poco conseguí convencerle, hacerle adoptar un enfoque diferente. Sin embargo, en ciertos temas se negó a ceder. Yo estaba interesado en llevar el número a Saint Louis y exhibirme ante mis antiguos paisanos, pero él cortó esta propuesta de raíz.

–Ese es el lugar más peligroso del mundo para ti –me dijo–, y en el mismo momento en que vuelvas allí estarás firmando tu sentencia de muerte. Ten presente lo que te digo. Saint Louis es un lugar maldito. Es un sitio envenenado, y nunca saldrás vivo de allí.

Yo no podía comprender su vehemencia, pero hablaba como alguien que está totalmente decidido y yo no tenía modo de contradecirle. Sus palabras resultaron ser plenamente acertadas. Solo un mes después de que me las dijera, Saint Louis fue asolado por el peor tornado del siglo. El torbellino pasó por la ciudad como una bala de cañón salida del infierno y cuando la dejó atrás cinco minutos después, mil edificios habían quedado arrasados, cien personas habían muerto y otras dos mil yacían retorciéndose entre los escombros con los huesos rotos y sangrando por sus heridas. Ese día nosotros íbamos camino de Vernon, Oklahoma, en la quinta etapa de una gira de catorce ciudades, y cuando cogí la edición de la mañana del periódico local y vi las fotografías de la primera página, casi vomito el desayuno. Había creído que el maestro había perdido sus dotes de percepción, pero le había subestimado. Sabía cosas que yo no sabría nunca, oía cosas que nadie más oía, y ningún hombre del mundo podía compararse con él. Si alguna vez volvía a dudar de sus palabras, me dije, que el Señor me derribara y echara mi cadáver a los cerdos.

Pero voy demasiado deprisa. El tornado no llegó hasta finales de septiembre, y por el momento estamos aún a veinticinco de agosto. El maestro Yehudi y yo estamos todavía sentados en el coche con la ropa mojada y fría, volviendo a casa de la señora Witherspoon en Wichita. Después de nuestra larga conversación sobre la reforma del número, empezaba a sentirme un poco mejor respecto a nuestras perspectivas, pero no me atrevería a decir que estaba totalmente tranquilo. Borrar del mapa a Saint Louis era una cosa, una pequeña diferencia de opinión, pero había otros asuntos que me preocupaban más profundamente. Fallos esenciales del acuerdo, podríamos llamarlos, y ahora que había desnudado mi alma acerca de tantas cosas pensé que debía ir a por todas. Así que me lancé y saqué a colación el tema de la señora Witherspoon. Nunca me había atrevido a hablar de ella antes y confiaba en que el maestro no fuera a quitarse el cinturón y darme con él en los morros.

–Puede que no sea asunto mío –dije, avanzando con todo el cuidado que pude–, pero sigo sin ver por qué no ha venido con nosotros la señora Witherspoon.

–No quiso estorbarnos –dijo el maestro–. Pensó que podría traernos mala suerte.

–Pero ella es nuestra patrocinadora, ¿no? Es la que paga las cuentas. Uno pensaría que no querría perdernos de vista para vigilar su inversión.

–Es lo que se llama un socio silencioso.

–¿Silencioso? Me está tomando el pelo, jefe. Esa señora es tan silenciosa como una fábrica de coches. Es capaz de arrancarte la oreja de un mordisco y escupir los pedazos antes de que tú puedas meter baza.

–En la vida, sí. Pero yo estoy hablando de negocios. En la vida, no hay duda de que tiene lengua. No voy a discutírtelo.

–No sé cuál es su problema, pero todos esos días en que usted estuvo fuera de circulación, ella hizo algunas cosas muy raras. No digo que no sea una buena persona y todo eso, pero había veces, permítame que se lo diga, había veces en que me daban escalofríos al ver las cosas que hacía.

–Ha estado trastornada. No puedes culparla por ello, Walt. Ha pasado algunos malos tragos en estos últimos meses, y es mucho más frágil de lo que tú crees. Simplemente, tienes que tener paciencia con ella.

–Eso es más o menos lo mismo que ella me dijo respecto a usted.

–Es una mujer inteligente. Un poco nerviosa, quizá, pero tiene una buena cabeza sobre los hombros y el corazón en su sitio.

–Madre Sioux, que su alma descanse en paz, me dijo una vez que usted estaba dispuesto a casarse con ella.

–Lo estuve, luego dejé de estarlo. Luego lo estuve otra vez. Luego ya no. Ahora... ¡quién sabe! Si los años me han enseñado algo, muchacho, es que cualquier cosa puede suceder. Cuando se trata de hombres y mujeres, nunca puedes apostar nada.

–Sí, es bastante retozona, hay que reconocerlo. Justo cuando crees que la tienes bien atada, se suelta de la ligadura y sale disparada hacia el prado de al lado.

–Exactamente. Lo cual explica por qué a veces lo mejor es no hacer nada. Si te quedas quieto a la espera, hay una posibilidad de que aquello que estás esperando venga directamente a ti.

–Todo eso es demasiado profundo para mí, señor.

144

–No eres el único, Walt.

–Pero si alguna vez se casan, apuesto doble contra sencillo a que no será un camino de rosas.

–No te preocupes por eso. Concéntrate en tu trabajo y déjame a mí los asuntos amorosos. No necesito consejos de la chiquillería. Es mi canción, y la cantaré a mi manera.

No tuve huevos para llevar más lejos la conversación. El maestro Yehudi era un genio y un brujo, pero yo tenía cada vez más claro que no entendía en absoluto a las mujeres. Yo estaba en el secreto de los pensamientos más íntimos de la señora Witherspoon, había escuchado sus rijosas confidencias de borracha en muchas ocasiones, y sabía que el maestro no iba a llegar a ninguna parte con ella a menos que cogiera el toro por los cuernos. Ella no quería deferencias, ella quería que la tomaran por asalto y la conquistaran, y cuanto más tiempo titubeara él, menores serían sus posibilidades. Pero ¿cómo decirle eso? No podía hacerlo. No si tenía aprecio a mi propio pellejo, así que mantuve la boca cerrada y lo dejé correr. Era su maldito asunto, me dije, y si él estaba tan decidido a echarlo a perder, ¿quién era yo para impedírselo?

Así que volvimos a Wichita y estuvimos muy atareados haciendo planes para empezar de nuevo. La señora W. no dijo ni palabra acerca de las manchas de agua de los asientos, pero supongo que las consideró un coste comercial, parte del riesgo que corres cuando pones tus miras en hacer mucho dinero. Tardamos unas tres semanas en ultimar los preparativos –fijar las fechas de las actuaciones, imprimir octavillas y carteles, ensayar el nuevo número– y durante ese tiempo el maestro y la señora Witherspoon estuvieron bastante amartelados, mucho más tiernos de lo que yo había esperado. Pensé que a lo mejor me equivocaba y que el maestro sabía exactamente lo que hacía. Pero luego, el día de nuestra partida, él cometió un error, una metedura de pata táctica que reveló la debilidad de su estrategia global. Lo vi con mis propios ojos, de pie en el porche mientras el maestro y la señora se despedían, y fue lastimoso de ver, un triste capítulo en la historia de las penas de amor.

–Hasta pronto, chica –dijo él–. Nos veremos dentro de un mes y tres días.

–Partid, muchachos, hacia las tierras salvajes y desoladas –dijo ella.

Después de eso hubo un embarazoso silencio, y, como me sentía incómodo, abrí la bocaza y dije:

–¿Qué me dice, señora? ¿Por qué no se mete en el coche y se viene con nosotros?

Vi que sus ojos se iluminaban cuando dije eso, y tan seguro como que *Roma* y *amor* son la misma palabra leída al revés, ella habría dado seis años de su vida por dejarlo todo y subirse a ese coche. Se volvió al maestro y le dijo:

–Bueno, ¿qué te parece? ¿Debería ir con vosotros o no?

Y él, como un verdadero gilipollas, le dio unas palmaditas en el hombro y le dijo:

–Como tú quieras, querida.

Los ojos de ella se nublaron por un segundo, pero aún no estaba todo perdido. Todavía con la esperanza de oír las palabras adecuadas de sus labios, lo intentó de nuevo y dijo:

–No, decídelo tú. No quiero estorbaros.

Y él contestó:

–Eres libre, Marion. No me corresponde a mí decirte lo que debes hacer.

Y ahí se acabó todo. Vi que la luz de sus ojos se apagaba; su cara se cerró con una expresión tensa e irónica; y se encogió de hombros.

–Da igual –dijo–. Además, aquí hay mucho que hacer. –Luego, con una valiente sonrisita forzada, añadió–: Mándame una postal cuando tengas una oportunidad. Que yo sepa, siguen siendo muy baratas.

Y eso fue todo, amigos. La oportunidad de una vida, perdida para siempre. El maestro la dejó escapar entre sus dedos, y lo peor de todo es que creo que ni siquiera se dio cuenta de lo que había hecho.

Viajamos en un coche diferente esta vez, un Ford negro de segunda mano que la señora Witherspoon había elegido para nosotros después de nuestro regreso de Lamed. Ella le puso el apodo de Prodigiomóvil, y aunque no podía compararse con el Chrysler en tamaño y suavidad, hacía todo lo que se le pedía. Partimos una mañana lluviosa de mediados de septiembre, y una hora después de salir de Wichita había olvidado ya la torpeza sentimental de la que había sido testigo en el porche. Mis rayos mentales estaban fijos en Oklahoma, el primer estado en el que actuaríamos en nuestra gira, y cuando llegamos a Redbird dos días más tarde, yo estaba tan tenso como un muñeco de cuerda y más loco que una cabra. Esta vez va a salir bien, me decía. Sí, señor, aquí es donde empieza todo. Incluso el nombre de la ciudad me pareció un buen presagio, y dado que si algo era en aquellos tiempos era supersticioso, eso tuvo un poderoso efecto en mi ánimo. Redbird. Igual que mi equipo de béisbol en Saint Louis, mis viejos y queridos amigos los Cardinals.[1]

1. *Redbird* y *cardinals* son dos nombres del mismo pájaro, el cardenal de cresta roja. *(N. de la T.)*

Era el mismo número con nuevo vestuario, pero de alguna manera todo parecía distinto, y al público le caí simpático en cuanto entré, lo cual significaba haber ganado la mitad de la batalla en ese mismo momento. El maestro Yehudi soltó su perorata pueblerina hasta el final, mi atuendo de Huck Finn era el colmo de la modestia, y, en resumidas cuentas, los dejamos patitiesos. Seis o siete mujeres se desmayaron, los niños gritaban, los hombres se quedaron boquiabiertos de admiración e incredulidad. Los tuve hipnotizados durante treinta minutos, haciendo cabriolas y volteretas en el aire, planeando con mi cuerpecito por encima de la superficie de un lago ancho y centelleante, y luego, al final, elevándome a una altura récord de metro y medio antes de descender flotando hasta el suelo y despedirme con una reverencia. El aplauso fue estruendoso, extático. Dieron hurras y gritaron, aporrearon cacerolas, tiraron confeti. Era la primera vez que saboreaba el éxito, y me encantó, me encantó como nada me ha encantado ni antes ni después.

Dunbar y Battiest. Jumbo y Plunketsville. Pickens, Muse y Bethel. Wapanucka. Boggy Depot y Kingfisher. Gerty, Ringling y Marble City. Si esto fuese una película, aquí es donde las páginas del calendario empezarían a volar. Las veríamos revolotear contra un fondo de carreteras rurales y malas hierbas secas arrastradas por el viento, y luego los nombres de esas poblaciones aparecerían a toda velocidad mientras seguíamos el avance del Ford negro por un mapa del este de Oklahoma. La música sería garbosa y llena de brío, un chun-chun sincopado que imitaría el ruido de las cajas registradoras. Un plano seguiría a otro, cada uno disolviéndose en el anterior. Cestas rebosantes de monedas, hotelitos de carretera, manos aplaudiendo y pies pateando, bocas abiertas, caras con los ojos saltones vueltos hacia el cielo. La secuencia duraría unos diez segundos y, cuando terminara, todo el mundo en el cine conocería la historia de ese mes. ¡Ah, la fuerza del viejo Hollywood! No hay nada como eso para impulsar las cosas hacia delante. Puede que no sea sutil, pero es eficaz.

Esas son las peculiaridades de la memoria. Si ahora repentinamente pienso en las películas, es probable que sea porque vi muchísimas en los meses siguientes. Después del triunfo de Oklahoma, los contratos dejaron de ser un problema y el maestro y yo pasamos la mayor parte de nuestro tiempo en la carretera, yendo de un lugar remoto a otro. Actuamos en Texas, Arkansas y Louisiana, adentrándonos cada vez más en el Sur a medida que se acercaba el invierno, y yo tendía a llenar los tiempos muertos entre actuaciones visitando los cines locales para ver las películas más recientes. Generalmente el maestro tenía asuntos que atender –hablar con los encargados de las ferias y los vendedores de entradas, distribuir octavillas y carteles por el pueblo, ajustar detalles para la función siguiente–, por lo que raras veces tenía tiempo para ir conmigo. Con mucha frecuencia, cuando volvía le encontraba solo en la habitación sentado en una silla leyendo su libro. Era siempre el mismo libro –un pequeño volumen verde manoseado que llevaba consigo en todos nuestros viajes– y llegó a serme tan familiar como las líneas y los contornos de su cara. Estaba escrito en latín, ni más ni menos, y el nombre del autor era Spinoza, un detalle que no he olvidado nunca, aun después de tantos años. Cuando le pregunté al maestro por qué estudiaba ese libro una y otra vez, me dijo que era porque nunca llegabas al fondo. Cuanto más ahondas en él, dijo, más encuentras y más tiempo te lleva leerlo.

–Un libro mágico –dije–. Nunca se agota.

–Eso es, jovenzuelo. Es inagotable. Te bebes el vino, dejas el vaso sobre la mesa y, mira por dónde, coges el vaso otra vez y descubres que sigue estando lleno.

–Con lo cual acabas borracho como una cuba por el precio de una sola copa.

–Yo mismo no podría haberlo expresado mejor –dijo él volviéndose repentinamente y mirando por la ventana–. Te emborrachas del mundo, muchacho, te emborrachas del misterio del mundo.

Dios, qué feliz fui viajando por aquellas carreteras con él. Simplemente ir de un sitio a otro bastaba para mantener mi espíritu alegre, pero cuando añadimos todos los demás ingredientes –las multitudes, las actuaciones, el dinero que ganábamos– aquellos primeros meses fueron, con mucha diferencia, los mejores que yo había vivido nunca. Incluso después de que la excitación inicial fuera pasando y yo me acostumbrara a la rutina, no quería que aquello se acabara. Las camas incómodas, las ruedas pinchadas, la mala comida, todas las suspensiones por mal tiempo y los ratos aburridos no eran nada para mí, simples piedrecitas que rebotan en la piel de un rinoceronte. Montábamos en el Ford y salíamos de la ciudad, con otros setenta o cien dólares guardados en el baúl, y seguíamos tranquilamente hasta la parada siguiente, viendo cómo el paisaje se deslizaba por la ventanilla mientras comentábamos detalladamente los mejores puntos de la última actuación. El maestro era un príncipe para mí, siempre animándome y aconsejándome y escuchando lo que yo tenía que decir, y nunca hacía que me sintiera ni un ápice menos importante que él. Tantas cosas habían cambiado entre nosotros desde el verano, que era como si ahora tuviésemos una nueva relación, como si hubiésemos alcanzado una especie de equilibro permanente. Él hacía su trabajo y yo el mío, y juntos conseguíamos que la cosa saliera adelante.

El mercado de valores no se hundió hasta dos años después, pero la Depresión ya había comenzado en las tierras del interior, y los granjeros y campesinos de la región estaban pasando apuros. Nos tropezamos con mucha gente desesperada en nuestros viajes, y el maestro Yehudi me enseñó a no despreciarlos nunca. Necesitaban a Walt el Niño Prodigio, me dijo, y yo no debía olvidar nunca la responsabilidad que esa necesidad acarreaba. Ver a un niño de doce años hacer lo que solo los santos y los profetas habían hecho antes que él era como un rayo caído del cielo, y mis actuaciones podían proporcionar exaltación espiritual a miles de almas sufrientes. Eso no quería decir que yo no debiera ganar una pasta con ello, pero a menos que comprendiera que tenía que tocar el corazón de la gente, nunca obtendría el respaldo que merecía. Creo que ese era el motivo de que el maestro me hiciera empezar mi carrera en lugares tan remotos, en semejante colección de rincones olvidados en el mapa. Quería que la noticia se extendiera poco a poco, que el respaldo comenzara desde abajo. No era solo cuestión de domarme, era una forma de controlar las cosas, de asegurarse de que yo no resultaba ser una estrella fugaz.

¿Quién era yo para oponerme? Los compromisos estaban organizados de un modo sistemático, los ingresos eran buenos y siempre teníamos un techo sobre nuestras cabezas cuando nos íbamos a dormir. Estaba haciendo lo que deseaba hacer y la sensación que me proporcionaba era tan buena, tan jubilosa, que me tenía sin cuidado que la gente que me veía actuar fuera de París, Francia, o de París, Texas. De vez en cuando, por supuesto, encontrábamos algún obstáculo en nuestro camino, pero el maestro Yehudi parecía estar preparado para cualquier situación. Una vez, por ejemplo, un inspector de escolarización vino a llamar a la puerta de nuestra casa de huéspedes en Dublin, Mississippi. ¿Por qué no está este chiquillo en la escuela?, le dijo al maestro, apuntándome con su dedo largo y huesudo. Hay leyes contra esto, ¿sabe?, estatutos, reglamentos, etc., etc. Pensé que estábamos perdidos, pero el maestro sonrió, invitó al caballero a entrar y luego sacó un papel del bolsillo interior de su chaqueta. Estaba cubierto de sellos y timbres de aspecto oficial, y en cuanto el funcionario lo leyó, se quitó el sombrero con gesto azorado, se disculpó por la confusión y se fue. Dios sabe qué era lo que estaba escrito en aquel papel, pero resolvió el problema en un abrir y cerrar de ojos. Antes de que yo pudiera leer ninguna de las palabras, el maestro había doblado la carta y había vuelto a guardarla en el bolsillo de su chaqueta.

–¿Qué pone? –le pregunté, pero aunque repetí la pregunta, no me contestó. Dio unas palmaditas en su bolsillo y sonrió con un aire enormemente presuntuoso y complacido de sí mismo. Me recordó a un gato que acabara de zamparse al pájaro de la familia y no estuviera dispuesto a decirme cómo había abierto la jaula.

Desde los últimos meses de 1927 hasta la primera mitad de 1928 viví en un capullo de total concentración. No pensaba nunca en el pasado, no pensaba nunca en el futuro, solo en lo que estaba sucediendo en el presente, en lo que estaba haciendo en aquel momento. Como media, no pasábamos más de tres o cuatro días al mes en Wichita, y el resto del tiempo estábamos en la carretera, yendo y viniendo de acá para allá en el Prodigiomóvil negro. La primera pausa verdadera no llegó hasta mediados de mayo. Se aproximaba mi decimotercer cumpleaños y el maestro pensó que sería una buena idea tomarnos un par de semanas libres. Volveríamos a casa de la señora Witherspoon, dijo, y tomaríamos comida casera para variar. Descansaríamos, celebraríamos y contaríamos nuestro dinero, y luego, terminada nuestra temporada de vivir como un pachá, haríamos las maletas y partiríamos de nuevo. Eso me sonó bien, pero una vez que llegamos allí y nos dispusimos a disfrutar de las vacaciones, noté que algo iba mal. No era el maestro ni la señora Witherspoon. Ambos eran encantadores conmigo y la relación entre ellos era particularmente armoniosa por entonces. Tampoco estaba relacionado con la casa. Los guisos de Nelly Boggs eran excelentes, la cama seguía siendo cómoda, el tiempo primaveral era magnífico. Sin embargo, en el mismo momento en que entramos por la puerta, una inexplicable pesadez invadió mi corazón, una especie de turbia tristeza e inquietud. Supuse que me sentiría mejor después de una buena noche de sueño, pero la sensación no desapareció. Se aposentó dentro de mí como un bolo de estofado no digerido, y daba igual lo que me dijera a mí mismo: no podía librarme de ella. Más bien parecía ir en aumento, ir adquiriendo una vida propia, hasta tal punto que la tercera noche, justo después de ponerme el pijama y meterme en la cama, me vencieron unas terribles ganas de llorar. Parecía absurdo, pero medio minuto después estaba sollozando contra la almohada, llorando como una Magdalena, presa de un ataque de pena y remordimiento.

Cuando me senté a desayunar con el maestro Yehudi a la mañana siguiente, no pude contenerme, las palabras salieron antes de que yo supiera que iba a decirlas. La señora Witherspoon estaba aún en la cama, y en la mesa solo estábamos nosotros dos, esperando a que Nelly Boggs saliera de la cocina y nos sirviera las salchichas y los huevos revueltos.

–¿Recuerda aquella ley de la que me habló? –dije. El maestro, que tenía la nariz enterrada en el periódico, levantó la vista de los titulares y me dirigió una larga e inexpresiva mirada.

–¿Ley? –dijo–. ¿Qué ley?

–Tiene que acordarse. Esa sobre deberes y esas cosas. Sobre que ya no seríamos humanos si olvidásemos a los muertos.

–Claro que la recuerdo.

–Bueno, a mí me parece que estamos quebrantando esa ley a diestro y siniestro.

–¿Cómo, Walt? Aesop y madre Sioux están dentro de nosotros. Los llevamos en nuestro corazón dondequiera que vamos. Nada cambiará eso nunca.

–Pero nos largamos, ¿no es así? Fueron asesinados por una banda de demonios y nosotros no hicimos nada.

–No podíamos. Si hubiéramos ido tras ellos, nos habrían matado a nosotros también.

–Esa noche, tal vez. Pero ¿y ahora? Si se supone que debemos recordar a los muertos, entonces no tenemos más remedio que perseguir a esos cabrones y encargarnos de que reciban su merecido. Quiero decir, diantre, nosotros lo estamos pasando bien, ¿verdad? Viajamos por el país en nuestro automóvil, ganamos pasta en cantidad, nos pavoneamos ante el mundo como un par de artistas. Pero ¿y mi compañero Aesop? ¿Y la vieja madre Sioux? Ellos están pudriéndose en sus tumbas mientras la basura que les colgó sigue libre.

–Domínate –dijo el maestro, estudiándome atentamente mientras se me saltaban las lágrimas y empezaban a correr por mis mejillas. Su voz era severa, casi al borde de la cólera–. Efectivamente, podríamos ir tras ellos. Podríamos seguir su pista y entregarlos a la justicia, pero esa sería la única tarea que tendríamos durante el resto de nuestras vidas. La bofia no nos ayudaría, te lo garantizo, y si crees que un jurado los condenaría, reflexiona. El Klan está por todas partes, Walt, son los amos de todo el podrido cotarro. Son los mismos tipos simpáticos y sonrientes que veías en las calles de Cibola, Tom Skinner, Judd McNally, Harold Dowd, todos ellos forman parte del Klan, desde el primero hasta el último, el carnicero, el panadero, el candelero. Tendríamos que matarlos nosotros mismos, y en cuanto fuéramos por ellos, ellos vendrían por nosotros. Se derramaría mucha sangre, Walt, y la mayor parte sería nuestra.

–No es justo –dije, resollando entre lágrimas–. No es justo, no está bien.

–Tú lo sabes y yo lo sé, y mientras los dos lo sepamos, Aesop y madre Sioux se sentirán felices.

–Están retorciéndose en medio de un tormento, maestro, y sus almas nunca estarán en paz hasta que nosotros hagamos lo que tenemos que hacer.

–No, Walt, te equivocas. Ambos están ya en paz.

–¿Sí? Y ¿por qué es usted tan experto en lo que los muertos están haciendo en sus tumbas?

–Porque he estado con ellos. He estado con ellos y he hablado con ellos, y ya no sufren. Quieren que nosotros sigamos con nuestro trabajo. Eso es lo que me dijeron. Quieren que les recordemos continuando el trabajo que hemos comenzado.

–¿Qué? –dije, sintiendo de pronto que se me ponía la carne de gallina–. ¿De qué diablos está usted hablando?

–Vienen a mí, Walt. Casi todas las noches durante los últimos seis meses. Vienen a mí y se sientan en mi cama, cantando canciones y acariciándome la cara. Son más felices de lo que fueron en este mundo, créeme. Aesop y madre Sioux son ángeles ahora y ya nada puede afectarlos.

Era la cosa más extraña y fantástica que había oído nunca, y, sin embargo, el maestro Yehudi lo dijo con tanta convicción, con tanta sinceridad y calma, que nunca dudé de que estaba diciendo la verdad. Y aunque no fuera la verdad en un sentido absoluto, no había duda de que él lo creía, y si no lo creía, entonces acababa de realizar la interpretación más eficaz de todos los tiempos. Me quedé allí sentado en una especie de inmovilidad febril, dejando que la visión perdurara en mi cabeza, tratando de aferrarme a la imagen de Aesop y madre Sioux cantándole al maestro en mitad de la noche. No importa realmente saber si sucedió o no, porque el hecho es que lo cambió todo para mí. El dolor empezó a disminuir, las nubes negras empezaron a dispersarse y, cuando me levanté de la mesa aquella mañana, lo peor de la aflicción había pasado. Al final, eso es lo único que cuenta. Si el maestro mintió, lo hizo por una buena razón. Y si no mintió, entonces la historia era verídica y no hay motivo para defenderle. De una forma u otra, me salvó. De una forma u otra, rescató mi alma de las fauces de la bestia.

Diez días más tarde retomamos el trabajo donde lo habíamos dejado, saliendo de Wichita en otro coche nuevo. Nuestras ganancias eran tales que ahora podíamos permitirnos algo mejor, así que cambiamos el Ford por el Prodigiomóvil II, un Pierce Arrow gris plata con asientos de cuero y estribos del tamaño de sofás. Estábamos en números negros desde el comienzo de la primavera, lo cual quería decir que le habíamos reembolsado a la señora Witherspoon los gastos iniciales, había dinero en el banco para el maestro y para mí y ya no teníamos que mirar el céntimo como antes. Toda la operación había subido un nivel o dos: pueblos más grandes para las actuaciones, pequeños hoteles en lugar de pensiones y casas de huéspedes donde descansar nuestros huesos, transporte más elegante. Yo estaba de nuevo en la pista cuando partimos, totalmente cargado y listo para arrancar, y durante los siguientes meses despegué una y otra vez, añadiendo nuevos trucos y florituras al número casi cada semana. Para entonces me había acostumbrado de tal modo a las multitudes, me sentía tan a gusto durante mis actuaciones, que era capaz de improvisar sobre la marcha, de inventar y descubrir nuevos giros en medio de un espectáculo. Al principio siempre me había atenido a la rutina, siguiendo rígidamente los pasos que el maestro y yo habíamos planeado de antemano, pero ya había superado esa etapa, le había cogido el tranquillo y ya no me daba miedo experimentar. La locomoción siempre había sido mi punto fuerte. Era el corazón de mi número, lo que me separaba de todos los levitadores que me habían precedido, pero mi elevación no era superior a la media, un discreto metro y medio. Quería mejorar eso, doblar o incluso triplicar esa marca si podía, pero ya no podía permitirme el lujo de sesiones de práctica que duraban todo el día, la vieja libertad de trabajar bajo la supervisión del maestro Yehudi durante diez o doce horas seguidas. Ahora era un profesional, con todas las cargas y los apretados horarios que ello implica, y el único sitio donde podía practicar era delante del público.

Así que eso es lo que hice, especialmente después de aquellas breves vacaciones en Wichita, y con inmenso asombro descubrí que la presión me inspiraba. Algunos de mis mejores trucos datan de aquel período, y sin los ojos de la multitud para espolearme, dudo que hubiera encontrado el valor de intentar la mitad de las cosas que hacía. Todo empezó con el número de la escalera; esa fue la primera vez que utilicé un «soporte invisible», término que acuñé más tarde como invención mía. Estábamos en el norte de Michigan entonces, y justo en mitad de la actuación, cuando me elevaba para empezar a cruzar el lago, vi un edificio a lo lejos. Era una estructura grande de ladrillo, probablemente un almacén o una vieja fábrica, y tenía una escalera de incendios en una de las paredes. No pude evitar fijarme en aquella escalera metálica. La luz del sol se reflejaba en ella en aquel momento y relucía con un brillo rabioso bajo el sol de la tarde. Sin pensarlo, levanté un pie en el aire como si fuera a subir una escalera de verdad y lo posé en un escalón invisible; luego levanté el otro pie y lo puse en el siguiente escalón. No era que notara nada sólido en el aire, pero no obstante iba subiendo, ascendiendo gradualmente una escalera que se extendía de un extremo al otro del lago. Aunque no podía verla, tenía una imagen definida de ella en mi mente. Hasta donde puedo recordar, tenía un aspecto parecido a esto:

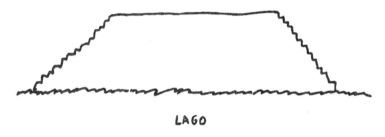

LAGO

El punto más elevado –la plataforma del centro– estaba aproximadamente a dos metros setenta centímetros sobre la superficie del agua, un metro y veinte centímetros más alto de lo que yo había subido nunca. Lo extraño era que no titubeé. Una vez que tuve la imagen clara en mi mente, supe que podía depender de ella para cruzar. Lo único que tenía que hacer era seguir la forma del imaginario puente y este me sostendría como si fuera real. Unos momentos más tarde estaba planeando por encima del lago sin una vacilación ni un tropiezo. Doce escalones de subida, cincuenta y dos pasos en horizontal y luego doce escalones de bajada. Los resultados fueron nada menos que perfectos.

Después de ese importante adelanto, descubrí que podía usar otros soportes con la misma eficacia. Siempre y cuando pudiera imaginar la cosa que deseaba, siempre y cuando pudiera visualizarla con un alto grado de claridad y definición, podría disponer de ella para mi actuación. Así fue como desarrollé algunas de las partes más memorables de mi número: la escala de cuerda, el tobogán, el columpio, la cuerda floja, las incontables innovaciones por las que fui aclamado. Estos cambios no solo aumentaban el goce del público, sino que me proporcionaron una relación totalmente nueva con mi trabajo. Yo ya no era solo un robot, un mono entrenado que hacía la misma serie de trucos en cada espectáculo: me estaba convirtiendo en un artista, un verdadero creador que actuaba tanto para su propio placer como para el placer de otros. Era este carácter imprevisible lo que me excitaba, la aventura de no saber nunca qué iba a suceder de un espectáculo al siguiente. Si tu única motivación es ser amado, congraciarte con la multitud, es inevitable que caigas en malas costumbres, y al final el público se cansa de ti. Tienes que continuar poniéndote a prueba, desarrollando tu talento al máximo. Lo haces por ti mismo, pero al final es esta lucha por mejorar lo que más aprecian tus admiradores. Esa es la paradoja. La gente empieza a intuir que estás ahí arriesgándote por ellos. Les permites compartir el misterio, participar en ese algo sin nombre que te impulsa a hacerlo, y cuando eso sucede, ya no eres simplemente un ejecutante, vas camino de convertirte en una estrella. En el otoño de 1928, ahí es exactamente donde estaba yo: al borde de convertirme en una estrella.

A mediados de octubre nos encontrábamos en el centro de Illinois, cumpliendo los últimos compromisos antes de dirigirnos a Wichita para un bien ganado descanso. Si recuerdo correctamente, habíamos terminado una actuación en Gibson City, uno de esos pueblecitos con una silueta de torres de agua y silos de grano con elevador mecánico. Desde lejos crees que te aproximas a una villa importante y luego llegas allí y descubres que esos silos son lo único que tienen. Ya habíamos dejado el hotel y estábamos sentados en un restaurante en la calle principal tomando un refrigerio líquido antes de meternos en el coche y marcharnos. Era una hora muerta del día, entre el desayuno y el almuerzo, y el maestro Yehudi y yo éramos los únicos clientes. Recuerdo que acababa de tragarme los restos de espuma de chocolate caliente cuando la campanilla de la puerta tintineó y entró un tercer cliente. Por ociosa curiosidad, levanté la cabeza para echar un vistazo al recién llegado, y, ¿adivinan quién era? Ni más ni menos que mi tío Slim, el viejo prodigio de delgadez en persona. La temperatura no sería superior a los tres grados ese día, pero él iba vestido con un gastado traje de verano. Llevaba el cuello subido y se agarraba las dos mitades de la chaqueta con la mano derecha. Estaba tiritando cuando cruzó el umbral, y parecía un chihuahua empujado por el viento del norte; si no me hubiera quedado tan pasmado, probablemente me habría reído al verle.

El maestro Yehudi estaba de espaldas a la puerta. Cuando vio la expresión de mi cara (debí de ponerme blanco), se volvió rápidamente para ver qué era lo que me había perturbado tanto. Slim estaba aún de pie en la entrada, frotándose las manos y examinando el fonducho con sus ojos bizcos, y en cuanto nos echó la vista encima nos dirigió una de aquellas sonrisas dentudas que yo siempre había temido de niño. Aquel encuentro no era accidental. Había venido a Gibson City porque quería hablar con nosotros, y tan seguro como que seis y siete son trece, el número de la mala suerte, nos enfrentábamos a problemas gordos.

–Vaya, vaya –dijo, rebosando falsa amabilidad mientras se acercaba a nuestra mesa–. Qué casualidad. Vengo al culo del mundo por asuntos personales, entro en el bar del pueblo para tomarme un cafetito, y, ¿con quién me tropiezo? Pues con mi sobrino largo tiempo desaparecido. El pequeño Walt, la niña de mis ojos, esa maravilla de chaval pecoso. Parece cosa del destino. Como encontrar una aguja en un pajar.

Sin que el maestro ni yo hubiésemos dicho una palabra, se aparcó en la silla vacía que había a mi lado.

–No te importa que me siente, ¿verdad? –dijo–. Estoy tan sorprendido por esta alegre ocasión que si sigo sobre mis patas voy a desmayarme.

Luego me palmeó la espalda y me revolvió el pelo, aún fingiendo estar encantado de verme, cosa que probablemente era cierta, pero no por ninguna de las razones que tendría una persona normal. Me dio escalofríos que me tocase. Me aparté de su mano, pero él no prestó atención al desaire y continuó parloteando a su manera babosa, mostrando sus dientes marrones y torcidos a la primera oportunidad.

–Bueno, chaval –continuó–, parece que el mundo te trata bastante bien últimamente, ¿no? Por lo que me dicen los papeles, eres el no va más, lo más grande que se ha visto desde el pan de centeno. Aquí tu mentor debe estar rebosante de orgullo, por no hablar de simplemente rebosante, puesto que su cartera no ha debido sufrir mucho en el proceso. No puedo decirte cuánto me alegro, Walt, de ver que mi pariente se está haciendo un hombre en el gran mundo.

–Díganos qué quiere, amigo –dijo el maestro, interrumpiendo finalmente el monólogo de Slim–. El muchacho y yo estábamos a punto de marcharnos y no tenemos tiempo para quedarnos aquí charlando.

–Diantre –dijo Slim, esforzándose por parecer ofendido–, ¿es que no puede uno enterarse de cómo le va al hijo de su propia hermana? ¿Qué prisa tiene? Por el aspecto de esa máquina que tiene usted aparcada junto al bordillo, llegará a tiempo a donde vaya.

–Walt no tiene nada que decirle –dijo el maestro–, y, en mi opinión, usted no tiene nada que decirle a él.

–Yo no estaría tan seguro de eso –dijo Slim, sacando de su bolsillo un puro desmoronado y encendiéndolo–. Él tiene derecho a saber de su pobre tía Peg y yo tengo derecho a contárselo.

–¿Qué pasa con ella? –dije con voz apenas más alta que un susurro.

–¡Vaya, el muchacho puede hablar! –dijo Slim, pellizcándome en la mejilla con fingido entusiasmo–. Por un momento creí que él te había cortado la lengua, Walt.

–¿Qué pasa con ella? –repetí.

–Murió, hijo, eso es lo que pasa. La pilló ese tornado que demolió Saint Louis el año pasado. Toda la casa le cayó encima y ese fue el final de la dulce Peg. Así mismo ocurrió.

–Y usted escapó –dije.

–Fue la voluntad del Señor –dijo Slim–. Por casualidad yo estaba en la otra punta de la ciudad ganándome la vida honradamente.

—Lástima que no fuera al revés —dije—. La tía Peg no era ninguna maravilla, pero por lo menos no me pegaba como hacía usted.

—Eh —dijo Slim—, esa no es manera de hablarle a tu tío. Soy de tu misma sangre, Walt, y no debes decir mentiras sobre mí. No cuando estoy aquí para un asunto vital. El señor Yehudi y yo tenemos cosas de que hablar, y no me conviene que tus insolencias me echen a perder el trabajo.

—Creo que está usted equivocado —dijo el maestro—. Usted y yo no tenemos nada de que hablar. A Walt y a mí se nos está haciendo tarde y me temo que tendrá usted que disculparnos.

—No tan deprisa, amigo —dijo Slim, olvidando de pronto su falso encanto. Su voz estaba cargada de petulancia y cólera, como yo la había recordado siempre—. Usted y yo hicimos un trato, y no se me va a escabullir ahora.

—¿Trato? —dijo el maestro—. ¿Qué trato es ese?

—El que hicimos en Saint Louis hace cuatro años. ¿Acaso creía usted que lo había olvidado? No soy estúpido, ¿sabe? Usted me prometió un tanto por ciento de los beneficios, y estoy aquí para reclamar mi parte. El veinticinco por ciento. Eso es lo que me prometió y eso es lo que quiero.

—Según recuerdo, señor Sparks —dijo el maestro, tratando de controlar su genio—, a usted le faltó poco para besarme los pies cuando le dije que me llevaría al muchacho. Me babeó encima, diciéndome cuánto se alegraba de verse libre de él. Ese fue el trato, señor Sparks. Le pedí al niño y usted me lo entregó.

—Puse condiciones. Se las expliqué con detalle y usted aceptó. Veinticinco por ciento. No me va a decir ahora que no hay trato. Usted me lo prometió y yo le tomé la palabra.

–Siga soñando, amigo. Si cree que hay un trato, entonces enséñeme el contrato. Enséñeme el papel en el que dice que usted va a recibir un solo céntimo.

–Nos dimos la mano. Fue un acuerdo entre caballeros, todo claro y honrado.

–Tiene usted una espléndida imaginación, señor Sparks, pero es usted un mentiroso y un sinvergüenza. Si tiene una queja contra mí, llévesela a un abogado y veremos qué tal defiende su caso en los tribunales. Pero hasta que eso suceda, hágame el favor de quitar su fea cara de mi vista. –Entonces el maestro se volvió hacia mí y me dijo–: Vamos, Walt. Nos esperan en Urbana y no tenemos un minuto que perder.

El maestro echó un dólar sobre la mesa y se levantó y yo me levanté con él. Pero Slim no había terminado de hablar y consiguió meter la última palabra, soltándonos unos cuantos escopetazos finales mientras salíamos del restaurante.

–Se cree usted muy listo, amigo –dijo–, pero esto no va a quedar así. Nadie llama mentiroso a Edward J. Sparks y se va de rositas, ¿me oye? Está bien, siga andando hacia la puerta, no importa. Pero esta es la última vez que me volverá la espalda. Se lo advierto, amigo. Voy a ir por usted. Voy a ir por usted y por esa mierda de crío, y cuando los encuentre, lamentará haberme hablado así. Lo lamentará hasta el día de su muerte.

Nos persiguió hasta la puerta del restaurante, lanzándonos sus locas amenazas mientras montábamos en el Pierce Arrow y el maestro arrancaba. El ruido ahogó las palabras de mi tío, pero sus labios seguían moviéndose y yo veía las venas hinchadas de su flaco cuello. Así fue como le dejamos: fuera de sí de rabia mientras nos veía partir, amenazándonos con el puño y pronunciando su inaudible venganza. Mi tío había estado vagando por el desierto durante cuarenta años y lo único que había sacado de ello era un historial de tropiezos y rumbos equivocados, una interminable ristra de fracasos. Viendo su cara a través de la ventanilla trasera del coche, comprendí que ahora tenía un propósito, que el cabrón había encontrado finalmente una misión en la vida. Una vez que salimos del pueblo, el maestro se volvió hacia mí y me dijo:

—Ese bocazas no tiene nada en que basarse. Es todo un farol, tonterías de principio a fin. El tipo es un perdedor nato, y si alguna vez se atreve a ponerte las manos encima, Walt, le mataré. Te lo juro. Cortaré a ese timador en tantos pedazos que seguirán encontrando cachitos suyos en el Canadá dentro de veinte años.

Yo estaba orgulloso de cómo se había desenvuelto el maestro en el restaurante, pero eso no quería decir que no estuviera preocupado. El hermano mayor de mi madre era un fulano escurridizo, y ahora que estaba resuelto a conseguir algo no iba a ser fácil distraerle de su objetivo. Por mi parte, no tenía ningún deseo de considerar su lado de la disputa. Puede que el maestro le hubiera prometido el veinticinco por ciento y puede que no, pero todo eso era agua pasada ahora, y lo único que yo quería era que ese hijo de puta saliera de mi vida para siempre. Me había estrellado contra las paredes demasiadas veces para que yo pudiera sentir por él algo que no fuera odio, y tanto si su reclamación era lícita como si no, la verdad era que no se merecía un céntimo. Pero desgraciadamente lo que yo sintiera no contaba para nada. Ni lo que sintiera el maestro. Todo dependía de Slim, y yo sabía muy bien que me perseguiría, que me perseguiría hasta que sus manos estuvieran apretando mi cuello.

Estos temores y premoniciones no me abandonaron. Arrojaban una sombra sobre todo lo que sucedió en los días y meses que siguieron, afectando mi estado de ánimo hasta el punto de que incluso la alegría de mi creciente éxito se vio contaminada. La cosa fue especialmente mala al principio. En todas partes adonde íbamos, en cada ciudad que visitábamos, yo estaba siempre esperando que Slim se presentara de nuevo. Sentado en un restaurante, entrando en el vestíbulo de un hotel, saliendo del coche: mi tío podía aparecer en cualquier momento, reventando el tejido de mi vida sin previo aviso. Eso era lo que hacía que la situación fuera tan difícil de soportar. Era la incertidumbre, la idea de que toda mi felicidad podía quedar destrozada en un abrir y cerrar de ojos. El único momento en que me sentía seguro era delante de una multitud y haciendo mi número. Slim no se atrevería a hacer nada en público, por lo menos no cuando yo era el centro de atención, y dada toda la ansiedad que llevaba conmigo el resto del tiempo, actuar se convirtió en una especie de reposo mental, un respiro del terror que rondaba mi corazón. Me entregué a mi trabajo como nunca antes, regocijándome en la libertad y en la protección que me proporcionaba. Algo había cambiado dentro de mi alma, y comprendí que se debía a que había experimentado una transformación: ya no era Walter Rawley, el muchacho que se convertía en Walt el Niño Prodigio durante una hora al día, sino Walt el Niño Prodigio cada vez más, una persona que no existía excepto cuando estaba en el aire. El suelo era un espejismo, una tierra de nadie minada de trampas y sombras, y todo lo que sucedía allí abajo era falso. Solo el aire era real ahora, y durante veintitrés horas al día yo vivía como un extraño para mí mismo, apartado de mis antiguos placeres y costumbres, un fardo de desesperación y miedo.

El trabajo me mantenía en marcha y afortunadamente tenía mucho, una interminable serie de contratos para el invierno. Después de nuestro regreso a Wichita, el maestro preparó una complicada gira con un número récord de funciones semanales. De todas las medidas inteligentes que tomó, su jugada más hábil fue llevarnos a Florida durante los meses más fríos. Estuvimos allí desde mediados de enero hasta finales de marzo, cubriendo la península de una punta a otra, y durante este largo viaje –la primera y única vez que sucedió– la señora Witherspoon vino con nosotros. Contrariamente a todas aquellas bobadas de que fuera gafe, no me trajo más que buena suerte. Suerte no solo en lo que se refiere a Slim (no le vimos el pelo), sino suerte en términos de locales abarrotados de público, con grandes ingresos de taquilla y agradable compañía (a ella le gustaba ir al cine tanto como a mí). Aquellos eran los días del auge de la compra de tierras en Florida, y los ricos habían empezado a ir allí en manadas con sus trajes blancos y sus collares de brillantes para pasar el invierno bailando bajo las palmeras. Era la primera vez que me presentaba delante de los peces gordos de la sociedad. Hacía mi número en clubs de campo, campos de golf y ranchos de gente de ciudad, y a pesar de toda su elegancia y sofisticación, aquellos tipos de sangre azul se prendaron de mí con el mismo entusiasmo que los miserables de la tierra. No había ninguna diferencia. Mi número era universal, y asombraba a todo el mundo de la misma manera, a ricos y pobres por igual.

Para cuando regresamos a Kansas, había empezado a ser yo mismo de nuevo. Slim no había asomado la jeta desde hacía más de cinco meses y supuse que si estaba planeando alguna sorpresa, ya nos la habría dado. Cuando partimos otra vez hacia el Medio Oeste a finales de abril, más o menos yo había dejado de pensar en él. Aquella terrorífica escena de Gibson City estaba tan lejana que a veces me parecía que no había sucedido nunca. Me sentía relajado y confiado, y si había algo en mi mente además de mi número era el vello que había comenzado a crecer en mis axilas y en mis ingles, aquel tardío brote que anunciaba mi entrada en la tierra de las poluciones nocturnas y los pensamientos impuros. Tenía la guardia baja y, exactamente como siempre había sabido que ocurriría, exactamente como había temido al empezar aquel asunto, el rayo cayó justamente cuando menos lo esperaba. El maestro y yo estábamos en Northfield, Minnesota, un pueblecito a unos sesenta kilómetros de Saint Paul, y, como era mi costumbre antes de las actuaciones vespertinas, me fui al cine para matar un par de horas. Las películas sonoras estaban en pleno apogeo por entonces, y yo no me cansaba de ellas, iba siempre que tenía la oportunidad y en ocasiones veía la misma película tres o cuatro veces. Aquel día la película principal era *Los cuatro cocos,* la última comedia de los hermanos Marx, situada en Florida. La había visto antes, pero me volvían loco aquellos payasos, especialmente Harpo, el mudo de la absurda peluca y la bocina, y me fui corriendo cuando me enteré de que la ponían aquella tarde. El cine era un local bastante grande, con un aforo de unas doscientas o trescientas personas, pero debido al buen tiempo primaveral no habría más de media docena de espectadores conmigo. Lo cual no me importó, naturalmente. Me instalé con una bolsa de palomitas y me puse a reír como un loco, sin pensar en los otros cuerpos repartidos por la oscuridad. Al cabo de veinte o treinta minutos olí algo raro, un olor medicinal curiosamente dulce que me llegaba desde atrás. Era un olor fuerte y se volvía más fuerte por segundos. Antes de que pudiera volverme para ver qué era, me plantaron sobre la cara un trapo empapado en aquel líquido acre. Salté y me debatí para librarme de él, pero una mano me empujó hacia atrás y luego, antes de que pudiese reunir fuerzas para un segundo intento, la capacidad de luchar me abandonó de repente. Mis músculos se ablandaron; mi piel se derritió como mantequilla; mi cabeza se separó de mi cuerpo. A partir de ese momento, visité varios lugares en los que no había estado nunca.

Yo había imaginado toda clase de batallas y enfrentamientos con Slim –peleas a puñetazos, asaltos, disparos en oscuros callejones–, pero ni una sola vez se me había pasado por la cabeza que me raptase. No entraba en el *modus operandi* de mi tío hacer algo que requiriese una planificación tan a largo plazo. Era un exaltado, un loco que se precipitaba a hacer las cosas por el impulso del momento, y si rompió el molde por mi causa, eso solo demuestra lo amargado que estaba, lo profundamente que mi éxito le había enconado. Yo era la única gran oportunidad que tendría en su vida y no iba a dejarla escapar por perder los estribos. Esta vez no. Iba a actuar como un verdadero gángster, un hábil profesional que pensaba en todas las posibilidades, y acabaría apretándonos los tornillos a base de bien. No se había metido en aquello solo por el dinero, no se había metido en aquello solo por la venganza: quería ambas cosas, y raptarme para pedir un rescate era la combinación mágica, la forma de matar aquellos dos pájaros de un tiro.

Esta vez tenía un socio, un corpulento ladrón de nombre Fritz, y considerando que eran pesos ligeros mentales, hicieron bastante bien el trabajo de tenerme escondido. Primero me metieron en una cueva en las afueras de Northfield, un agujero húmedo y asqueroso donde pasé tres días y tres noches con las piernas atadas con gruesas cuerdas y una mordaza sobre la boca; luego me dieron una segunda dosis de éter y me llevaron a otro sitio, un sótano en lo que debía de ser un edificio de apartamentos en Minneapolis o en Saint Paul. Eso duró solo un día, y desde allí me llevaron en coche nuevamente al campo, instalándome en la casa abandonada de un buscador de minas en lo que más tarde supe que era Dakota del Sur. Aquello parecía más la Luna que la Tierra, un paisaje sin árboles, desolado y muerto, y estábamos tan lejos de cualquier carretera que aunque hubiese conseguido escapar de ellos habría tardado horas en encontrar ayuda. Aprovisionaron el lugar de comida enlatada para un par de meses, y todas las señales apuntaban a un largo y exasperante confinamiento. Así era como Slim había decidido hacer su jugada: lo más despacio que pudiera. Quería que el maestro se retorciera, y si eso implicaba alargar un poco las cosas, tanto mejor. No tenía prisa. Puesto que todo aquello era tan delicioso para él, ¿por qué ponerle fin antes de haberse divertido bien?

Yo nunca le había visto tan gallito, tan eufórico y satisfecho de sí mismo. Se paseaba por aquella cabaña como un general de división, ladrando órdenes y riéndose de sus propios chistes, lanzando un torbellino de lunáticas bravatas. Me repugnaba verle así, pero al mismo tiempo me ahorraba el pleno impacto de su crueldad. Con todos los ases en la mano, Slim podía permitirse ser generoso, y nunca me trató con la brutalidad que yo temía. Eso no quiere decir que no me abofeteara a veces, que no me pegara en la boca o me retorciera las orejas cuando se le antojaba, pero la mayor parte de sus agresiones venían en forma de mofas y pullazos verbales. No se cansaba nunca de decirme que ahora habían «cambiado las tornas con aquel asqueroso judío», o de burlarse de las erupciones de acné que moteaban mi cara («Vaya, muchacho, otro grano purulento», «Diantre, chaval, tienes un montón de volcanes repartidos por la frente») o de recordarme que mi destino estaba ahora en sus manos. Para subrayar este último punto, a veces se acercaba a mí haciendo girar una pistola en su dedo y apretaba la boca del cañón contra mi cráneo. «¿Ves lo que quiero decir, muchacho?», decía, y luego se echaba a reír. «Un pequeño apretón a este gatillo y tus sesos salpicarán la pared.» Una o dos veces llegó a apretar el gatillo, pero eso era solo para asustarme. Mientras no se hubiera embolsado el dinero del rescate, yo sabía que no tendría agallas para cargar aquella pistola.

No resultaba nada agradable, pero descubrí que podía soportarlo. Hice de tripas corazón, como se suele decir, y me di cuenta de que era preferible escuchar su parloteo a que me partiera los huesos. Siempre que mantuviera la boca cerrada y no le provocara, generalmente agotaba sus recursos al cabo de quince o veinte minutos. Dado que me tenían amordazado la mayor parte del tiempo, tampoco tenía mucha elección. Pero incluso cuando mis labios estaban libres, procuraba no hacer caso de sus insolencias. Se me ocurrían docenas de jugosas réplicas e insultos, pero generalmente me las callaba, ya que sabía muy bien que cuanto menos me enzarzara con aquel hijo de puta, menos me exasperaría.

Aparte de eso, no tenía mucho a que agarrarme. Slim estaba demasiado loco para confiar en él, y no había nada que me garantizase que no encontrara la forma de matarme una vez que hubiese recogido el dinero. Yo no sabía lo que tenía pensado, y esa ignorancia era lo que más me torturaba. Podía aguantar las penalidades del confinamiento, pero mi cabeza nunca estaba libre de visiones de lo que me esperaba: que me cortara el cuello, que me metiera una bala en el corazón, que me arrancara la piel a tiras.

Fritz no hacía nada para aliviar estos tormentos. Era poco más que un subordinado servil, un gordo desmañado que se movía resollando y arrastrando los pies mientras hacía las diversas tareas menores que Slim le asignaba. Cocinaba las judías en la estufa de leña, barría el suelo, vaciaba los cubos de mierda, ajustaba y apretaba las cuerdas que ataban mis brazos y mis piernas. Dios sabe de dónde había sacado Slim a aquel tipo bovino, pero supongo que no podía haber encontrado a un secuaz más dispuesto. Fritz era doncella, mayordomo y chico de los recados, el tonto forzudo que nunca pronunciaba una palabra de queja. Pasaba los largos días y las noches como si aquella comarca yerma fuera el mejor centro de vacaciones de América, perfectamente contento con esperar su oportunidad y no hacer nada, con mirar por la ventana, con respirar. Durante diez o doce días apenas me habló, pero luego, después de que le enviaran la primera nota de rescate al maestro Yehudi, Slim empezó a ir al pueblo todas las mañanas, presumiblemente para echar cartas, hacer llamadas telefónicas o comunicar sus demandas por algún otro medio, y Fritz y yo comenzamos a pasar parte del día los dos solos. No me atrevería a decir que llegamos a un entendimiento, pero por lo menos no me asustaba como Slim. Fritz no tenía nada personal contra mí. Simplemente, hacía su trabajo, y al poco tiempo me di cuenta de que estaba tan a oscuras como yo respecto al futuro.

–Va a matarme, ¿no? –le dije una vez, sentado en una silla mientras él me daba de comer las judías estofadas y las galletas del mediodía.

A Slim le asustaba tanto la idea de que yo huyera que nunca me quitaba las ataduras, ni siquiera cuando estaba comiendo o durmiendo o cagando. Así que Fritz me daba la comida a cucharadas, metiéndomela en la boca como si yo fuera un niño.

—¿Uh? —dijo Fritz, respondiendo del modo brillante y rápido que le caracterizaba. Sus ojos parecían vacíos, como si su cerebro hubiera quedado en un atasco de tráfico entre Pittsburgh y las montañas Allegheny—. ¿Decías algo?

—Me va a despachar, ¿no es cierto? —repetí—. Quiero decir que no hay ninguna posibilidad de que salga de aquí vivo.

—No lo sé. Tu tío no me dice nada de lo que piensa hacer. Simplemente, va y lo hace.

—¿Y no te importa que no te cuente las cosas?

—No, no me importa. Mientras me dé mi parte, ¿por qué iba a importarme? Lo que haga contigo no es asunto mío.

—¿Y qué te hace estar tan seguro de que te pagará lo que te debe?

—Nada. Pero si no hace lo que tiene que hacer, le reventaré a puñetazos.

—No os va a salir bien, Fritz. Todas esas cartas que Slim está mandando desde la oficina de correos del pueblo... Seguirán vuestra pista hasta esta choza en un dos por tres.

—Ja, esta sí que es buena. Crees que somos estúpidos, ¿no?

—Sí, eso es lo que creo. Muy estúpidos.

—Ja. ¿Y si te dijera que tenemos otro socio? ¿Y si ese socio fuera el tipo que recibe esas cartas?

—Bueno, ¿y si me lo dijeras?

—Como si no acabara de decírtelo. ¿Ves dónde quiero ir a parar? Ese otro socio les pasa las notas y esas cosas a los fulanos que tienen la pasta. No hay manera de que nos encuentren aquí.

–¿Y qué hay de ese otro, el tipo con el que estáis confabulados? ¿Es invisible o algo así?

–Sí, eso es. Tomó una dosis de polvos esfumantes y se hizo humo.

Esa debió de ser la conversación más larga que tuve con él: Fritz en uno de sus momentos más elocuentes y prolijos. No era que me tratase mal, pero tenía hielo en las venas y algodón en la sesera, y nunca pude comunicar con él. No conseguí ponerle en contra del tío Slim, no conseguí convencerle de que me desatara las cuerdas («Lo siento, amiguito, pero de eso nada»), no conseguí debilitar su lealtad y resolución ni un ápice. Cualquier otra persona habría contestado a mi pregunta de una de estas dos maneras: diciéndome que era verdad o diciéndome que era falso. Sí, me habría dicho que Slim pensaba cortarme el cuello, o de lo contrario me habría dado unas palmaditas en la cabeza y me habría asegurado que mis temores eran infundados. Aunque la persona mintiera al decir esas cosas (por múltiples razones, buenas y malas), me habría dado una respuesta directa. Pero Fritz no. Fritz era honrado a carta cabal, y puesto que no podía contestar a mi pregunta dijo que no lo sabía, olvidando que la decencia humana normal exige que una persona dé una respuesta firme a una pregunta tan monumental como esa. Pero Fritz no había aprendido las reglas del comportamiento humano. Era un don nadie y un zoquete, y cualquier muchacho con la cara llena de granos podía ver que hablar con él era una pérdida de tiempo.

¡Oh, me lo pasé divinamente en Dakota del Sur, ya lo creo, un verdadero maratón de diversiones y entretenimientos incesantes! Atado y amordazado durante más de un mes, solo en un cuarto cerrado con llave con una docena de palas y horcas herrumbrosas para hacerme compañía, seguro de que moriría de una muerte brutal. Mi única esperanza era que el maestro me rescatara y una y otra vez soñé que él y una cuadrilla de hombres armados caían sobre la cabaña, llenaban de plomo a Fritz y Slim y me llevaban de vuelta a la tierra de los vivos. Pero pasaban las semanas y nada cambiaba. Y luego, cuando las cosas cambiaron, fue para peor. Una vez que comenzaron las notas y las negociaciones para el rescate, me pareció detectar un gradual endurecimiento del estado de ánimo de Slim, una ligerísima disminución de su confianza. La partida se estaba poniendo seria. El primer ataque de entusiasmo se había calmado, y poco a poco su jocosidad estaba dando paso a su antigua personalidad malhumorada y agria. Regañaba a Fritz, refunfuñaba por la monótona comida, estrellaba los platos contra la pared. Aquellas fueron las primeras señales, y finalmente les siguieron otras: tirarme de la silla a patadas, burlarse de la panza de Fritz, apretarme las cuerdas de los brazos y las piernas. Parecía claro que la tensión le estaba afectando, pero yo no sabía a qué se debía. No estaba enterado de las discusiones que tenían lugar en el otro cuarto, no leía las notas de rescate ni los artículos de los periódicos que hablaban de mí, y lo poco que oía a través de la puerta me llegaba tan ahogado y fragmentado que nunca podía atar cabos. Lo único que sabía era que Slim actuaba cada vez más como Slim. La tendencia era inconfundible, y una vez que volvió a ser quien era, comprendí que todo lo que había sucedido hasta entonces me parecería unas vacaciones, un crucero a las Antillas Menores en un maldito yate de lujo.

A principios de junio ya se hallaba próximo al punto de ruptura. Incluso Fritz, el siempre plácido e inalterable Fritz, estaba empezando a mostrar síntomas de desgaste, y vi en sus ojos que las burlas de Slim solo podían ir un poco más lejos antes de que el zopenco de su compañero se ofendiera. Eso se convirtió en el objeto de mis más fervientes plegarias –una auténtica pelea–, pero aunque no llegaron a las manos, me proporcionaba un pequeño consuelo ver con cuánta frecuencia sus conversaciones acababan en riñas menores, que generalmente consistían en que Slim pinchaba a Fritz y este se retiraba enfurruñado a un rincón, mirando fijamente al suelo y mascullando maldiciones entre dientes. Aunque no fuera más que eso, me libraba de parte del peso, y con tantos peligros acechando en el aire, que me olvidaran aunque fuera cinco o diez minutos era una bendición, una dicha inimaginable.

El tiempo se volvía un poco más caluroso cada día, pesaba un poco más sobre mi piel. Parecía que el sol ya no se ponía nunca, y yo tenía picores casi constantes a causa de las cuerdas. Con la llegada del calor, las arañas habían infestado el cuarto trasero donde yo pasaba la mayor parte del tiempo. Corrían por mis piernas, me cubrían la cara, ponían sus huevos en mi pelo. No bien me sacudía una cuando otra me encontraba. Los mosquitos bombardeaban mis orejas, las moscas se retorcían y zumbaban en dieciséis telarañas distintas, yo excretaba un interminable caudal de sudor. Si no eran los bichos lo que me agobiaba, era la sequedad de mi garganta. Y si no era la sed, era la tristeza, un implacable desmoronamiento de mi voluntad y resolución. Me estaba convirtiendo en gachas, en un perro enloquecido y con la piel arrancada a tiras cociéndose en una olla de escupitajos, y por mucho que me esforzara por ser valiente y fuerte, había momentos en que no podía contenerme más y las lágrimas caían de mis ojos sin parar.

Una tarde Slim irrumpió en mi pequeño escondite y me pilló en medio de uno de esos ataques de llanto.

—¿Por qué tan triste, compañero? —dijo—. ¿No sabes que mañana es tu gran día?

Me mortificó que me viera así, por lo que volví la cara hacia el otro lado sin responder. No tenía ni idea de lo que estaba hablando, y dado que solo podía hablar con los ojos, no tenía forma de preguntárselo. Para entonces, ya apenas me importaba.

—Es día de cobro, compañero. Mañana recibimos la pasta, y va a ser una bonita suma. Cincuenta mil bailarinas tumbadas cara con cara en una vieja maleta de mimbre. Justo lo que el médico me mandó, ¿eh, muchacho? Es un plan de jubilación cojonudo, permíteme que te lo diga, y si a eso añadimos que los billetes no están marcados, puedo gastármelos de aquí a México sin que los federales se enteren de nada.

Yo no tenía ningún motivo para dudar de él. Hablaba tan deprisa y sus nervios estaban tan de punta que parecía claro que iba a pasar algo. Sin embargo, no reaccioné. No quería darle esa satisfacción. Así que continué sin mirarle. Al cabo de un momento, Slim se sentó en la cama enfrente de mi silla. Como yo seguía sin reaccionar, se inclinó, me desató la mordaza y me la quitó de la boca.

—Mírame cuando te hablo —dijo.

Pero yo mantuve los ojos fijos en el suelo, negándome a devolverle la mirada. Sin previo aviso, saltó hacia delante y me abofeteó, una sola vez, muy fuerte. Levanté la vista.

—Eso está mejor —dijo.

Normalmente habría sonreído para subrayar su pequeña victoria, pero aquel día no estaba para tales payasadas. Su expresión se volvió torva y durante algunos segundos me miró con tanta dureza que creí que iba a marchitarme dentro de mi ropa.

–Eres un chico afortunado –continuó–. Cincuenta mil pavos, sobrino. ¿Crees que vales esa cantidad de pasta? Nunca creí que pagaran tanto, pero fui subiendo el precio y ellos ni siquiera titubearon. ¡Mierda, muchacho, no hay nadie en el mundo que soltara eso por mí! En el mercado libre no darían más de una moneda o dos, y eso en un buen día, cuando estoy más dulce y encantador. Y tú tienes a ese miserable judío dispuesto a aflojar cincuenta de los grandes para recuperarte. Supongo que eso te convierte en alguien especial, ¿no? ¿O crees que solo está faroleando? ¿Es eso lo que se propone, sobrino? ¿Hacer más promesas que no piensa cumplir?

Ahora le estaba mirando, pero eso no significaba que tuviera intención de contestar a sus preguntas. El tío Slim estaba casi encima de mí, encogido en el borde de la cama, como un defensa de béisbol, con la cara pegada a la mía. Estaba tan cerca, que podía ver cada venilla de sus ojos, cada poro de su piel. Tenía las pupilas dilatadas, estaba jadeante y parecía que en cualquier instante iba a abalanzarse sobre mí y a arrancarme la nariz de un mordisco.

–Walt el Niño Prodigio –dijo, bajando la voz hasta un susurro–. Suena bien, ¿no? Walt... el... Niño... Prodigio. Todo el mundo ha oído hablar de ti, muchacho, eres el tema de conversación de todo el maldito país. Yo también te he visto actuar, ¿sabes? No una vez, sino varias, seis o siete veces en el último año. No hay nada igual, ¿verdad? Un enano que anda sobre el agua. Es la artimaña más endiablada que he visto nunca, el engaño más ingenioso desde el invento de la radio. Ni alambres, ni espejos, ni trampillas. ¿Cuál es el truco, Walt? ¿Cómo demonios te elevas del suelo de esa manera?

Yo no iba a hablar, no iba a decirle una palabra, pero después de mirarle fijamente a través del silencio durante diez o quince segundos, él dio un salto y me golpeó en la sien con el canto de la mano, luego me dio en la mandíbula con la otra mano.

–No hay truco –dije.

–¡Jo, jo, jo! –dijo–. ¡Jo, jo, jo!

–El número es honesto. Lo que se ve es lo que hay.

–¿Y esperas que me lo crea?

–Me da igual lo que crea. Le digo que no hay truco.

–Mentir es pecado, Walt, ya lo sabes. Especialmente a tus mayores. Los mentirosos arden en el infierno, y si no dejas de soltarme trolas, ahí es exactamente adonde irás. Al fuego del infierno. Puedes estar seguro, muchacho. Quiero la verdad, y la quiero ahora.

–Eso es lo que le estoy dando. Toda la verdad y nada más que la verdad, y que Dios me castigue si no es así.

–De acuerdo –dijo, dándose una palmada en las rodillas en un gesto de frustración–. Si es así como quieres que juguemos, así es como jugaremos. –Se levantó de la cama de un salto y me agarró por el cuello de la camisa, arrancándome de mi silla con un rápido tirón de su brazo–. Si estás tan condenadamente seguro de ti mismo, entonces demuéstramelo. Saldremos ahí fuera y me harás una pequeña demostración. Pero más vale que cumplas con lo dicho, listillo. Yo no tengo tratos con tramposos. ¿Me oyes, Walt? Actúas o te callas. Te elevas del suelo o te dejo el culo hecho papilla.

Me arrastró al otro cuarto, vociferando mientras mi cabeza golpeaba contra el suelo y las astillas se me clavaban en el cuero cabelludo. No había nada que pudiera hacer para defenderme. Las cuerdas seguían sujetando mis brazos y mis piernas, y lo más que podía hacer era retorcerme y chillar, suplicando piedad mientras la sangre goteaba por mi pelo.

–Desátalo –le ordenó a Fritz–. Este mequetrefe dice que puede volar, y vamos a tomarle la palabra. Nada de sis ni peros. Empieza el espectáculo, caballeros. El pequeño Walt va a abrir sus alas y bailar en el aire para nosotros.

Yo podía ver la cara de Fritz desde mi posición en el suelo y vi que estaba mirando a Slim con una mezcla de horror y confusión. El gordo estaba tan aturdido que ni siquiera trató de hablar.

–¿Bien? –dijo Slim–. ¿A qué esperas? ¡Desátalo!

–Pero, Slim –tartamudeó Fritz–. No tiene sentido. Si le dejamos echar a volar se nos escapará. Como siempre has dicho.

–Olvida lo que he dicho. Desata las cuerdas y veremos qué clase de mentiroso es. Apuesto a que no se elevará medio metro del suelo. Ni siquiera cinco miserables centímetros. Y aunque lo hiciera, ¿a quién coño le importa? Yo tengo mi pistola, ¿no? Un disparo en la pierna y caerá tan deprisa como un maldito pato.

Este disparatado argumento pareció convencer a Fritz. Se encogió de hombros, vino hasta el centro del cuarto, donde Slim me había depositado, y se agachó para hacer lo que le ordenaban. En cuanto aflojó el primer nudo, sin embargo, sentí que me inundaba una oleada de miedo y repugnancia.

–No voy a hacerlo –dije.

–¡Oh, vaya si vas a hacerlo! –dijo Slim. Ahora tenía las manos libres y Fritz había concentrado su atención en las cuerdas que rodeaban mis piernas–. Lo harás durante todo el día si yo te lo mando.

–Puede pegarme un tiro –dije llorando–. Puede cortarme el cuello o quemarme hasta convertirme en cenizas, pero no voy a hacerlo de ninguna manera.

Slim se rió brevemente y luego me dio una patada en la espalda con la punta del zapato. El aliento salió disparado de mi pecho como un cohete y caí al suelo presa del dolor.

–Eh, déjale en paz, Slim –dijo Fritz, deshaciendo el último nudo alrededor de mis tobillos–. No está de humor. Cualquier imbécil se daría cuenta.

–¿Y quién te ha pedido tu opinión, gordinflón? –dijo Slim, volviendo su ira contra un hombre que pesaba dos veces más que él y era tres veces más fuerte.

–¡Basta ya! –dijo Fritz, gruñendo por el esfuerzo de levantarse del suelo–. Ya sabes que no me gusta que me llames cosas.

–¿Cosas? –gritó Slim–. ¿A qué cosas te refieres, seboso?

–Ya lo sabes. Todo eso de gordinflón y seboso. No está bien burlarse así de la gente.

–Así que nos estamos volviendo sensibles, ¿eh? ¿Y qué tengo que llamarte, entonces? Mírate al espejo y dime lo que ves. Una montaña de carne, eso es lo que ves. Yo llamo a la gente como se merece, seboso. Si quieres que te llame otra cosa, entonces empieza a perder kilos.

Fritz tenía la mecha más larga y más lenta que ningún hombre que yo hubiera conocido, pero esta vez Slim había ido demasiado lejos. Yo podía sentirlo, podía saborearlo, e incluso mientras estaba allí tirado boqueando y tratando de recobrarme del golpe en la espalda, comprendí que aquella era la única oportunidad que tendría. Mis brazos y mis piernas estaban libres, encima de mí se estaba armando una bronca, y lo único que tenía que hacer era elegir el momento. Este se presentó cuando Fritz dio un paso hacia Slim y le clavó un dedo en el pecho.

–No tienes derecho a hablarme así –dijo–. No cuando te he pedido que lo dejes.

Sin emitir un sonido, empecé a arrastrarme en dirección a la puerta, avanzando lo más lenta y suavemente que pude. Oí un golpe sordo detrás de mí. Luego hubo otro, seguido del ruido de zapatos arrastrándose sobre el suelo de madera. Gritos, gruñidos y palabrotas puntuaban aquel tango, pero para entonces yo estaba empujando la puerta, que afortunadamente estaba demasiado torcida para encajar en la jamba. La abrí de un empujón, seguí arrastrándome medio metro más y luego caí fuera, bajo la luz del sol, aterrizando sobre un hombro en la dura tierra de Dakota del Sur.

Notaba los músculos raros y esponjosos. Cuando traté de ponerme de pie, apenas los reconocí. Se me habían vuelto estúpidos y no conseguía que funcionaran. Después de tanto confinamiento e inactividad, me había convertido en un payaso que se movía espasmódicamente. Batallé para ponerme de pie, pero en cuanto di un paso tropecé. Me caí, me levanté, avancé a trompicones un metro o dos, luego volví a caerme. No tenía un segundo que perder y allí estaba yo tambaleándome como un borracho, derrumbándome cada dos o tres pasos. Por pura tenacidad, finalmente llegué hasta el coche de Slim, un viejo cacharro abollado que estaba aparcado a la vuelta de la casa. El sol lo había convertido en un horno y cuando toqué la manija de la portezuela, el metal estaba tan caliente que casi solté un grito. Afortunadamente, sabía arreglármelas con un coche. El maestro me había enseñado a conducir, y no tuve ninguna dificultad para soltar el freno de mano, tirar del estárter y girar la llave de contacto. Pero no había tiempo para ajustar el asiento.

Mis piernas eran demasiado cortas y la única forma que tenía de llegar con el pie al acelerador era deslizarme hasta el borde del asiento, agarrándome al volante como si me fuera en ello la vida. La primera tos del motor detuvo la pelea dentro de la cabaña, y cuando puse el coche en marcha, Slim salía ya disparado por la puerta y corría hacia mí con su pistola en la mano. Y yo no podía apartar la mano del volante para meter la segunda. Vi que Slim levantaba la pistola y apuntaba. En lugar de virar a la derecha, viré a la izquierda, arremetiendo contra él con el parachoques. Le di justo por encima de la rodilla y él dio un salto y cayó al suelo. Eso me proporcionó unos segundos para maniobrar. Antes de que Slim pudiera levantarse, yo había enderezado el volante y había puesto el coche en la dirección adecuada. Metí la segunda y pisé el pedal hasta el fondo. Una bala atravesó la ventanilla trasera haciendo añicos el cristal a mis espaldas. Otra bala dio en el salpicadero y abrió un agujero en la guantera. Tanteé en busca del embrague con el pie izquierdo, cambié a tercera y me alejé. Puse el coche a cuarenta y cinco, luego a sesenta kilómetros por hora, saltando sobre el escabroso terreno como un domador de potros broncos mientras esperaba que la bala siguiente me diera en la espalda. Pero no hubo más balas. Había dejado a aquel saco de mierda en el polvo, y cuando llegué a la carretera unos minutos más tarde, estaba libre.

¿Fui feliz al volver a ver al maestro? Pueden apostar su vida a que lo fui. ¿Se aceleró mi corazón de alegría cuando él abrió sus brazos y me asfixió en un largo abrazo? Sí, mi corazón se aceleró de alegría. ¿Lloramos por nuestra buena suerte? Por supuesto que sí. ¿Reímos y lo celebramos y bailamos cien jigas? Hicimos todo eso y más.

–Nunca más te perderé de vista –dijo el maestro Yehudi.

–Nunca iré a ninguna parte sin usted durante el resto de mis días –dije yo.

Hay un viejo adagio que dice que no apreciamos lo que tenemos hasta que lo perdemos. Por muy cierto que sea ese adagio, debo reconocer que no siempre había sido así para mí. Pero entonces sabía lo que había perdido desde el principio: desde el momento en que me sacaron de aquel cine de Northfield, Minnesota, hasta el momento en que le eché la vista encima al maestro en Rapid City, Dakota del Sur. Durante cinco semanas y media lloré la pérdida de todo lo que era bueno y precioso para mí, y ahora me presento ante el mundo para testimoniar que nada puede compararse a la dulzura de recobrar lo que te han quitado. De todos los triunfos que he marcado con muescas en mi cinturón, ninguno me emocionó más que el simple hecho de volver a mi vida normal.

El reencuentro tuvo lugar en Rapid City porque allí fue donde acabé después de mi fuga. Como era un tacaño, Slim había descuidado la salud de su coche y aquel trasto se quedó sin gasolina antes de que yo hubiera conducido treinta kilómetros. De no haber sido por un viajante de comercio que me recogió justo antes de anochecer, tal vez estaría aún vagando por aquella comarca yerma, buscando ayuda en vano. Le pedí que me dejara en la comisaría más próxima, y cuando aquellos policías descubrieron quién era, me trataron como si hubiera sido el príncipe heredero de Ruritania. Me dieron sopa y salchichas, me proporcionaron ropa nueva y un baño caliente y me enseñaron a jugar al pinacle. Cuando el maestro llegó a la tarde siguiente, yo ya había hablado con dos docenas de reporteros y posado para cuatrocientas fotografías. Mi secuestro había sido noticia de primera página durante más de un mes, y cuando un corresponsal local de prensa vino a husmear a la comisaría en busca de algunas migajas de última hora me reconoció por mis fotos y dio la noticia. Los periodistas de sucesos llegaron en manadas después de eso. Los flashes estallaban como cohetes a mi alrededor, y fanfarroneé como un loco hasta altas horas de la noche, contando historias increíbles sobre cómo había sido más listo que mis captores y me había fugado antes de que pudieran intercambiarme por el botín. Supongo que los simples hechos habrían servido igual, pero no pude resistir la tentación de exagerar. Me recreé en mi recién encontrada celebridad y al cabo de un rato estaba aturdido por la forma en que aquellos periodistas me miraban, pendientes de cada una de mis palabras. Yo era un hombre del espectáculo, después de todo, y, teniendo la bendición de un público como aquel, no tuve valor para defraudarles. El maestro puso fin a toda aquella tontería en cuanto entró. Durante la hora siguiente nuestros abrazos y lágrimas ocuparon toda mi atención, pero nada de eso fue visto por el público. Nos sentamos los dos solos en un cuartito de la comisaría, sollozando uno en brazos del otro mientras dos policías hacían guardia en la puerta. Después hicimos declaraciones y firmamos papeles y luego me sacó de allí, abriéndose paso por entre el gentío de mirones y bienquerientes que esperaba en la calle. Lanzaron vivas y hurras, pero el maestro solo se detuvo el tiempo suficiente para sonreír y saludar con la mano una sola vez a aquellos rústicos antes de empujarme al interior de un coche con chófer aparcado junto al bordillo. Hora y media más tarde estábamos sentados en un compartimiento privado en un tren que se dirigía al Este, camino de Nueva Inglaterra y las playas arenosas de Cape Cod.

Hasta después de que cayera la noche no me di cuenta de que no íbamos a detenernos en Kansas. Con tanto ponernos al día, tantas cosas que describir, explicar y contar, mi cabeza había estado dando vueltas como una máquina batidora, y solo cuando apagamos las luces y estuvimos metidos en nuestras literas se me ocurrió preguntar por la señora Witherspoon. El maestro y yo llevábamos seis horas juntos y su nombre no había sido mencionado ni una vez.

–¿Qué pasa con Wichita? –dije–. ¿No es un sitio tan bueno para nosotros como Cape Cod?

–Es un buen sitio –dijo el maestro–, pero allí hace demasiado calor en esta época del año. El mar te sentará bien, Walt. Te recuperarás más deprisa.

—¿Y qué me dice de la señora W.? ¿Cuándo piensa reunirse con nosotros?

—Esta vez no vendrá, muchacho.

—¿Por qué no? ¿Se acuerda de Florida? A ella le gustó mucho aquello, casi teníamos que sacarla a rastras del agua. Nunca he visto a nadie tan feliz como ella chapoteando entre las olas.

—Puede que sí, pero este verano no irá a nadar. Por lo menos no con nosotros.

El maestro Yehudi suspiró, llenando la oscuridad con un suave y quejumbroso trémolo, y aunque yo estaba mortalmente cansado, justo a punto de dormirme, mi corazón empezó a acelerarse, a bombear dentro de mí como una alarma.

—¡Oh! —dije, tratando de no revelar mi preocupación—. ¿Y por qué?

—No iba a decírtelo esta noche. Pero ahora que has sacado el tema, supongo que no tiene sentido ocultártelo.

—¿Decirme qué?

—Lady Marion está a punto de dar el gran paso.

—¿Paso? ¿Qué paso?

—Está comprometida para casarse. Si todo va según lo previsto, contraerá nupcias antes del día de Acción de Gracias.

—¿Quiere decir enganchada? ¿Quiere decir unida en matrimonio para el resto de su vida natural?

—Eso es. Con un anillo en el dedo y un marido en la cama.

—¿Y ese marido no es usted?

—Evidentemente, no. Estoy aquí contigo, ¿no? ¿Cómo podría estar allí con ella si estoy aquí contigo?

—Pero usted es su principal pretendiente. No tiene derecho a dejarle tirado así, no sin que sea usted quien lo decida.

–Tenía que hacerlo, y yo no me interpuse en su camino. Mujeres como esa hay una en un millón, Walt, y no quiero que digas una palabra contra ella.

–Diré todas las palabras que quiera. Si alguien le hace a usted una mala pasada, yo echo fuego por la boca.

–Ella no me ha hecho una mala pasada. Tenía las manos atadas y había hecho una promesa que no podía romper. Yo en tu lugar, muchacho, le daría las gracias por hacer esa promesa a todas horas del día durante los próximos cincuenta años.

–¿Darle las gracias? Yo escupo sobre esa ramera, maestro. Escupo y maldigo a esa zorra falsa por haberle hecho daño a usted.

–No cuando te enteres de por qué lo hizo. Todo fue por causa tuya, hombrecito. Se expuso al peligro por un mequetrefe llamado Walter Claireborne Rawley, y fue el acto más valiente y más abnegado que le he visto hacer a nadie.

–Mentiras. Yo no tengo nada que ver con eso. Ni siquiera he estado allí.

–Cincuenta mil dólares, compañero. ¿Crees que esa cantidad de dinero crece en los arbustos? Cuando empezaron a llegar las notas del rescate, tuvimos que actuar deprisa.

–Es mucha pasta, claro, pero nosotros debemos haber ganado el doble a estas alturas.

–¡Qué más quisiera yo! Marion y yo no podíamos reunir ni la mitad de esa suma entre los dos. Hemos ganado bastante, Walt, pero ni mucho menos lo que tú crees. Los gastos generales son enormes. Facturas de hotel, transporte, publicidad, todo eso va subiendo, y apenas hemos mantenido la cabeza fuera del agua.

–¡Oh! –dije, haciendo unos rápidos cálculos mentales sobre cuánto dinero debíamos haber gastado, y mareándome al hacerlo.

–¡Oh!, efectivamente. Por lo tanto, ¿qué hacer? Esta es la cuestión. ¿Dónde acudir antes de que sea demasiado tarde? El viejo juez Witherspoon nos rechaza. No se habla con Marion desde que Charlie se mató, y no está dispuesto a interrumpir su silencio ahora. Los bancos se echan a reír, los usureros no quieren saber nada de nosotros, y aunque vendiésemos la casa, nos quedaríamos cortos. Por lo tanto, ¿qué hacer? Esa es la pregunta que nos hace un agujero en el estómago. El reloj no se detiene, y cada día que perdemos, el precio sigue subiendo.

–Cincuenta mil dólares por salvar mi pellejo.

–Y es un precio barato, considerando tu potencial de taquilla en los años venideros. Un precio barato, pero simplemente no lo teníamos.

–Así que ¿adónde acudieron?

–Como estoy seguro de que has comprendido ya, la señora Witherspoon es una mujer de múltiples encantos y atractivos. Puede que yo haya conquistado un lugar especial en su corazón, pero no soy el único hombre que está por sus huesos. Wichita está llena de ellos, sus pretendientes acechan detrás de cada valla y cada boca de incendios. Uno de ellos, un joven magnate de los cereales de nombre Orville Cox, le había propuesto matrimonio cinco veces en el último año. Cuando tú y yo estábamos recorriendo pueblos, el joven Orville estaba en la ciudad, defendiendo su propuesta con insistencia. Marion le rechazó, por supuesto, pero no sin cierta añoranza y pesar, y cada vez que le decía que no, creo que esa añoranza y pesar se hacían un poco más fuertes. ¿Necesito decir más? Recurrió a Cox para conseguir los cincuenta mil dólares, y él estuvo dispuestísimo a desprenderse de esa suma, pero solo a condición de que ella me dejara y se uniera a él ante el altar.

–Eso es chantaje.

–Más o menos. Pero este Orville no es realmente un mal tipo. Un poco aburrido, quizá, pero Marion se ha metido en esto con los ojos bien abiertos.

–Bueno –farfullé, sin saber cómo interpretar todo esto–, supongo que le debo una disculpa. Ella luchó por mí como un verdadero soldado de caballería.

–Efectivamente. Como una auténtica heroína.

–Pero –continué, sin querer dar mi brazo a torcer–, pero todo eso ha pasado ya. Quiero decir que se han retirado las apuestas. Yo me escapé de Slim por mis propios medios y nadie tendrá que aflojar los cincuenta mil. Orville sigue teniendo su podrida pasta, y por derecho eso significa que la señora Witherspoon es libre.

–Puede que sí. Pero sigue pensando casarse con él. Hablé con ella ayer mismo, y así es como están las cosas. Tiene intención de seguir adelante.

–Deberíamos impedirlo, maestro, eso es lo que deberíamos hacer. Irrumpir en la boda y raptarla.

–Como en las películas, ¿eh, Walt?

Por primera vez desde que habíamos empezado esta espantosa conversación, el maestro Yehudi soltó una risita.

–Exactamente. Como en una película de acción.

–Déjala, Walt. Está firmemente decidida, y no hay nada que podamos hacer para detenerla.

–Pero es culpa mía. Si no llega a ser por ese asqueroso secuestro, nada de esto habría ocurrido.

–Es culpa de tu tío, hijo, no tuya, y no debes culparte por ello. Ni ahora ni nunca. Déjalo estar. La señora Witherspoon está haciendo lo que desea hacer, y nosotros no vamos a afligirnos por ello. ¿Entendido? Vamos a comportarnos como caballeros, y no solo no vamos a reprochárselo, sino que vamos a mandarle el regalo de boda más bonito que haya visto novia alguna. Ahora duerme. Tenemos una tonelada de trabajo por delante, y no quiero que te preocupes por este asunto ni un segundo más. Se acabó. Ha caído el telón y el próximo acto está a punto de comenzar.

El maestro Yehudi hablaba de un modo convincente, pero cuando nos sentamos a desayunar en el coche restaurante a la mañana siguiente, estaba pálido y preocupado, como si se hubiera pasado toda la noche levantado, mirando fijamente la oscuridad y contemplando el fin del mundo. Se me ocurrió que parecía más delgado que antes, y me pregunté cómo no lo había advertido el día anterior. ¿Me había cegado la felicidad? Le miré más atentamente, estudiando su cara con toda la objetividad que pude. No había duda de que algo había cambiado en él. Su piel estaba consumida y cetrina, cierto aspecto macilento había aparecido en las arrugas en torno a sus ojos, y en conjunto parecía algo disminuido, menos imponente de lo que yo le recordaba. Había estado sometido a mucha tensión, después de todo –primero la severa prueba de mi secuestro, luego el golpe de perder a su amada–, pero yo esperaba que no fuese más que eso. En algún momento me pareció detectar una ligera mueca mientras masticaba y una vez, hacia el final de la comida, vi inconfundiblemente que su mano bajaba con un movimiento rápido y se agarraba el vientre. ¿Estaba enfermo o era simplemente un ataque pasajero de indigestión? Y, si no estaba bien, ¿era grave lo que le pasaba?

Él no dijo una palabra, por supuesto, y dado que mi aspecto tampoco era demasiado saludable, se las arregló para mantener el foco de atención centrado en mí durante todo el desayuno.

–Come –me dijo–. Te has quedado como un palo. Cómete estas tortitas, hijo, y luego te pediré más. Tenemos que poner algo de carne sobre tus huesos y lograr que recuperes toda tu fuerza.

–Hago lo que puedo –dije–. No es exactamente que me alojaran en un hotel de lujo. Con esos vagabundos he vivido a base de una dieta constante de comida para perros y el estómago se me ha encogido hasta el tamaño de un guisante.

–Y luego está el asunto de tu piel –añadió el maestro, mirándome mientras yo luchaba por comerme otra loncha de beicon–. También tendremos que hacer algo con ella. Todas esas manchas. Parece como si te hubiese brotado la varicela.

–No, señor, lo que tengo son granos, y a veces están tan enconados que me duelen hasta al sonreír.

–Claro. Tu pobre cuerpo se ha trastornado a causa de tanta cautividad. Después de estar encerrado, sin ver el sol, sudando la gota gorda día y noche, no es de extrañar que estés hecho un desastre. La playa te va a sentar de maravilla, Walt, y si esos granos no desaparecen, te enseñaré cómo curarlos y mantener a raya a los nuevos. Mi abuela tenía un remedio secreto que no ha fallado nunca.

–¿Quiere decir que no tendré que cambiar de cara?

–Esta servirá. Si no tuvieras tantas pecas, la cara no estaría tan mal. Combinadas con el acné, producen un efecto raro. Pero no te preocupes, muchacho. Dentro de poco, la única cosa de la que tendrás que preocuparte será del pelo de la barba, y ese es permanente, se quedará contigo hasta el mismísimo final.

Pasamos más de un mes en una casita de playa en la costa de Cape Cod, un día por cada día que había estado cautivo del tío Slim. El maestro la alquiló con nombre falso para protegerme de la prensa, y por motivos de simplicidad y conveniencia nos hicimos pasar por padre e hijo. El alias que eligió fue Buck. Timothy Buck para él y Timothy Buck II para mí, o Tim Buck Uno y Tim Buck Dos. Nos reímos mucho con eso, y lo gracioso era que el lugar donde estábamos no era muy diferente de Timbuktu, por lo menos en cuanto a lejanía: en lo alto de un promontorio mirando al océano, sin ningún vecino en varios kilómetros a la redonda. Una mujer que se llamaba señora Hawthorne venía en coche desde Truro todos los días para cocinar y limpiar, pero, aparte de cotillear con ella, estábamos casi siempre solos. Nos empapábamos de sol, dábamos largos paseos por la playa, tomábamos sopa de almejas, dormíamos diez o doce horas cada noche. Al cabo de una semana de este régimen de holgazán, yo me sentía lo bastante en forma como para intentar la levitación de nuevo. El maestro me hizo comenzar despacio con algunos ejercicios de rutina en el suelo. Flexiones, saltos, carreras por la playa, y cuando llegó el momento de probar de nuevo en el aire, trabajábamos detrás del acantilado, donde la señora Hawthorne no podía espiarnos. Yo estaba un poco herrumbroso al principio, y di algunos aleteos y tumbos, pero al cabo de cinco o seis días estaba otra vez en forma, tan ágil y elástico como siempre. El aire fresco me sentó de maravilla, y aunque el remedio del maestro (una toalla caliente empapada de salmuera, vinagre y astringentes comprados en la farmacia, aplicada sobre mi cara cada cuatro horas) no hizo todo lo que él me había prometido, la mitad de mis granos empezaron a secarse por sí mismos, sin duda gracias al sol y los buenos alimentos que comía.

Creo que habría recobrado las fuerzas aún más rápidamente de no ser por una desagradable costumbre que adquirí durante aquellas vacaciones entre las dunas y las sirenas de los barcos. Ahora que mis manos volvían a estar libres, comenzaron a mostrar una notable independencia. Estaban llenas de la pasión de los viajes, inquietas por el ansia de vagar y explorar, y por mucho que les ordenara estarse quietas, viajaban a donde les daba la gana. Bastaba con que me metiera entre las sábanas por la noche para que ellas insistieran en volar a su lugar favorito, un reino de bosques justo al sur del ecuador. Allí visitaban a su amigo, el gran dedo entre los dedos, el todopoderoso que gobernaba el universo por telepatía mental. Cuando él llamaba, ningún súbdito podía resistirse. Mis manos eran sus siervas, y de no volver a amarrarlas con cuerdas, yo no tenía más remedio que concederles su libertad. Así fue como la locura de Aesop se convirtió en mi locura y así fue como mi pájaro se levantó para controlar mi vida. Ya no se parecía a la pistolita de agua que la señora Witherspoon había cogido una vez en el hueco de su palma. Había ganado tanto en tamaño como en estatura desde entonces, y su palabra era ley. Suplicaba que lo tocaran y yo lo tocaba. Pedía a gritos que lo acariciaran, lo sacudieran y lo estrujaran, y yo me sometía a sus caprichos de buen grado. ¿Qué importaba si me quedaba ciego? ¿Qué importaba si se me caía el pelo? La naturaleza llamaba y todas las noches yo corría hacia ella tan jadeante y ávido como el propio Adán.

En cuanto al maestro, yo no sabía qué pensar. Parecía estar disfrutando, y aunque su piel y su color indudablemente habían mejorado, presencié tres o cuatro episodios de agarrarse el estómago y las crispaciones faciales ocurrían ahora casi con regularidad cada dos o tres comidas. Pero su estado de ánimo no podía ser más alegre, y cuando no estaba leyendo su libro de Spinoza o trabajando conmigo en el número, estaba ocupado en el teléfono, negociando los arreglos para mi gira siguiente. Yo era ahora un personaje. El secuestro había servido para eso, y el maestro Yehudi estaba más que dispuesto a aprovechar plenamente la situación. Revisando apresuradamente sus planes para mi carrera, nos instaló en el retiro de Cape Cod y pasó a la ofensiva. Ahora tenía los triunfos y podía permitirse ser exigente. Podía imponer las condiciones, presionar para obtener nuevos e inauditos porcentajes de los agentes, exigir garantías solo igualadas por las más grandes atracciones. Yo había llegado a la cima mucho antes de lo que ninguno de nosotros había esperado, y antes de que el maestro hubiera concluido sus regateos y tratos, yo ya estaba contratado en docenas de teatros arriba y abajo de la Costa Este, una serie de actuaciones de una o dos noches que nos mantendrían activos hasta final de año. Y no solo en aldeas y pueblos, sino en verdaderas ciudades, los lugares de primera fila a los que siempre había soñado ir. Providence y Newark; New Haven y Baltimore; Filadelfia, Boston, Nueva York. El número había pasado a locales cerrados y a partir de ahora jugaríamos fuerte.

—Se acabó el andar sobre el agua —dijo el maestro—, se acabó el atuendo de niño campesino, se acabaron las ferias del condado y las fiestas campestres de las cámaras de comercio. Ahora eres un artista aéreo, Walt, el único en tu género, y la gente va a pagar buenos dólares por el privilegio de verte actuar. Se vestirán con sus trajes de domingo y se sentarán en butacas de terciopelo, y cuando el teatro se quede a oscuras y los focos te iluminen, se les caerán los ojos de la cara. Morirán mil muertes, Walt. Harás cabriolas y darás vueltas ante ellos, y uno por uno te seguirán por las escaleras del cielo. Cuando termines, estarán sentados en presencia de Dios.

Tales son las vueltas de la fortuna. El secuestro fue lo peor que me había ocurrido nunca, y sin embargo resultó ser mi gran oportunidad, el combustible que finalmente me lanzó hasta ponerme en órbita. Me habían regalado un mes de publicidad gratuita, y cuando me escapé de las garras de Slim, ya era un hombre famoso. El caso más célebre del país. La noticia de mi fuga causó conmoción, una segunda sensación añadida a la primera, y a partir de entonces me convertí en el niño mimado de todos. No era solo una víctima, era un héroe, una maravilla de arrojo e intrepidez, y además de compadecerme, simplemente, me amaban. ¿Cómo entender semejante historia? Me habían arrojado al infierno. Me habían maniatado y amordazado y dado por muerto, y un mes más tarde era el favorito de todo el mundo. Aquello era suficiente como para freírte los sesos, como para achicharrarte los pelos del hocico. El país entero estaba a mis pies y, con un hombre como el maestro Yehudi manejando los hilos, lo más probable era que permaneciera allí durante mucho tiempo.

Yo había sido más astuto que mi tío Slim, sí, pero eso no cambiaba el hecho de que él seguía en libertad. Los polis registraron la choza de Dakota del Sur, pero, aparte de gran cantidad de huellas dactilares y un montón de ropa sucia, no encontraron ni rastro de los culpables. Supongo que debería haber estado asustado, alerta por si había más problemas, pero, curiosamente, no me preocupaba mucho. Cape Cod era un lugar demasiado pacífico para eso, y ahora que había vencido a mi tío una vez, me sentía seguro de que podría volver a hacerlo; no tardé en olvidar que lo había conseguido por un pelo. Pero el maestro Yehudi me había prometido protegerme y yo le creí. Nunca más entraría solo en un cine, y mientras él estuviera conmigo en todas partes, ¿qué podía ocurrirme? Pensaba en el secuestro cada vez menos a medida que pasaban los días. Cuando pensaba en él, era principalmente para revivir mi fuga y preguntarme si habría herido gravemente la pierna de Slim con el coche. Esperaba que fuera verdaderamente grave, que el parachoques le hubiera dado en la rodilla, quizá con suficiente fuerza como para hacer pedazos el hueso. Deseaba haberle hecho verdadero daño, que cojeara el resto de su vida.

Pero estaba demasiado ocupado con otras cosas como para sentir muchos deseos de mirar atrás. Los días estaban llenos, atestados de preparativos y ensayos para mi nuevo espectáculo, y tampoco había muchos huecos en mi carné de baile nocturno, considerando lo dispuesto que estaba mi pito para el jugueteo y la diversión. Entre estas escapadas nocturnas y mis esfuerzos vespertinos, no me quedaba tiempo libre para deprimirme o asustarme. No estaba obsesionado por Slim ni preocupado por la inminente boda de la señora Witherspoon. Mis pensamientos se concentraban en un problema más inmediato, y este era suficiente para tenerme ocupado: cómo reconvertir a Walt el Niño Prodigio en un actor teatral, un ser apto para los confines de un escenario cerrado.

El maestro Yehudi y yo tuvimos varias conversaciones larguísimas sobre este tema, pero fundamentalmente trabajamos en el nuevo número por el método de probar y eliminar errores. Hora tras hora, día tras día, permanecíamos en la ventosa playa haciendo cambios y correcciones, luchando para que saliera bien mientras bandadas de gaviotas chillaban y volaban en círculo sobre nuestras cabezas. Queríamos hacer que cada minuto contara. Ese era el principio que nos guiaba, el objetivo de todos nuestros esfuerzos y furiosos cálculos. En los pueblos perdidos había tenido todo el espectáculo para mí solo, una hora de actuación, incluso más si estaba de humor. Pero las variedades eran otra clase de cerveza. Compartiría el cartel con otros números, y había que reducir el programa a veinte minutos. Perderíamos el lago, perderíamos el impacto del cielo natural, perderíamos la grandeza de mis paseos de cien metros y mis alardes de locomoción. Había que meterlo todo en un espacio más pequeño, pero, una vez que empezamos a explorar los pormenores, vimos que más pequeño no significaba necesariamente peor. Teníamos nuevos medios a nuestra disposición, y el truco estaba en utilizarlos del modo más beneficioso. Para empezar, teníamos luces. Al maestro y a mí se nos caía la baba al pensar en ellas, imaginando todos los efectos que posibilitarían. Podríamos pasar de la negra oscuridad a la luminosidad total en un abrir y cerrar de ojos, y viceversa. Podríamos oscurecer la sala y mover los focos de un lugar a otro, manipular los colores, hacerme aparecer y desaparecer a voluntad. Y luego estaba la música, que resultaría mucho más amplia y sonora interpretada en un interior. No se perdería en el fondo, no quedaría ahogada por el tráfico y los ruidos del tiovivo. Los instrumentos se convertirían en una parte integral del espectáculo y llevarían al público por un mar de emociones cambiantes, indicándole sutilmente a la gente cómo debía reaccionar. Instrumentos de cuerda, de viento y de madera, timbales: tendríamos profesionales en el foso de la orquesta todas las noches y cuando les dijéramos lo que tenían que tocar, sabrían cómo hacerlo. Pero lo mejor de todo era que el público iba a estar más cómodo. Al no ser distraída por el zumbido de las moscas y el resplandor del sol, la gente tendría menos tendencia a hablar y perder la concentración. Un silencio me recibiría en cuanto se levantara el telón, y desde el principio hasta el final la actuación estaría controlada, avanzando como un mecanismo de relojería desde unas sencillas demostraciones de habilidad hasta el más audaz y paralizante final jamás visto en un escenario moderno.

Así que discutimos a fondo nuestras ideas durante un par de semanas y finalmente dimos con un plan de acción detallado.

—Forma y coherencia —dijo el maestro—. Estructura, ritmo y sorpresa.

No íbamos a darles una colección de trucos al azar. El número iba a desarrollarse como un relato, y poco a poco iríamos aumentando la tensión, llevando al público a emociones cada vez mayores, reservándonos los mejores y más espectaculares despliegues de destreza para el final.

El vestuario no podía haber sido más elemental: una camisa blanca con el cuello abierto, pantalones negros anchos y un par de zapatillas de baile blancas en los pies. Las zapatillas blancas eran esenciales. Tenían que saltar a la vista, crear el mayor contraste posible con el suelo marrón del escenario. Teniendo solo veinte minutos de actuación, no había tiempo para cambios de vestuario ni entradas y salidas. Hicimos que el número fuera continuado, para ejecutarlo sin pausas ni interrupciones, pero mentalmente lo dividimos en cuatro partes y trabajamos cada una de ellas por separado como si fueran actos de una obra de teatro:

PRIMERA PARTE. Solo de clarinete, trinando unos cuantos compases de música pastoral. La melodía sugiere inocencia, mariposas, dientes de león meciéndose en la brisa. El telón se levanta sobre un escenario desnudo fuertemente iluminado. Entro yo y durante los dos primeros minutos me comporto como un patán, un palurdo bobalicón y corriente que no para de ir de un lado para otro. Tropiezo con objetos invisibles esparcidos a mi alrededor, encontrando un obstáculo tras otro mientras al clarinete se le une un retumbante fagot. Tropiezo con una piedra, me doy de narices contra una pared, me pillo un dedo en una puerta. Soy la imagen de la incompetencia humana, un bobo tambaleante que apenas puede sostenerse de pie en el suelo, no digamos elevarse sobre él. Finalmente, después de evitar varias caídas milagrosamente, caigo de bruces. El trombón hace un glissando descendente, se oyen algunas risas. Repetición. Pero aún más torpe que la primera vez. De nuevo el trombón deslizante, seguido de un golpeteo en el tambor pequeño y un retumbo en el timbal. Esto es el paraíso de la comedia bufa y yo estoy en una pista de autos de choque sobre hielo. En cuanto me levanto y doy un paso, mi pie se engancha en un patín de ruedas y caigo de nuevo. Carcajadas. Lucho por levantarme, me tambaleo mientras bostezo y me desperezo, y entonces, justo cuando el público está empezando a desconcertarse, justo cuando creen que soy tan inepto como parezco, hago mi primer acto de destreza.

SEGUNDA PARTE. Tiene que parecer un accidente. Acabo de dar otro traspié, y cuando me inclino hacia delante, tratando desesperadamente de recobrar el equilibrio, alargo la mano y cojo algo. Es un travesaño de una escala invisible, y de pronto estoy suspendido en el aire, pero solo por una fracción de segundo. Todo sucede tan rápidamente que es difícil saber si mis pies se han separado del suelo o no. Antes de que el público pueda estar seguro, me suelto y caigo al suelo. Las luces disminuyen, luego se apagan, dejando la sala en la oscuridad. Suena la música: cuerdas misteriosas, trémulas de asombro y expectación. Un momento después se enciende un foco. Vaga de izquierda a derecha y luego se detiene en el lugar que ocupaba la escala. Yo me levanto y empiezo a buscar el travesaño invisible. Cuando mis manos entran de nuevo en contacto con la escala, le doy unas palmaditas cautelosas, boquiabierto por el pasmo. Una cosa que no está allí, está allí. La palmeo de nuevo, probándola para asegurarme de que está firme, y luego empiezo a subir, muy despacio, un travesaño tras otro. Ahora no hay duda. Me he elevado del suelo, y las puntas de mis luminosas zapatillas blancas cuelgan en el aire para demostrarlo. Durante mi ascenso, el foco se ensancha, disolviéndose en un suave resplandor que finalmente inunda todo el escenario. Llego a lo alto, miro hacia abajo y empiezo a asustarme. Ahora estoy a metro y medio por encima del suelo, y ¿qué diablos estoy haciendo allí? Las cuerdas vibran de nuevo, subrayando mi pánico. Empiezo a bajar, pero cuando estoy a medio camino alargo la mano y me encuentro algo sólido: un tablón que sobresale en mitad del espacio. Me quedo atónito. Paso los dedos por encima de este objeto invisible y poco a poco me vence la curiosidad. Deslizo el cuerpo al otro lado de la escala y paso a gatas al tablón. Es lo bastante fuerte como para soportar mi peso. Me pongo de pie y empiezo a andar, cruzando lentamente el escenario a una altitud de un metro. Después de eso, un soporte lleva a otro. El tablón se convierte en una escalera, la escalera se convierte en una cuerda, la cuerda se convierte en un columpio, el columpio se convierte en un tobogán. Durante siete minutos exploro estos objetos, moviéndome sobre ellos de puntillas, tímidamente, ganando confianza de manera gradual mientras la música crece en intensidad. Parece como si pudiera continuar retozando así para siempre. Luego, de pronto, doy un paso en falso y empiezo a caer.

TERCERA PARTE. Bajo flotando hacia el suelo con los brazos extendidos, descendiendo tan despacio como alguien en un sueño. Justo cuando estoy a punto de tocar el escenario, me detengo. La gravedad ha cesado de contar, y allí estoy yo, suspendido quince centímetros por encima del suelo sin ningún soporte que me sostenga. El teatro se oscurece y un segundo más tarde estoy encerrado en el rayo de un solo foco. Miro hacia abajo, miro hacia arriba, miro de nuevo hacia abajo. Muevo los dedos de los pies rápidamente. Giro el pie izquierdo en varias direcciones. Giro el pie derecho en varias direcciones. Ha sucedido de verdad. Es absolutamente cierto que estoy de pie en el aire. Un redoble de tambores rompe el silencio: fuerte, insistente, exasperante. Parece anunciar riesgos terribles, un asalto a lo imposible. Cierro los ojos, extiendo los brazos al máximo y respiro hondo. Esta es exactamente la mitad de la actuación, el momento culminante. Con el foco aún fijo en mí, comienzo a elevarme en el aire, subiendo lenta e inexorablemente, ascendiendo hasta una altura de dos metros en un suave vuelo dirigido al cielo. Hago una pausa en lo alto, cuento tres largos instantes en mi cabeza y luego abro los ojos. Todo se convierte en magia después de eso. Con la música sonando a toda potencia, realizo una serie de acrobacias aéreas de ocho minutos, entrando y saliendo del foco mientras doy giros, volteretas y saltos mortales completos hacia atrás. Una contorsión se transforma fluidamente en otra, cada despliegue de habilidad es más bello que el anterior. Ya no hay sensación de peligro. Todo se ha convertido en placer, euforia, el éxtasis de ver que las leyes de la naturaleza se desmoronan ante mis ojos.

CUARTA PARTE. Después del último salto mortal, vuelvo planeando a mi posición en el centro del escenario a dos metros del suelo. La música se detiene. Tres focos caen sobre mí: uno rojo, otro blanco y otro azul. La música empieza de nuevo: un ligero movimiento de chelos y cornos franceses, de una belleza sin límites. La orquesta está tocando «América la bella», la canción más conocida y más querida de todas. Cuando comienza el cuarto compás, yo empiezo a avanzar, camino en el aire por encima de las cabezas de los músicos y entro en la sala. Continúo andando mientras suena la música, avanzando hasta el mismo fondo del teatro, con los ojos fijos ante mí mientras los cuellos se estiran y la gente se levanta de sus asientos. Llego hasta la pared, me vuelvo e inicio el camino de vuelta, andando de la misma manera lenta y majestuosa que antes. Cuando llego de nuevo al escenario, el público es uno conmigo. Los he tocado con mi gracia, les he permitido compartir el misterio de mis poderes divinos. Me vuelvo en el aire, hago una breve pausa una vez más, y luego bajo flotando hasta el suelo mientras suenan las últimas notas de la canción. Abro los brazos y sonrío. Y luego hago una reverencia –solo una– y el telón cae.

No era demasiado trillado. Un poquitín ampuloso al final, quizá, pero el maestro quería «América la bella» contra viento y marea, y no conseguí disuadirle. La pantomima del principio salió directamente de la cabeza de su seguro servidor, y el maestro se entusiasmó tanto con aquellas caídas de culo que se dejó llevar un poco. Un traje de payaso las haría aún más graciosas, dijo, pero yo le contesté que no, que era justamente lo contrario. Si la gente espera un chiste, tienes que trabajar mucho más para hacerles reír. No puedes emplearte a fondo desde el principio; tienes que acercarte a hurtadillas y sorprenderlos. Necesité medio día de discusión para ganar ese punto, pero en otras cuestiones no

205

fui tan persuasivo. Lo que más me preocupaba era el final, la parte en la que tenía que abandonar el escenario y emprender un recorrido aéreo por encima del público. Sabía que era una buena idea, pero todavía no tenía una confianza total en mi capacidad de elevación. Si no conseguía mantener una altura de entre dos metros y medio y tres, podían surgir toda clase de problemas. La gente podría saltar y golpearme en las piernas, e incluso un ligero golpe indirecto sería suficiente para desviarme de mi curso. ¿Y si alguien llegaba a agarrarme por un tobillo y derribarme al suelo? Estallaría un tumulto en el teatro y acabarían matándome. Esto me parecía un peligro concreto, pero el maestro quitó importancia a mi nerviosismo.

–Puedes hacerlo –dijo–. El invierno pasado en Florida llegaste a los tres metros y medio, y ni siquiera recuerdo la última vez que bajaste de los tres. En Alabama, quizá, pero ese día tenías un catarro y no estabas concentrado. Has ido mejorando, Walt. Poco a poco, has demostrado avances en todos los terrenos. Vas a necesitar bastante concentración, pero tres metros ya no es un esfuerzo excesivo. No es más que otro día en la oficina, una vuelta a la manzana y luego a casa. Ningún problema. Una vez y lo tendrás dominado. Créeme, hijo, va a salir de maravilla.

El truco más difícil era el salto a la escala, y debí dedicarle tanto tiempo como a todos los otros juntos. La mayor parte del espectáculo era una recombinación de movimientos con los cuales ya me sentía cómodo. Los soportes invisibles, las carreras hacia el cielo, las acrobacias en el aire, todas esas eran cosas viejas para mí por entonces. Pero el salto a la escala era nuevo, y todo el programa se basaba en que fuera capaz de realizarlo. Puede que no parezca gran cosa comparado con aquellas espectaculares florituras –solo quince centímetros por encima del suelo durante un instante–, pero la dificultad estaba en la transición, en el doble paso realizado a la velocidad del rayo necesario para pasar de un estado a otro. De las locas caídas y tumbos por el escenario tenía que pasar directamente al despegue, y tenía que hacerlo con un movimiento sin fisura, lo cual significaba inclinarme hacia delante, agarrar el travesaño y elevarme, todo al mismo tiempo. Seis meses antes nunca habría intentado semejante cosa, pero había hecho progresos en reducir el tiempo de mis trances prelevitatorios. De seis o siete segundos al principio de mi carrera había bajado a menos de uno, una fusión casi simultánea de pensamiento y obra. Pero persistía el hecho de que me elevaba desde una posición inmóvil. Siempre lo había hecho así; era una de las características fundamentales de mi número, y solo concebir un cambio tan radical significaba replantearse todo el proceso de arriba abajo. Pero lo hice. ¡Lo hice, gracias a Dios!, y de todas las proezas que realicé como levitador, es de esta de la que me siento más orgulloso. El maestro Yehudi la denominó el Salto Disperso, y eso es más o menos lo que yo sentía: una sensación de estar en más de un sitio al mismo tiempo. Al caer hacia delante, plantaba los pies en el suelo durante una fracción de segundo y luego parpadeaba. El parpadeo era crucial. Me devolvía el recuerdo del trance e incluso el más pequeño vestigio de aquel vacío fibrilante bastaba para producir el cambio necesario en mí. Parpadeaba y levantaba el brazo, agarrando con la mano el travesaño invisible, y luego empezaba a subir. No habría sido posible sostener un truco tan complicado durante mucho tiempo. Tres cuartos de segundo era el límite, pero eso era todo lo que necesitaba, y una vez que perfeccioné el movimiento, este se convirtió en el punto crítico, el eje sobre el cual giraba todo lo demás.

Tres días antes de que nos marcháramos de Cape Cod, un hombre vestido con un traje blanco nos entregó el Pierce Arrow en la puerta de casa. El conductor había traído el coche desde Wichita, y cuando se apeó y estrechó la mano del maestro, sonriendo y rebosante de entusiastas holas, yo supuse que estaba viendo al infame Orville Cox. Mi primera idea fue atizarle una patada en la espinilla a aquel fanfarrón, pero antes de que pudiera darle semejante bienvenida, el maestro Yehudi me salvó al dirigirse a él como señor Bigelow. No tardé mucho en deducir que se trataba de otro de los tontos admiradores de la señora Witherspoon. Era un joven de unos veinticuatro años con la cara redonda y una risa entusiasta de optimista, y de cada dos palabras que salían de su boca una era «Marion». Ella debía de haber hilado muy delgado para convencerle de que hiciera un encargo a tan larga distancia, pero él parecía complacido consigo mismo y muy orgulloso de haberlo llevado a cabo. Me entraron ganas de vomitar. Cuando el maestro sugirió que entráramos en la casa para tomar un refresco, yo ya le había dado la espalda y estaba subiendo los escalones de madera.

Fui derecho a la cocina. La señora Hawthorne estaba allí fregando los platos del almuerzo, con su pequeña figura huesuda encaramada a un taburete al lado del fregadero.

–Hola, señora H. –dije, aún agitado por dentro, sintiéndome como si el propio Diablo estuviera dando saltos mortales en mi cabeza–. ¿Qué hay de cena esta noche?

–Lenguado, puré de patatas y remolachas en vinagre –me contestó con su seco acento de Nueva Inglaterra.

–¡Qué rico! Estoy impaciente por hincar mis dientes en esas remolachas. Póngame doble ración, ¿de acuerdo?

Eso le arrancó una pequeña sonrisa.

—Eso no es problema, señorito Buck —dijo, girando en el taburete para mirarme.

Di tres o cuatro pasos hacia ella y luego entré a matar.

—A pesar de lo buena cocinera que es usted —dije—, apuesto a que nunca ha hecho un plato ni la mitad de sabroso que este.

Y entonces, antes de que ella pudiera decir una palabra más, le dirigí una gran sonrisa, abrí los brazos y me elevé del suelo. Subí despacio, llegando lo más alto que pude sin chocar con la cabeza contra el techo. Una vez que estuve arriba, me quedé suspendido allí mirando hacia abajo a la señora Hawthorne, y el susto y la consternación que se extendieron por su cara fueron como lo que yo había esperado. Un grito ahogado murió en su garganta. Puso los ojos en blanco; luego se cayó del taburete y se desplomó en el suelo con un pequeño golpe sordo, desmayada.

Casualmente, Bigelow y el maestro estaban entrando en la casa justo en ese momento, y el golpe les hizo acudir corriendo a la cocina. El maestro Yehudi llegó primero, irrumpiendo por la puerta en medio de mi descenso, pero cuando Bigelow llegó, un par de segundos después, mis pies ya estaban tocando el suelo.

—¿Qué es esto? —dijo el maestro, valorando la situación con una sola mirada. Me apartó y se agachó sobre el cuerpo comatoso de la señora Hawthorne—. ¿Qué diablos es esto?

—Solo un pequeño accidente —dije.

—Y un cuerno —dijo él, más enfadado de lo que le había visto en muchos meses, quizá años. De repente lamenté toda aquella estúpida travesura—. Vete a tu cuarto, idiota, y no salgas hasta que yo te lo diga. Ahora tenemos compañía y me ocuparé de ti más tarde.

Nunca llegué a comerme aquellas remolachas, ni ningún otro plato hecho por la señora Hawthorne. En cuanto se recobró de su desmayo, se levantó rápidamente y salió por la puerta jurando no volver a poner los pies en nuestra casa nunca más. Yo no estaba allí para presenciar su marcha, pero eso es lo que el maestro me dijo a la mañana siguiente. Al principio pensé que me estaba tomando el pelo, pero cuando vi que a mediodía ella no había llegado, comprendí que había estado a punto de matar del susto a la pobre mujer. Eso era exactamente lo que había querido hacer, pero ahora que lo había hecho, ya no me parecía tan gracioso. Ni siquiera volvió para cobrar su sueldo, y aunque nosotros nos quedamos setenta y dos horas más, esa fue la última vez que la vimos.

No solo las comidas se deterioraron, sino que sufrí una humillación final cuando el maestro Yehudi me hizo limpiar la casa la mañana en que hicimos las maletas y nos fuimos. Detestaba que me castigara de esa manera –mandándome a la cama sin cenar, asignándome las tareas domésticas–, pero por mucho que me enfadara y protestara, él tenía todo el derecho a hacerlo. No importaba que yo fuera la estrella infantil más sensacional desde que David cargó su honda y la disparó. Yo había sacado los pies del plato, y antes de que el engreimiento me hiciera cometer más tonterías, el maestro no tenía más remedio que imponerse y castigarme.

En cuanto a Bigelow, la causa de mi estallido temperamental, no hay mucho que decir. Solo se quedó unas cuantas horas y a media tarde vino un taxi a recogerle, presumiblemente para llevarle a la estación de ferrocarril más próxima, donde iniciaría su largo viaje de vuelta a Kansas. Le vi marchar desde mi ventana del segundo piso, despreciándole por su estúpida alegría y por el hecho de que era amiguete de Orville Cox, el hombre que la señora Witherspoon había preferido al maestro y a mí. Para empeorar aún más las cosas, el maestro Yehudi se comportaba impecablemente, y el ver la cortesía con que trataba a aquel cretino empleado de banca aumentó mi mal humor. No solo le estrechó la mano, sino que le encomendó la entrega de su regalo de boda a la futura novia. Justo cuando la portezuela del taxi estaba a punto de cerrarse, puso un paquete grande con una bonita envoltura en las manos del bribón. Yo no tenía ni idea de qué se ocultaba en la caja. El maestro no me lo había dicho y, aunque ciertamente me proponía preguntárselo a la primera oportunidad, pasaron tantas horas antes de que me soltara de mi prisión que se me olvidó por completo hacerlo cuando llegó el momento. Transcurrieron siete años antes de que descubriera cuál era el regalo.

De Cape Cod fuimos a Worcester, a medio día en coche hacia el oeste. Daba gusto viajar de nuevo en el Pierce Arrow, arrellanados en nuestros asientos de cuero como antaño, y una vez que nos dirigimos hacia el interior, los conflictos que habíamos tenido quedaron atrás como otros tantos papeles de caramelo desechados, llevados por el viento hacia la hierba de las dunas y la rompiente. Sin embargo, yo no quería dar nada por sentado, y solo para asegurarme de que no había mala sangre entre nosotros, me disculpé de nuevo con el maestro.

–Hice mal –dije–, y lo siento.

Y, sin más, todo el asunto se hizo tan añejo como las noticias de ayer.

Nos alojamos temporalmente en el Hotel Cherry Valley, un sucio nido de prostitutas que estaba dos puertas más allá del teatro Luxor. Allí era donde tenía contratada mi primera actuación, y ensayamos en ese teatro de variedades todas las mañanas y todas las tardes durante los siguientes cuatro días.

El Luxor estaba muy lejos de ser el gran palacio de las diversiones que yo había esperado, pero tenía un escenario, un telón y una instalación para las luces, y el maestro me aseguró que los teatros irían mejorando a medida que llegáramos a las ciudades más grandes de la gira. Worcester era un lugar tranquilo, me dijo, bueno para comenzar, para familiarizarme con la sensación del escenario. Le cogí el aire rápidamente, y conseguí dominar los trucos del número sin mucha dificultad, pero aun así había toda clase de defectos y fallos en los que era preciso trabajar: perfeccionar las secuencias del foco, coordinar la música con los movimientos, coreografiar el final para evitar la galería que sobresalía por encima de la mitad de los asientos de la orquesta. El maestro estaba consumido por mil y un detalles. Probaba el telón con el telonero, ajustaba las luces con el encargado de la iluminación, hablaba interminablemente sobre la música con los músicos. Con considerable gasto, contrató a siete de ellos para que participaran con nosotros en los ensayos de los dos últimos días y no paró de garabatear cambios y correcciones en sus partituras hasta el último minuto, intentando desesperadamente que todo saliera bien. Yo me lo pasé divinamente trabajando con aquellos tipos. Eran un puñado de ganapanes venidos a menos, viejos que habían empezado antes de que yo naciera y, en conjunto, debían de haber pasado veinte mil noches en teatros de variedades y tocado en cien mil espectáculos diferentes. Aquellos fulanos habían visto de todo, y, sin embargo, la primera vez que salí e hice mi número para ellos, se armó un verdadero alboroto. El tambor se desmayó, al fagotista se le cayó el fagot, el trombón tartajeó y desafinó. A mí me pareció una buena señal. Si podía impresionar a aquellos cínicos endurecidos, imagínense lo que podría hacer cuando me presentara ante un público normal.

El hotel estaba convenientemente situado, pero las noches en aquel antro de mala muerte casi acabaron conmigo. Con todas aquellas putas subiendo y bajando por las escaleras y cruzando los vestíbulos, mi picha latía como un hueso roto y no me daba tregua. El maestro y yo compartíamos una habitación doble, y yo tenía que esperar hasta que le oía roncar en la cama de al lado antes de atreverme a meneármela. La espera podía ser interminable. A él le gustaba hablar en la oscuridad, discutiendo pequeños detalles del ensayo del día, y en lugar de atender a lo que tenía entre manos, me veía obligado a pensar en respuestas corteses a sus preguntas. Con cada minuto que pasaba, la agonía se hacía mucho más acuciante, mucho más dolorosa de soportar. Cuando él se dormía finalmente, yo bajaba la mano y me quitaba un calcetín sucio. Ese era mi recogedor de esperma, y lo sostenía con la mano izquierda mientras me ponía a trabajar con la derecha, soltando un chorro de leche en los pliegues de algodón. Después de tanta demora, nunca necesitaba más de una o dos sacudidas. Gemía un silencioso himno de gracias y trataba de dormirme, pero raramente me bastaba con una vez en aquellos días. Una prostituta se echaba a reír en el vestíbulo, los muelles de una cama chirriaban en una habitación del piso de arriba, y mi cabeza se llenaba de toda clase de imágenes libidinosas. Antes de darme cuenta, la polla se me ponía dura y ya estaba otra vez dale que te pego.

Una noche debí de hacer demasiado ruido. Era la víspera de la actuación en Worcester, y yo iba a remojar otro calcetín lleno de gozo cuando el maestro se despertó de pronto. ¡Menudo susto! Cuando su voz sonó en la oscuridad, me sentí como si la lámpara se me hubiera caído en la cabeza.

–¿Qué pasa, Walt?

Solté mi pito como si le hubieran salido espinas.

—¿Pasar? —dije—. ¿Qué quiere usted decir?

—Ese ruido. Esas sacudidas y crujidos. Ese alboroto que viene de tu cama.

—Tengo picor. Es un picor terrible, maestro, y si no me rasco muy fuerte, no se me pasa.

—Es un picor, ya lo creo. Un picor que empieza en los riñones y acaba por todas las sábanas. Dale un respiro, muchacho. Te agotarás, y un artista fatigado es un artista chapucero.

—Yo no estoy fatigado. Estoy sano como una manzana y dispuesto a actuar.

—Por el momento puede que sí. Pero masturbarse tiene un precio, y antes de que pase mucho tiempo empezarás a notar el cansancio. No hace falta que te diga qué cosa tan valiosa es un pájaro. Pero llegas a cogerle demasiado cariño y puede convertirse en un cartucho de dinamita. Preserva el bindu, Walt. Resérvalo para cuando realmente cuente.

—¿Que reserve qué?

—El bindu. Es un término indio para el jugo vital.

—¿Quiere decir el zumo de nabo?

—Eso es, el zumo de nabo. O como quieras llamarlo. Debe de tener cien nombres, pero todos significan lo mismo.

—Me gusta bindu. Es el mejor, con mucho.

—Con tal de que no te agotes, hombrecito. Nos esperan grandes días y noches, y vas a necesitar cada gramo de energía que tengas.

Nada de esto importó. Cansado o descansado, reservando el bindu o derramándolo a cubos, despegué echando chispas. En Worcester los asombramos. En Springfield los dejamos admirados. En Bridgeport se les cayeron los calzoncillos. Incluso el percance de New Haven resultó ser un mal que vino por bien, ya que selló los labios de los dudosos de una vez por todas. Con tantos comentarios sobre mí circulando por ahí, supongo que era natural que algunas personas empezaran a sospechar que era un fraude. Creían que el mundo estaba organizado de determinada manera y no había lugar en él para una persona con mis facultades. Hacer lo que yo hacía daba al traste con todas las reglas. Contradecía la ciencia, trastornaba la lógica y el sentido común, hacía picadillo cien teorías, y antes que cambiar las reglas para acomodarlas a lo que yo hacía, los peces gordos y los catedráticos decidieron que allí había trampa. Los periódicos estaban llenos de ese tema en todas las ciudades a las que íbamos: debates y discusiones, ataques y contraataques, todos los pros y los contras que se puedan contar. El maestro no tomó parte en ello. Se mantuvo al margen de la contienda, sonriendo feliz mientras las recaudaciones de taquilla aumentaban, y cuando algún periodista le instaba a que hiciera un comentario, su respuesta era siempre la misma: «Venga al teatro y juzgue por sí mismo.»

Al cabo de dos o tres semanas de creciente controversia, las cosas llegaron finalmente a su culminación en New Haven. Yo no había olvidado que era la sede de la Universidad de Yale, y que de no ser por las villanías y desmanes cometidos en Kansas dos años antes, también habría sido el hogar de mi hermano Aesop. Me entristecía estar allí y pasé todo el día anterior a la actuación sentado en la habitación del hotel con el corazón afligido, recordando los locos tiempos que habíamos vivido juntos y pensando que se habría convertido en un gran hombre. Cuando finalmente salí camino del teatro a las seis de la tarde, estaba destrozado emocionalmente, y, por más que intenté concentrarme, realicé la actuación más plana de mi carrera.

Mi sincronización era mala, me tambaleaba en los giros y mi elevación era un desastre. Cuando llegó el momento de subir y volar por encima de las cabezas del público, la temida bomba estalló finalmente. No podía mantener la altitud. Por pura fuerza de voluntad conseguí elevarme hasta dos metros veinte centímetros, pero eso fue lo máximo que pude lograr, y empecé el número final con graves recelos, sabiendo que una persona alta con un moderado alcance podría agarrarme sin siquiera molestarse en saltar. Después de eso, las cosas fueron de mal en peor. Cuando estaba a mitad de camino sobre el foso de la orquesta decidí hacer un último y arrojado esfuerzo para ver si era capaz de subir un poco más. No esperaba ningún milagro, solo un poco de espacio, tal vez quince o veinte centímetros más. Me detuve un momento para reunir fuerzas, inmóvil en el aire, mientras cerraba los ojos y me concentraba en mi tarea, pero una vez que empecé a moverme de nuevo, mi altitud era tan lamentable como antes. No solo no estaba subiendo, sino que al cabo de pocos segundos me di cuenta de que había empezado a hundirme. Sucedía despacio, muy despacio, tres o cuatro centímetros por cada metro que avanzaba, pero el declive era irreversible, como el de un globo al que se le escapa el aire. Para cuando llegué a las últimas filas, estaba solo a un metro ochenta centímetros, una presa fácil para el más bajo de los enanos. Y entonces empezó la diversión. Un imbécil calvo con una chaqueta roja se levantó de su asiento y me dio una palmada en el talón del pie izquierdo. El golpe me hizo girar sobre mí mismo, ladeándome como una carroza de desfile escorada, y antes de que pudiera enderezarme, alguien me dio en el otro pie. Ese segundo golpe fue definitivo. Me desplomé como un gorrión muerto y aterricé de cabeza sobre el borde metálico del respaldo de una silla. El impacto fue tan repentino y tan fuerte, que me dejó inconsciente.

Me perdí el jaleo que siguió, pero según todos los relatos fue una maravilla de tumulto: novecientas personas gritando y brincando por todas partes, un estallido de histeria de masas que se extendió por la sala como un incendio por los matorrales. Aunque estaba inconsciente, mi caída había demostrado una cosa, y la había demostrado sin sombra de duda para siempre: el número era real. No había cables invisibles atados a mis miembros, ni burbujas de helio escondidas debajo de mi ropa, ni motores silenciosos sujetos a mi cintura. Uno por uno, los espectadores fueron pasando mi cuerpo dormido por todo el teatro, palpándome y pellizcándome con sus dedos curiosos como si fuera alguna clase de espécimen médico. Me quitaron la ropa, miraron dentro de mi boca, me separaron las nalgas y metieron la nariz en mi ojete, y ni uno de ellos encontró una maldita cosa que no hubiera puesto allí Dios mismo. Mientras tanto, el maestro se había lanzado desde su posición entre bastidores y luchaba por abrirse paso hasta mí. Para cuando saltó diecinueve filas de espectadores y me arrancó del último par de brazos, el veredicto era unánime: Walt el Niño Prodigio era un producto auténtico. El espectáculo era honesto y lo que veías era lo que había, amén.

La primera de las jaquecas se presentó esa noche. Considerando cómo me había estrellado contra el respaldo de la silla, no era sorprendente que tuviera algunas punzadas y efectos secundarios. Pero aquel dolor era monstruoso –un horroroso ataque con un martillo neumático, una interminable granizada que aporreaba las paredes internas de mi cráneo– y me despertó de un profundo sueño en mitad de la noche. El maestro y yo teníamos habitaciones comunicadas con un cuarto de baño en medio, y una vez que reuní el valor para levantarme de la cama, fui tambaleándome hacia el cuarto de baño, pidiéndole a Dios que encontrara unas aspirinas en el botiquín. Estaba tan mareado y distraído por el dolor, que no me di cuenta de que la luz del cuarto de baño ya estaba encendida. O, si me di cuenta, no me detuve a pensar por qué estaría encendida esa luz a las tres de la mañana. Como descubrí enseguida, yo no era la única persona que se había levantado de la cama a esa hora intempestiva. Cuando abrí la puerta y entré en el deslumbrante cuarto de baldosines blancos, casi tropiezo con el maestro Yehudi. Vestido con su pijama de seda color lavanda, estaba aferrado al lavabo con ambas manos y doblado en dos por el dolor, dando arcadas como si tuviera fuego en las tripas. El ataque duró otros veinte o treinta segundos, y fue algo tan terrible de ver, que casi me olvidé de mi propio dolor.

Cuando vio que yo estaba allí, hizo todo lo que pudo para encubrir lo que acababa de suceder. Transformó sus muecas de dolor en forzadas sonrisas histriónicas; se irguió y echó los hombros hacia atrás; se atusó el pelo con las palmas de las manos. Quise decirle que podía dejar de fingir, que ahora estaba enterado de su secreto, pero mi propio dolor era tan tremendo que no pude encontrar las palabras para hacerlo. Me preguntó por qué no estaba durmiendo, y cuando supo que tenía jaqueca, se hizo cargo de la situación, yendo y viniendo y haciendo el papel de médico: sacudió el frasco para sacar unas aspirinas, llenó un vaso de agua, examinó el chichón de mi frente. Habló tanto mientras me administraba estos cuidados, que yo no pude meter una palabra ni de canto.

—Vaya par estamos hechos, ¿eh? –dijo, mientras me llevaba a mi habitación y me arropaba en la cama–. Primero tú caes en picado y te das en el coco, y luego yo me atiborro de almejas rancias. Debería aprender a mantenerme alejado de esos bichos. Cada vez que los como me da la maldita vomitona.

No era un mal cuento, especialmente considerando que se lo había inventado sobre la marcha, pero no me engañó. Por mucho que deseara creerle, no me engañó ni por un segundo.

Hacia la mitad de la tarde siguiente lo peor de la jaqueca había pasado. Persistía un latido sordo cerca de la sien izquierda, pero no era suficiente para impedirme levantarme. Puesto que el chichón estaba en el lado derecho de mi frente, habría sido más lógico que el punto sensible estuviera allí, pero yo no era ningún experto en estos asuntos y no pensé mucho en la discrepancia. Lo único que me interesaba era que me sentía mejor, que el dolor había disminuido y que estaría listo para la siguiente función.

Mis preocupaciones se centraban en la enfermedad del maestro, o lo que fuera que había causado aquel horrendo ataque que yo había presenciado en el cuarto de baño. La verdad no podía permanecer oculta por más tiempo. Su impostura había sido descubierta, pero parecía tan mejorado a la mañana siguiente que yo no me atreví a mencionarlo. Me faltó el valor, simplemente, y no fui capaz de abrir la boca. No estoy orgulloso de mi comportamiento, pero la idea de que el maestro fuera víctima de alguna terrible enfermedad me asustaba demasiado para considerarla siquiera. Antes que precipitarme a morbosas conclusiones, le dejé que me intimidara hasta aceptar su versión del incidente. ¡Vaya con las almejas! Él se había cerrado como una almeja, y ahora que yo había visto lo que no debiera haber visto, él se encargaría de que no lo viera nunca más. Podía contar con él para esa clase de actuación. Haría de tripas corazón, presentaría una fachada fuerte, y poco a poco yo empezaría a creer que no había visto nada después de todo. No porque creyera semejante mentira, sino porque estaba demasiado asustado para no creerla.

De New Haven fuimos a Providence; de Providence a Boston; de Boston a Albany; de Albany a Syracuse; de Syracuse a Buffalo. Recuerdo todas aquellas paradas, todos aquellos teatros y hoteles, todas las actuaciones que hice, todo de todo. Era a finales de verano y principios de otoño. Poco a poco los árboles perdían su verdor. El mundo se volvía rojo, amarillo, naranja y pardo, y por todas partes donde íbamos las carreteras estaban bordeadas por el extraño espectáculo del color mutante. El maestro y yo estábamos lanzados y parecía que nada podría ya detenernos. Actuaba en teatros abarrotados todas las noches. No solo se vendían todas las localidades, sino que cientos de personas más eran rechazadas en la taquilla todas las noches. Los revendedores hacían un negocio redondo, y cada vez que deteníamos el coche delante de un nuevo hotel, había una multitud de gente esperando en la entrada, admiradores desesperados que aguardaban de pie durante horas bajo la lluvia y la helada solo para verme un instante.

Creo que mis compañeros sentían un poco de envidia, pero la verdad era que nunca les había ido tan bien. Cuando las masas acudían en tropel para ver mi actuación, también veían las otras, y eso significaba dinero para todos los bolsillos. En el curso de aquellas semanas y meses encabecé carteles que incluían toda clase de números. Cómicos, malabaristas, falsetistas, tipos que imitaban voces de aves, pequeñas orquestas de jazz, monos bailarines, todos ellos daban sus tumbos y hacían sus números antes de que yo saliera. A mí me gustaba ver aquellas bobadas y me esforzaba por hacerme amigo entre cajas de cualquiera que pareciera simpático, pero al maestro no le hacía demasiada gracia que me tratara con mis compañeros. Él se mostraba distante con la mayoría de ellos e insistía en que yo siguiera su ejemplo.

–Tú eres la estrella –murmuraba–. Actúa como tal. No tienes que darles ni la hora a esos tontos.

Esto era una pequeña manzana de la discordia entre nosotros, pero yo pensaba que estaría en el circuito de las variedades durante años y no veía ningún motivo para buscarme enemigos sin necesidad. Sin saberlo yo, no obstante, el maestro había estado incubando sus propios planes para nuestro futuro, y a finales de septiembre ya estaba hablando de una gira de primavera en la que actuaría yo solo. Así era el maestro Yehudi: cuanto mejor nos iban las cosas, más altas ponía sus miras. La gira actual no terminaría hasta Navidad, pero él no podía resistir la tentación de mirar más allá, hacia algo aún más espectacular. La primera vez que me lo mencionó, se me cortó el resuello ante la pura osadía de la proposición. La idea era ir desde San Francisco a Nueva York, trabajando en las diez o doce ciudades más grandes en funciones especiales. Alquilaríamos pistas cerradas y estadios de fútbol como el Madison Square Garden y el Soldier's Field, y ningún aforo sería inferior a las quince mil personas. «Una marcha triunfal a través de América» era como él lo describía, y para cuando terminó su plática de propaganda, mi corazón latía cuatro veces más deprisa de lo normal. ¡Joder, cómo hablaba aquel hombre! Su boca era una de las más grandes máquinas publicitarias de todos los tiempos, y una vez que se ponía a funcionar a toda potencia, los sueños salían de ella como el humo por una chimenea.

—¡Mierda, jefe! –dije–. Si puede usted organizar una gira como esa, nos embolsaremos millones.

—¡Vaya si la organizaré! –dijo–. Tú mantén la calidad del trabajo, y eso está en el bote. Es lo único que hace falta, Walt. Tú sigue haciendo lo que has estado haciendo, y la Marcha de Rawley es cosa segura.

Mientras tanto estábamos preparándonos para mi primera función teatral en Nueva York. No llegaríamos allí hasta el fin de semana de Acción de Gracias, para lo cual aún faltaba mucho tiempo, pero ambos sabíamos que iba a ser el momento culminante de la temporada, el pináculo de mi carrera hasta ahora. Solo de pensarlo, me daban mareos. Aun sumando diez Bostons y diez Filadelfias, no igualarían a un Nueva York. Si juntamos ochenta y seis funciones en Buffalo con noventa y tres en Trenton, la suma no valdría lo que un minuto de tiempo escénico en la Gran Manzana. Nueva York era el no va más, el centro del mapa del mundo del espectáculo, y por mucho entusiasmo que despertara en otras ciudades, nunca sería nada hasta que presentara mi número en Broadway y les dejara ver lo que era capaz de hacer. Esa era la razón de que el maestro hubiera puesto Nueva York hacia el final de la gira. Quería que yo fuera un zorro viejo cuando llegara allí, un soldado veterano y probado en la batalla que conocía el sabor de las balas y podía encajar cualquier golpe. Me convertí en ese veterano con tiempo de sobra. El doce de octubre había hecho cuarenta y cuatro funciones en teatros de variedades y me sentía dispuesto, tan en forma como podía llegar a estarlo; sin embargo, aún faltaba más de un mes. Nunca había soportado tanta ansiedad. Nueva York me consumía día y noche, y al cabo de algún tiempo pensé que no podía aguantar más.

Actuamos en Richmond el trece y el catorce, en Baltimore el quince y el dieciséis, y luego nos dirigimos a Scranton, Pennsylvania. Allí hice una buena actuación, ciertamente satisfactoria y no peor que ninguna de las otras, pero inmediatamente después de terminar el espectáculo, justo cuando hacía mi reverencia y bajaba el telón, me desmayé y caí al suelo. Me había encontrado perfectamente bien hasta ese momento, realizando mi número aéreo con toda la facilidad y el aplomo al que estaba acostumbrado, pero en cuanto mis pies tocaron el escenario por última vez, sentí como si pesara cinco mil kilos. Me mantuve de pie justo el tiempo suficiente para la sonrisa, la reverencia y la bajada del telón, y entonces se me doblaron las rodillas, mi espalda cedió y mi cuerpo cayó al suelo. Cuando abrí los ojos en el camerino cinco minutos más tarde, me sentía un poco mareado, pero parecía que la crisis había pasado. Así que me levanté, y fue precisamente en ese momento cuando volvió la jaqueca, desgarrándome con una explosión de dolor salvaje y cegador. Traté de dar un paso, pero el mundo se movía, ondulante como una bailarina árabe reflejada en un espejo deformante, y yo no veía por dónde iba. Cuando di un segundo paso, ya había perdido el equilibrio. Si el maestro no hubiera estado allí para cogerme, habría caído de bruces otra vez.

Ninguno de los dos estaba dispuesto a dejarse dominar por el pánico todavía. La jaqueca y el mareo podían estar provocados por varias causas —fatiga, algo de gripe, una infección en el oído–, pero, solo por precaución, el maestro llamó a Wilkes-Darre y canceló la función de la noche siguiente. Dormí profundamente en el hotel de Scranton y por la mañana estaba bien de nuevo, totalmente libre de dolor y molestias. Mi recuperación desafiaba toda lógica, pero ambos la aceptamos como una de esas cosas que pasan, un incidente que no merecía que le diéramos más vueltas. Salimos para Pittsburgh de buen humor, contentos de tener un día libre, y cuando llegamos allí y nos inscribimos en el hotel, incluso nos fuimos juntos al cine para celebrar mi vuelta a la normalidad. La noche siguiente, sin embargo, cuando hice la función en el teatro Fosberg, se repitió lo de Scranton. Mi actuación había sido una joya, y justo cuando caía el telón y terminaba el espectáculo, me desplomé. La jaqueca comenzó de nuevo inmediatamente después de que abriera los ojos, y esta vez no se pasó en una noche. Cuando me desperté a la mañana siguiente las dagas seguían clavadas en mi cráneo y no desaparecieron hasta las cuatro de la tarde, varias horas después de que el maestro Yehudi se hubiera visto obligado a cancelar la función de aquella noche.

Todo apuntaba al golpe en la cabeza que había recibido en New Haven. Esa era la causa más probable del problema, y, sin embargo, si había estado paseándome por ahí con una concusión durante las últimas semanas, debía ser la concusión más leve de la historia de la medicina. ¿Cómo explicar, si no, el extraño e inquietante hecho de que mientras mantuviera los pies en la tierra conservaba la buena salud? Las jaquecas y los mareos solo se presentaban después de haber actuado, y si la conexión entre levitar y mi nuevo estado era tan clara como parecía, entonces el maestro se preguntó si mi cerebro habría sido dañado de tal modo que producía una presión excesiva en mis arterias craneales cada vez que me elevaba en el aire, lo cual a su vez causaría los atroces dolores de cabeza cuando bajaba. Quería meterme en el hospital para que me hicieran unas radiografías de cráneo.

—¿Por qué arriesgarnos? –dijo–. Estamos en la parte más insulsa de la gira, y una semana o diez días de descanso podrían ser exactamente lo que necesitas. Te harán unas pruebas, hurgarán en tu caja de cambios neurológica y tal vez descubran qué diablos te pasa.

—¡Ni hablar! –dije–. Yo no voy a ingresar en un hospital.

—La única cura para una concusión es el descanso. Si es eso lo que es, entonces no tienes elección.

—Olvídelo. Preferiría hacer trabajos forzados que aparcar mi trasero en uno de esos sitios.

—Piensa en las enfermeras, Walt. Todas esas chicas encantadoras de uniforme blanco. Tendrás a una docena de bombones cuidándote noche y día. Si eres listo, puede que incluso entres en combate.

—No conseguirá tentarme. Nadie va a convertirme en un crío. Hemos firmado para hacer algunas funciones y me propongo hacerlas, aunque eso me mate.

—Reading y Altoona no son lugares importantes, hijo. Podemos saltarnos Elmira y Binghamton y no importará un comino. Estoy pensando en Nueva York y sé que tú también. Para eso es para lo que tienes que estar en forma.

—La cabeza no me duele cuando hago el número. Es al final, jefe. Mientras pueda continuar tengo que continuar. ¿Qué importa si luego me duele un poco? Puedo vivir con el dolor. La vida es dolor de todas formas y la única cosa buena que tiene es cuando estoy en el escenario haciendo mi número.

—El problema es que el número te está aniquilando. Si sigues teniendo esos dolores de cabeza, no serás Walt el Niño Prodigio por mucho tiempo. Tendré que cambiarte el nombre y llamarte Mr. Vértigo.

—¿Mr. qué?

226

—Mr. Mareos. Mr. Miedo a las Alturas.

—Yo no tengo miedo de nada. Ya lo sabe usted.

—Tienes agallas, muchacho, y te quiero por eso. Pero llega un momento en la carrera de todo levitador en que el aire está cargado de peligros y me temo que ya hemos llegado a ese momento.

Seguimos discutiendo esas cosas durante una hora y al final le cansé lo suficiente como para que me diera una última oportunidad. Ese fue el trato. Actuaría en Reading la noche siguiente y, con dolor de cabeza o sin él, si estaba lo bastante bien para continuar hasta Altoona, dos noches después haría la función allí como estaba previsto. Era una locura intentarlo, pero aquel segundo ataque me había asustado muchísimo y temía que significara que estaba perdiendo facultades. ¿Y si las jaquecas eran solo el primer paso? Pensé que mi única esperanza era luchar hasta el final, seguir actuando hasta que mejorara o no pudiera soportarlo más, y luego veríamos qué pasaba. Estaba tan alterado, que realmente no me importaba que mi cerebro estallara en mil pedazos. Mejor estar muerto que perder mis poderes, me dije. Si no podía ser Walt el Niño Prodigio, no quería ser nadie.

Lo de Reading salió mal, mucho peor de lo que yo había temido. No solo no gané la apuesta, sino que los resultados fueron aún más catastróficos que antes. Hice el espectáculo y me derrumbé, como había sabido que me ocurriría, pero esta vez no me desperté en el camerino. Dos tramoyistas tuvieron que llevarme al hotel al otro lado de la calle, y cuando abrí los ojos quince o veinte minutos más tarde, ni siquiera tuve que ponerme de pie para notar el dolor. En el mismo instante en que la luz dio en mis pupilas, comenzó el tormento. Cien tranvías se salieron de los raíles y convergieron en un punto detrás de mi sien izquierda; allí se estrellaban aviones; allí chocaban camiones; y luego dos duendecillos verdes cogieron martillos y comenzaron a clavar estacas en mis ojos. Me retorcía en la cama, pidiendo a gritos que alguien me librara de mi agonía, y para cuando el maestro llamó al matasanos del hotel para que subiera y me pusiera una inyección, yo estaba para que me ataran, era un tobogán de llamas precipitándose por el valle de las sombras de la muerte. Me desperté en un hospital de Filadelfia diez horas más tarde y durante los siguientes doce días no me moví. El dolor de cabeza continuó durante cuarenta y ocho horas más y me mantuvieron bajo los efectos de sedantes tan fuertes que no puedo recordar nada hasta el tercer día, cuando finalmente me desperté de nuevo y descubrí que el dolor había desaparecido. Después de eso me sometieron a toda clase de análisis y reconocimientos. Su curiosidad era inagotable, y una vez que comenzaron no me dejaron en paz. A todas horas entraban médicos diferentes en mi habitación y me ponían a prueba. Me golpearon las rodillas con martillitos, me pasaron diversos instrumentos por la piel, me encendieron linternas delante de los ojos; les di pis, caca y sangre; escucharon mi corazón y me miraron los oídos; me hicieron radiografías de pies a cabeza. Ya no había nada por lo que vivir excepto la ciencia, y aquellos tipos de las batas blancas hicieron un trabajo concienzudo. Al cabo de un día o dos me habían convertido en un germen desnudo y tembloroso, un microbio atrapado en una maraña de agujas, estetoscopios y depresores de la lengua. Si las enfermeras hubiesen sido guapas, tal vez hubiera tenido algún alivio, pero las que me atendían eran todas viejas y feas, con traseros gordos y pelos en la barbilla. Nunca me había tropezado con semejante cuadrilla de participantes en una exposición de perros, y cada vez que una de ellas entraba para tomarme la temperatura o leer mi gráfica, yo cerraba los ojos y fingía dormir.

El maestro Yehudi permaneció a mi lado durante esta dura experiencia. La prensa se había enterado de mi paradero, y durante la primera semana o cosa así los periódicos estuvieron llenos de partes sobre mi estado. El maestro me leía estos artículos en voz alta todos los días. Yo encontraba cierto consuelo en el escándalo publicitario mientras escuchaba, pero en el momento en que dejaba de leer, el aburrimiento y la tristeza se cerraban de nuevo sobre mí. Luego la Bolsa de Nueva York quebró y me expulsaron de las primeras páginas. Yo no presté mucha atención, pero supuse que la crisis era solo temporal y que una vez que terminara aquel asunto del Martes Negro volvería a los titulares, que era donde debía estar. Todas aquellas historias sobre gente que se tiraba por la ventana o se pegaba un tiro en la cabeza me parecían tonterías de la prensa nacionalista y las deseché como si fueran cuentos de hadas. Lo único que me importaba era volver a la carretera con mi espectáculo. La jaqueca había desaparecido y me sentía estupendamente, cien por cien normal. Cuando abría los ojos por la mañana y veía al maestro Yehudi sentado junto a mi cama, empezaba el día haciéndole la misma pregunta que le había hecho el día anterior: ¿Cuándo voy a salir de aquí? Y todos los días él me daba la misma respuesta: En cuanto tengamos los resultados de las pruebas.

Cuando al fin llegaron, me puse contentísimo. Después de todo aquel galimatías de pinchazos y fisgoneos, todos aquellos tubos, copas de succión y guantes de goma, los médicos no pudieron encontrar nada que anduviera mal en mí. Ni contusión, ni tumor cerebral, ni enfermedad de la sangre, ni desequilibrio en mi oído interno, ni paperas, ni porrazos. Me dieron un certificado de buena salud y declararon que yo era el ejemplar humano de catorce años más sano que habían visto nunca. En cuanto a las jaquecas y los mareos, no pudieron determinar su causa precisa. Podía haber sido un virus que ya había abandonado mi organismo. Podía haber sido algo que hubiera comido. Fuera lo que fuera, ya no estaba presente, y si por casualidad lo estaba, era demasiado pequeño para ser detectado, incluso con el microscopio más potente del planeta.

–Fenomenal –dije, cuando el maestro me dio la noticia–. Fantástico.

Estábamos solos en mi habitación de la cuarta planta, sentados uno al lado del otro en el borde la cama. Era a primera hora de la mañana y la luz entraba a raudales a través de las rendijas de las persianas. Durante tres o cuatro segundos me sentí más feliz de lo que me había sentido en toda mi vida. Me sentí tan feliz, que me entraron ganas de gritar.

–No tan deprisa, hijo –dijo el maestro–. Aún no hemos terminado.

–¿Deprisa? Deprisa es el nombre del juego, jefe. Cuanto más deprisa, mejor. Ya hemos perdido ocho funciones, y cuanto antes hagamos las maletas y salgamos de aquí, antes llegaremos a donde vamos. ¿Cuál es la siguiente ciudad en la que estamos contratados? Si no está demasiado lejos, tal vez podamos estar allí antes de que se levante el telón.

El maestro me cogió una mano y la apretó.

–Cálmate, Walt. Respira hondo, cierra los ojos y escucha lo que tengo que decirte.

No parecía una broma, así que hice lo que me pedía y traté de quedarme quieto.

–Bien. –Dijo esa única palabra y se detuvo. Hubo una larga pausa antes de que volviera a hablar, y en ese intervalo de oscuridad y silencio supe que estaba a punto de suceder algo espantoso–. No habrá más funciones –dijo al fin–. Estamos acabados, muchacho. Walt el Niño Prodigio ya no existe.

–No bromee, maestro –dije, abriendo los ojos y mirando su cara grave y decidida.

Seguí esperando que me hiciera un guiño y se echara a reír, pero él permaneció allí sentado mirándome fijamente con sus ojos oscuros. En todo caso, su expresión se volvió aún más triste.

–Nunca bromearía en un momento como este –dijo–. Hemos llegado al final del trayecto y no podemos hacer absolutamente nada al respecto.

–Pero los médicos me han dado luz verde. Estoy tan sano como un caballo.

–Ese es el problema. No te pasa nada..., lo cual quiere decir que no podemos curar nada. Ni con descanso, ni con medicinas, ni con ejercicio. Estás perfectamente bien, y porque estás bien, tu carrera ha terminado.

–Eso es una locura, maestro. No tiene ni pizca de sentido.

–Tengo noticia de algunos casos como el tuyo. Son muy raros. La literatura habla únicamente de dos, y están separados en el tiempo por cientos de años. A un levitador checo de principios del siglo XIX le pasó lo que te pasa a ti, y antes hubo un tal Antoine Dubois, un francés que estuvo activo durante el reinado de Luis XIV. Que yo sepa, esos son los dos únicos casos registrados. Tú eres el tercero, Walt. En todos los anales de la levitación eres solo el tercero que se enfrenta con este problema.

–Sigo sin saber de qué está usted hablando.

–De la pubertad, Walt, de eso se trata. De la adolescencia. Los cambios corporales que convierten a un niño en un hombre.

–¿Se refiere a mi pájaro y esas cosas? ¿A mis pelos rizados y los gallos de mi voz?

–Exactamente. Todas las transformaciones naturales.

–Puede que haya estado haciéndome demasiadas pajas. ¿Y si dejo esas tonterías? Ya sabe, preservar el bindu un poco más. ¿Cree usted que eso ayudaría?

–Lo dudo. Solo existe una cura para tu estado, pero no se me ocurriría imponértela. Ya te he sometido a suficientes pruebas.

–No me importa. Si hay una forma de arreglarlo, entonces eso es lo que tenemos que hacer.

–Estoy hablando de la castración, Walt. Si te amputas las pelotas, tal vez haya una posibilidad.

–¿Ha dicho usted *tal vez?*

–No hay ninguna garantía. El francés lo hizo y continuó levitando hasta los sesenta y cuatro años. El checo lo hizo y no le sirvió de nada. La mutilación fue inútil, y dos meses después saltó del puente Charles y se mató.

–No sé qué decir.

–Por supuesto que no. Yo, en tu lugar, tampoco sabría qué decir. Por eso te estoy sugiriendo que abandonemos. No espero que hagas semejante cosa. Ningún hombre podría pedirle eso a otro. No sería humano.

–Bueno, dado que el veredicto es bastante confuso, no sería muy inteligente arriesgarse, ¿verdad? Quiero decir que si renuncio a ser Walt el Niño Prodigio, por lo menos tendré mis pelotas para hacerme compañía. No me gustaría encontrarme en una posición en la que acabara perdiendo las dos cosas.

–Exactamente. Razón por la que el tema queda cerrado. No tiene sentido hablar más de ello. Hemos tenido una buena racha y ahora se ha terminado. Por lo menos puedes dejarlo mientras aún estás en la cumbre.

–¿Y si las jaquecas desaparecieran?

–No desaparecerán. Créeme.

–¿Cómo puede usted saberlo? Puede que esos otros tipos siguieran teniéndolas, pero ¿y si yo soy diferente?

–No lo eres. Es una predisposición permanente y no tiene cura. Excepto si corremos el riesgo que ya hemos rechazado, las jaquecas te acompañarán durante el resto de tu vida. Por cada minuto que pases en el aire, estarás tres horas atormentado por el dolor en la tierra. Y cuanto mayor seas, peores serán los dolores. Es la venganza de la gravedad, hijo. Pensábamos que la habíamos derrotado, pero resulta ser más fuerte que nosotros. Así es la vida. Ganamos durante algún tiempo y ahora hemos perdido. Que así sea. Si eso es lo que Dios quiere, entonces tenemos que inclinarnos ante su voluntad.

¡Era todo tan triste, tan deprimente, tan inútil! Yo había luchado durante tanto tiempo para lograr el éxito y ahora, justo cuando estaba a punto de convertirme en uno de los inmortales de la historia, tenía que volverle la espalda y alejarme. El maestro Yehudi tragó este veneno sin mover un músculo. Aceptó nuestro destino como un estoico y se negó a lamentarse. Era una actitud noble, supongo, pero no estaba en mi repertorio encajar las malas noticias con los brazos cruzados. Una vez que nos quedamos sin nada que decir, me levanté y empecé a dar patadas a los muebles y puñetazos a las paredes, atacando la habitación como un boxeador loco peleando con su sombra. Volqué una silla, tiré la mesilla de noche al suelo con estrépito y maldije mi mala suerte empleando las cuerdas vocales al máximo de su capacidad. Como buen sabio que era, el maestro Yehudi no hizo nada para detenerme. Incluso cuando un par de enfermeras entraron corriendo en la habitación para ver qué pasaba, él las echó tranquilamente, explicando que cubriría los daños por completo. Conocía mi carácter y sabía que mi furia necesitaba una oportunidad de expresarse. Nada de contener la rabia para mí; nada de ofrecer la otra mejilla para Walt. Si el mundo me golpeaba, yo le devolvía el golpe.

Era justo. El maestro Yehudi fue inteligente al permitir que me comportara de esa manera, y no voy a culparle si actué como un imbécil y fui demasiado lejos. Justo en medio de mi explosión, di con lo que debía ser la idea más estúpida de todos los tiempos, la metedura de pata que acabaría con todas las meteduras de pata. Bueno, en aquel momento me pareció muy inteligente, pero eso era solo porque todavía no podía enfrentarme a lo que había sucedido; y cuando niegas los hechos, lo único que haces es buscarte problemas. Pero yo deseaba desesperadamente probar que el maestro estaba equivocado, demostrarle que sus teorías respecto a mi estado no eran más que gaseosas sin gas. Así que allí mismo, en aquella habitación del hospital de Filadelfia, el día tres de noviembre de 1929, hice un repentino y desesperado intento de resucitar mi carrera. Dejé de darle puñetazos a la pared, me volví para encararme al maestro y luego abrí los brazos y me elevé del suelo.

–¡Mire! –le grité–. ¡Míreme bien y dígame qué ve!

El maestro me estudió con expresión sombría y afligida.

–Veo el pasado –dijo–. Veo a Walt el Niño Prodigio por última vez. Veo a alguien que está a punto de lamentar lo que acaba de hacer.

–¡Soy tan bueno como siempre! –le grité–. ¡Y eso significa que soy el mejor del mundo!

El maestro miró su reloj.

–Diez segundos –dijo–. Por cada segundo que permanezcas ahí arriba tendrás tres minutos de dolor. Te lo garantizo.

Pensé que ya había demostrado lo que quería, así que antes que arriesgarme a otro largo período de agonía, decidí bajar. Y entonces sucedió, exactamente como el maestro había prometido que sucedería. En el mismo instante en que las puntas de mis pies tocaron el suelo, mi cabeza se abrió de nuevo, estalló con una violencia que absorbió la luz del día y me hizo ver las estrellas. Un chorro de vómito salió disparado de mi garganta y dio en la pared a dos metros de distancia. Navajas de resorte saltaron dentro de mi cráneo y penetraron profundamente hasta el centro de mi cerebro. Temblé, aullé y caí al suelo, y esta vez no tuve el lujo de desmayarme. Me sacudí como un lenguado con un anzuelo en el ojo, y cuando supliqué ayuda, implorando al maestro que llamara a un médico para que me pusiera una inyección, él se limitó a menear la cabeza y alejarse de mí.

–Lo superarás –dijo–. Dentro de menos de una hora, estarás como nuevo.

Luego, sin ofrecerme una sola palabra de consuelo, ordenó silenciosamente la habitación y empezó a hacer mi maleta.

Ese era el único tratamiento que merecía. Sus palabras habían caído en oídos sordos, y no le quedaba otra alternativa que retirarse y dejar que mis actos hablaran por sí mismos. Así que el dolor me habló, y esta vez le escuché. Escuché durante cuarenta y siete minutos, y cuando terminó la clase, yo había aprendido todo lo que necesitaba saber. ¡Menudo curso intensivo sobre los métodos del mundo! ¡Menudo repaso sobre el sufrimiento! El dolor me enseñó, y de qué manera, y cuando salí del hospital aquella misma mañana, tenía la cabeza más o menos en su sitio nuevamente. Conocía las verdades de la vida. Las conocía con cada grieta de mi alma y cada poro de mi piel, y no iba a olvidarlas nunca. Los días de gloria habían pasado. Walt el Niño Prodigio había muerto y no existía ni la más remota posibilidad de que volviera a asomar la cara.

Volvimos al hotel del maestro caminando en silencio, pasando por las calles de la ciudad como un par de fantasmas. Tardamos diez o quince minutos en llegar, y cuando estuvimos ante la entrada no se me ocurrió nada mejor que alargar la mano y tratar de despedirme.

–Bueno –dije–. Supongo que aquí es donde nos separamos.

–¿Ah, sí? –dijo el maestro–. ¿Y por qué?

–Usted tendrá que buscar otro chico, y no tiene mucho sentido que yo me quede aquí si no voy a hacer más que estorbar.

–¿Y por qué iba yo a buscar otro chico?

Parecía verdaderamente asombrado por la sugerencia.

–Porque yo soy un fracasado, por eso. Porque el espectáculo ha terminado y ya no le sirvo para nada.

–¿Crees que te abandonaría así?

–¿Por qué no? Es justo, y si yo no puedo cumplir mi parte, es natural que usted empiece a hacer otros planes.

–He hecho planes. He hecho cien planes, mil planes. Tengo planes guardados en las mangas y en los calcetines. Todo mi cuerpo hierve de planes, y antes de que el picor me ponga frenético, quiero sacarlos y ponerlos sobre la mesa para que los veas.

–¿Yo?

–¿Quién si no, mequetrefe? Pero no podemos tener una conversación seria de pie en la puerta, ¿verdad? Sube a la habitación, pediremos el almuerzo y entraremos en materia.

–Sigo sin entender.

—¿Qué es lo que hay que entender? Puede que hayamos tenido que dejar la levitación, pero eso no significa que hayamos cerrado el negocio.

—¿Quiere usted decir que seguimos siendo socios?

—Cinco años es mucho tiempo, hijo. Después de todo lo que hemos pasado juntos, digamos que te he cogido cariño. No soy cada día más joven, ¿sabes? No tendría sentido que me pusiera a buscar a alguien. Ya no, no a mi edad. Tardé media vida en encontrarte, y no voy a despedirte con un beso porque hayamos tenido unos cuantos reveses. Como te dije, tengo algunos planes que comentar contigo. Si te gustan esos planes y quieres participar en ellos, está hecho. Si no, dividimos el dinero y nos separamos.

—¡El dinero! ¡Se me había olvidado por completo!

—Tenías otras cosas en que pensar.

—He estado tan deprimido, que mi chaveta se fue de vacaciones. ¿Cuánto tenemos? ¿A cuánto sube, en números redondos, jefe?

—Veintisiete mil dólares. Están en la caja fuerte del hotel, y son todos nuestros, limpios de polvo y paja.

—¡Y yo que pensaba que estaba otra vez en la ruina más total! Las cosas se ven a una luz diferente así, ¿no? Quiero decir que veintisiete de los grandes es un bonito botín.

—No está mal. Podía habernos ido peor.

—Así que el barco no se ha hundido, después de todo.

—Ni mucho menos. Nos defendimos bien. Y con los malos tiempos que vienen, estaremos bastante cómodos, secos y calentitos en nuestro pequeño barco, navegaremos por los mares de la adversidad mucho mejor que la mayoría.

—Así sea, señor.

—Eso es, compañero. Todos a bordo. En cuanto se levante el viento, levaremos el ancla, soltaremos amarras y zarparemos.

Yo habría viajado a los confines de la tierra con él. En barco, en bicicleta, arrastrándome sobre el vientre; el medio de transporte que usáramos no me importaba. Lo único que quería era estar donde él estuviera e ir a donde él fuera. Hasta que tuvimos aquella conversación delante del hotel, yo pensaba que lo había perdido todo. No solo mi carrera, no solo mi vida, sino también a mi maestro. Supuse que había terminado conmigo, que me daría la patada sin pensárselo dos veces, pero ahora sabía que no era así. Yo no era para él únicamente un cheque. No era solo una máquina voladora con el motor herrumbroso y las alas dañadas. Para bien o para mal, estábamos unidos hasta el fin, y eso contaba más para mí que todas las localidades de todos los teatros y estadios de fútbol juntos. No digo que las cosas no estuvieran negras, pero no estaban ni la mitad de negras de lo que podían haberlo estado. El maestro Yehudi seguía conmigo, y no solo estaba conmigo, sino que llevaba el bolsillo lleno de cerillas con las que iluminar el camino.

Así que subimos y almorzamos. No sé si mil, pero ciertamente tenía tres o cuatro planes, y había pensado cada uno de ellos muy cuidadosamente. El tipo no cejaba. Cinco años de duro trabajo habían volado por la ventana, décadas de proyectos y preparativos se habían convertido en polvo de la noche a la mañana, y allí estaba él rebosante de ideas nuevas, planeando nuestro siguiente paso como si aún tuviéramos todo por delante. Ya no hay hombres así. El maestro Yehudi fue el último de una raza, y nunca he tropezado con alguien igual a él: un hombre que se sentía perfectamente a gusto en la selva. Puede que no fuese el rey, pero entendía sus leyes mejor que nadie. Le aporreabas en la barriga, le escupías en la cara, le partías el corazón y él se levantaba inmediatamente, listo para enfrentarse a todo el que viniera.

Nunca te rindas. No solo vivía de acuerdo con ese lema: era el hombre que lo había inventado.

El primer plan era el más simple. Nos trasladaríamos a Nueva York y viviríamos como gente corriente. Yo iría a la escuela y recibiría una buena educación, él montaría un negocio y ganaría dinero y ambos viviríamos felices para siempre. Yo no dije una palabra cuando terminó de hablar, así que pasó al siguiente. Nos iríamos de gira, dijo, dando conferencias en universidades, iglesias y clubes de señoras sobre el arte de la levitación. Habría una gran demanda, por lo menos durante los siguientes seis meses o cosa así, y ¿por qué no continuar explotando a Walt el Niño Prodigio hasta agotar los últimos restos de mi fama? Tampoco me gustó ese, así que él se encogió de hombros y pasó al siguiente. Haríamos el equipaje, dijo, nos meteríamos en el coche y nos iríamos a Hollywood. Yo empezaría una nueva carrera como actor de cine y él sería mi agente y apoderado. Con toda la publicidad que había recibido por mi espectáculo, no sería difícil conseguirme una prueba. Yo ya era un gran nombre, y dadas mis dotes para la comedia bufa, probablemente caería de pie en poco tiempo.

—¡Ah! —dije—. ¡Así se habla!

—Supuse que elegirías este —dijo el maestro, recostándose en su butaca y encendiendo un grueso cigarro habano—. Por eso lo reservé para el final.

Y así, sin más, entramos de nuevo en la carrera.

Dejamos el hotel por la mañana temprano, y a las ocho ya estábamos en la carretera, dirigiéndonos hacia el Oeste, hacia una nueva vida en las soleadas colinas de la Ciudad del Oropel. En aquellos tiempos era un viaje largo y agotador. No había superautopistas ni boleras de seis carriles que se extendieran de costa a costa, y tenías que ir serpenteando, cruzando pueblecitos y aldeas, siguiendo cualquier carretera que te llevara en la dirección adecuada. Si te quedabas atascado detrás de un granjero que transportaba una carga de heno en un tractor Modelo T, mala suerte. Si estaban haciendo obras en una carretera, tenías que dar media vuelta y encontrar otra, y con frecuencia eso significaba apartarte de tu camino durante muchas horas. Esas eran las reglas del juego en aquel entonces, pero no puedo decir que me molestara el ir despacio. Yo no era más que un pasajero, y si me apetecía dormirme una hora o dos en el asiento trasero, nada me lo impedía. Unas cuantas veces, cuando encontrábamos un tramo de carretera particularmente desierto, el maestro me dejó coger el volante, pero eso no sucedió a menudo, y él acabó haciendo el noventa y ocho por ciento de la conducción. Era una experiencia hipnótica para él, y al cabo de cinco o seis días cayó en un estado de ánimo melancólico y rumiante, cada vez más perdido en sus propios pensamientos a medida que avanzábamos hacia el centro del país. Habíamos vuelto a la tierra de los grandes cielos y las extensiones llanas y monótonas, y el aire envolvente parecía privarle de parte de su entusiasmo. Tal vez estaba pensando en la señora Witherspoon, o tal vez alguna otra persona de su pasado había vuelto para obsesionarle, pero es más probable que estuviera meditando sobre la vida y la muerte, las grandes y pavorosas preguntas que se insinúan en tu cabeza cuando no hay nada que te distraiga. ¿Por qué estoy aquí? ¿Adónde voy? ¿Qué me ocurrirá después de que dé mi último suspiro? Estos son temas graves, lo sé, pero después de reflexionar sobre los actos del maestro en aquel viaje durante más de medio siglo, creo que sé de lo que estoy hablando. Una conversación destaca en mi memoria y, si no me equivoco al interpretar lo que dijo, demuestra la clase de cosas que empezaban a agobiar su espíritu. Estábamos en algún lugar de Texas, un poco más allá de Forth Worth, creo, y yo estaba parloteando de ese modo animado y jactancioso típico de mí, hablando sin otro motivo que oírme hablar.

–California –dije–. Allí nunca nieva y puedes nadar en el mar durante todo el año. Por lo que dice la gente, es lo mejor después del paraíso. Hace que Florida parezca un pantano sofocante por comparación.

–Ningún lugar es perfecto –dijo el maestro–. No olvides los terremotos, los aludes de barro y las sequías. Allí pueden pasar años sin que llueva, y cuando ocurre eso, todo el estado se convierte en yesca. Tu casa puede arder en menos tiempo del que se tarda en romper un huevo.

–No se preocupe por eso. Dentro de seis meses estaremos viviendo en un castillo de piedra. Ese material no puede arder, pero, por si acaso, tendremos nuestros propios bomberos en la finca. Se lo aseguro, jefe, el cine y yo estamos hechos el uno para el otro. Voy a ganar tanta pasta que tendremos que abrir un nuevo banco. El Banco de Crédito y Ahorro Rawley, con sede nacional en Sunset Boulevard. Espere y verá. Dentro de nada seré una estrella.

–Si todo va bien, podrás ganarte el pan. Eso es lo que importa. Yo no estaré aquí eternamente y quiero asegurarme de que puedas valerte por ti mismo. Da igual lo que hagas. Actor, cámara, mensajero; un oficio es tan bueno como cualquier otro. Solo necesito saber que tendrás un futuro después de que yo me haya ido.

–Esas son palabras de viejo, maestro. Usted no tiene ni cincuenta años.

–Cuarenta y seis. De donde yo vengo, esos son muchos años.

–Tonterías. En cuanto se ponga bajo ese sol de California, le añadirá diez años a su vida el primer día.

–Puede que sí. Pero aunque así sea, sigo teniendo más años detrás de mí que delante de mí. Son simples matemáticas, Walt, y no nos hará ningún daño prepararnos para lo que ha de venir.

Después de eso cambiamos de tema o quizá simplemente dejamos de hablar, pero aquellos sombríos comentarios suyos cobraron cada vez más importancia para mí a medida que los días pasaban tediosamente. Para un hombre que se esforzaba tanto en ocultar sus sentimientos, las palabras del maestro equivalían a una confesión. Nunca le había oído abrirse de esa manera, y aunque lo expresó con un lenguaje de sis y cuandos, yo no era tan estúpido como para no entender el mensaje escondido entre líneas. Mis pensamientos volvieron a la escena del hotel de New Haven. Si yo no me hubiera sentido tan agobiado por mis propios problemas desde entonces, habría estado más vigilante. Ahora que no tenía nada mejor que hacer que mirar por la ventanilla y contar los días que faltaban para llegar a California, resolví observar cada uno de sus movimientos. No iba a ser un cobarde esta vez. Si le pillaba haciendo una mueca o agarrándose el estómago otra vez, hablaría y le apagaría el farol... y le llevaría a toda prisa al primer médico que pudiera encontrar.

Él debió de notar mi preocupación, porque poco después de aquella conversación abandonó la charla lúgubre y empezó a silbar una canción diferente. Para cuando dejamos Texas y entramos en Nuevo México, pareció animarse considerablemente, y aunque yo estaba alerta a cualquier señal de malestar, no pude detectar ninguna, ni siquiera el más leve indicio. Poco a poco, consiguió correr un tupido velo ante mis ojos, y de no haber sido por lo que sucedió mil o mil doscientos kilómetros más allá, habrían pasado meses antes de que yo sospechara la verdad, tal vez incluso años. Tal era el poder del maestro. Nadie podía igualarle en una batalla de ingenio, y cada vez que yo lo intentaba, terminaba sintiéndome un cretino. Era mucho más rápido que yo, mucho más diestro y más experto, y era capaz de quitarme los pantalones con engaños incluso antes de que me los hubiera puesto. Nunca hubo ninguna competición. El maestro Yehudi ganaba siempre, y siguió ganando hasta el amargo final.

Comenzó la parte más tediosa del viaje. Pasamos días atravesando Nuevo México y Arizona, y al cabo de algún tiempo nos sentíamos como si fuéramos las únicas personas que quedaban en el mundo. Al maestro le gustaba el desierto, sin embargo, y cuando entramos en aquel árido paisaje de rocas y cactus no paraba de señalar formaciones geológicas curiosas y de soltar pequeñas conferencias sobre la incalculable edad de la tierra. Para ser absolutamente sincero, a mí me dejaba frío. Como no quería estropearle la diversión al maestro, callaba la boca y fingía escuchar, pero después de cuatro mil farallones y seiscientos cañones había tenido suficiente recorrido turístico como para que me durasen toda la vida.

–Si este es el país de Dios –dije finalmente–, entonces Dios puede quedárselo.

–No dejes que te deprima –dijo el maestro–. Continúa igual eternamente, y contar los kilómetros no acortará el viaje. Si quieres llegar a California, esta es la carretera que tenemos que tomar.

–Lo sé. Pero que tenga que aguantarlo no significa que tenga que gustarme.

–Más te vale intentarlo. El tiempo pasará más deprisa de ese modo.

–Detesto ser un aguafiestas, señor, pero esta historia de la belleza es una gran tontería. Quiero decir, ¿a quién le importa que un sitio sea feo o no? Mientras haya gente allí, será interesante. Si quitamos a la gente, ¿qué queda? Vacío, nada más. Y el vacío no hace nada por mí excepto bajarme la tensión y hacer que se me caigan los párpados.

–Entonces cierra los ojos y duerme, y yo comulgaré con la naturaleza. No te preocupes, hombrecito. Ya no queda mucho. Antes de que te des cuenta, tendrás toda la gente que quieras.

El día más negro de mi vida amaneció en el oeste de Arizona el dieciséis de noviembre. Era una mañana sequísima, como todas las demás, y a las diez estábamos cruzando la frontera de California para comenzar nuestra travesía del desierto de Mojave hacia la costa. Lancé un gritito para celebrarlo cuando pasamos el mojón y luego nos preparamos para la última parte del viaje. El maestro iba a buena velocidad y calculamos que llegaríamos a Los Ángeles a la hora de la cena. Recuerdo que argumenté a favor de un restaurante de lujo para nuestra primera noche en la ciudad. Quizá nos encontraríamos con Buster Keaton o Harold Lloyd, dije, y eso sería muy emocionante, ¿no? Imagínese estrecharle la mano a esos tipos por encima de un montecillo de crema cocida en un restaurante elegante. Si estaban de humor, tal vez podríamos meternos en una pelea de tartas y destrozar el local. El maestro estaba empezando a reírse de mi descripción de esta descabellada escena cuando levanté la vista y vi algo en la carretera delante de nosotros.

–¿Qué es eso? –dije.

–¿Qué es qué? –dijo el maestro.

Y unos instantes más tarde corríamos para salvar la vida. El *qué* era una banda de cuatro hombres desplegados sobre la estrecha carretera. Estaban de pie en fila –doscientos o trescientos metros delante de nosotros– y al principio era difícil distinguirlos. Con el resplandor del sol y el calor que se elevaba del suelo, parecían espectros de otro planeta, cuerpos trémulos hechos de luz y aire. Cincuenta metros más allá pude ver que tenían las manos levantadas por encima de la cabeza, como si estuvieran haciéndonos señales para que parásemos. En ese momento los tomé por una cuadrilla de obreros, e incluso cuando nos acercamos más y vi que llevaban pañuelos en la cara, no le di importancia. Hay mucho polvo aquí, me dije, y cuando sopla el viento un hombre necesita alguna protección. Pero luego estábamos a sesenta o setenta metros, y de pronto vi que los cuatro sostenían objetos metálicos brillantes en las manos levantadas. Justo cuando comprendí que eran pistolas, el maestro frenó violentamente, se detuvo patinando y metió la marcha atrás. Ninguno de los dos dijo una palabra. Con el acelerador pisado a fondo, retrocedimos mientras el motor gemía y el chasis temblaba. Los cuatro malhechores nos perseguían, corriendo por la carretera con el cañón de sus pistolas destellando al sol. El maestro Yehudi había vuelto la cabeza para mirar por la ventanilla trasera y no pudo ver lo que yo veía, pero mientras observaba que los hombres nos ganaban terreno, me fijé en que uno de ellos cojeaba. Era un saco de huesos con cuello de pollo, pero a pesar de su defecto se movía más deprisa que los otros. Al poco tiempo iba en cabeza él solo, y fue entonces cuando el pañuelo resbaló de su cara y le vi bien por primera vez. El polvo volaba en todas direcciones, pero habría reconocido esa jeta en cualquier parte. ¡Edward J. Sparks! Volvíamos a encontrarnos, y en el mismo momento en que le eché la vista encima al tío Slim, supe que mi vida estaba arruinada para siempre. Grité por encima del ruido del motor forzado.

—¡Nos están alcanzando! ¡Dé la vuelta y vaya hacia delante! ¡Están lo bastante cerca como para dispararnos!

Era un grito desesperado. Marcha atrás no podíamos ir lo bastante rápido como para escapar, pero el tiempo que nos llevaría dar la vuelta nos retrasaría aún más. Sin embargo, teníamos que arriesgarnos. Si no aumentábamos la velocidad en unos cuatro segundos, no tendríamos la menor oportunidad.

El maestro Yehudi giró bruscamente a la derecha, haciendo un frenético giro en U marcha atrás mientras metía la primera. La caja de cambios hizo un siniestro ruido chirriante, las ruedas traseras se salieron del borde de la carretera y chocaron contra algunas piedras sueltas, y luego estábamos girando sin tracción mientras el coche gemía y temblaba. Pasaron un segundo o dos antes de que los neumáticos agarraran de nuevo, y para cuando salimos disparados de allí con el morro apuntando en la dirección correcta, las pistolas ya estaban escupiendo detrás de nosotros. Una bala rasgó un neumático trasero, y en el mismo instante en que la goma reventó, el Pierce Arrow se desvió violentamente hacia la izquierda. Manejando el volante como un loco para mantenernos en la carretera, el maestro estaba ya metiendo la tercera cuando otra bala atravesó la ventanilla trasera. Lanzó un grito y sus manos soltaron el volante. El coche se salió de la carretera, rebotando sobre el suelo salpicado de rocas del desierto, y un momento más tarde la sangre empezó a manar de su hombro derecho. Dios sabe dónde encontró la fuerza necesaria, pero consiguió agarrar de nuevo el volante y volver a intentarlo. No fue culpa suya que no diera resultado. El coche corría ya sin control y antes de que él pudiera volver hacia la carretera, la rueda izquierda delantera derrapó en la rampa de una gran roca y la máquina volcó.

La hora siguiente fue un vacío. La sacudida me arrojó fuera de mi asiento y lo último que recuerdo es haber volado por el aire en dirección al maestro. En algún momento entre el despegue y el aterrizaje debí golpearme la cabeza contra el salpicadero o el volante, porque cuando el coche dejó de moverse yo ya estaba inconsciente. Docenas de cosas sucedieron después de eso, pero me las perdí todas. Me perdí ver a Slim y a sus hombres abalanzarse sobre el coche y robarnos la caja fuerte que llevábamos en el maletero. Me perdí verles rajar los otros tres neumáticos. Me perdí verles abrir nuestras maletas y esparcir nuestra ropa por el suelo. Por qué no nos pegaron un tiro todavía es un misterio. Debieron discutir si matarnos o no, pero yo no oí nada de lo que dijeron y no puedo especular sobre por qué nos perdonaron la vida. Puede que ya pareciésemos muertos, o puede que les importara un comino. Tenían la caja fuerte con todo nuestro dinero y, aunque estuviéramos respirando aún cuando nos dejaron, probablemente pensaron que moriríamos a consecuencia de nuestras heridas. Si hay algún consuelo en que nos robaran hasta el último céntimo que teníamos, este viene de la pequeñez de la suma que se llevaron. Slim debía pensar que teníamos millones. Debía contar con un premio gordo de los que te tocan una vez en la vida, pero lo único que sacó de sus esfuerzos fueron unos despreciables veintisiete mil dólares. Si divides esa cantidad entre cuatro, las partes no ascienden a mucho. Una miseria, en realidad, y me alegraba pensar en su decepción. Durante años y años, mi alma encontraba consuelo al imaginar lo deprimido que debió de quedarse.

Creo que estuve inconsciente una hora, pero pudo haber sido más y pudo haber sido menos. Cuando me desperté me encontré tirado encima del maestro. Él seguía inconsciente y los dos estábamos encajados contra la puerta del lado del conductor, con nuestras extremidades enredadas y la ropa empapada de sangre. Lo primero que vi cuando mis ojos pudieron enfocar fue una hormiga marchando por encima de una piedrecita. Mi boca estaba llena de tierra y mi cara estaba apretada contra el suelo. Eso se debía a que la ventanilla estaba abierta en el momento del choque, y supongo que fue una suerte, si es que se puede utilizar la palabra *suerte* para describir tal cosa. Por lo menos mi cabeza no había atravesado el cristal. Eso había que agradecerlo, supongo. Por lo menos no tenía la cara destrozada.

La frente me dolía muchísimo y tenía magulladuras por todo el cuerpo, pero no había ningún hueso roto. Eso lo descubrí cuando me incorporé y traté de abrir la puerta que estaba encima de mí. Si hubiera tenido heridas graves no habría podido moverme. No obstante, no fue fácil empujar la puerta sobre sus goznes. Pesaba media tonelada y con la extraña inclinación del coche y la dificultad de hacer palanca debí luchar con ella durante cinco minutos antes de salir por la escotilla. El aire caliente me dio en la cara, pero me pareció fresco después de estar confinado en la sauna del Pierce Arrow. Me quedé sentado en lo alto un par de segundos, escupiendo tierra y aspirando la lánguida brisa, pero luego mis manos resbalaron y en el mismo momento en que toqué la superficie del coche, que estaba ardiendo, tuve que saltar. Me estrellé contra el suelo, me levanté y empecé a dar la vuelta al coche tambaleándome. De camino vi el maletero abierto y me fijé en que la caja del dinero había desaparecido, pero dado que esa era una conclusión sacada de antemano, no me detuve a pensar en ello. El lado izquierdo del coche había caído sobre unas piedras y había un pequeño espacio entre el suelo y la puerta, entre quince y veinte centímetros. No era lo bastante ancho como para que yo pudiera meter la cabeza por él, pero tumbándome en el suelo pude mirar dentro del coche lo suficiente como para vislumbrar la cabeza del maestro colgando por la ventanilla. No puedo explicar cómo sucedió, pero en el momento en que le vi por aquella estrecha rendija, sus ojos se abrieron. Me vio mirándole y un momento más tarde su cara se contrajo en algo parecido a una sonrisa.

–Sácame de aquí, Walt –dijo–. Tengo el brazo destrozado y no puedo moverme.

Corrí de nuevo al otro lado del coche, me quité la camisa y me envolví las manos con ella, improvisando un par de mitones para proteger mis palmas del ardiente metal. Luego me encaramé a lo alto, me apoyé bien en el borde de la puerta abierta y alargué las manos para tirar del maestro. Desgraciadamente, su hombro derecho era el malo y no podía extender ese brazo. Hizo un esfuerzo para girar el cuerpo y darme el otro brazo, pero eso le costaba trabajo, verdadero trabajo, y vi que le producía un dolor agudísimo. Le dije que se quedara quieto, me quité el cinturón y luego lo intenté de nuevo bajando la correa al interior del coche. Esto pareció dar resultado. El maestro Yehudi la agarró con la mano izquierda y yo empecé a tirar. No quiero recordar cuántas veces se golpeó, cuántas veces resbaló, pero ambos continuamos luchando y al cabo de veinte o treinta minutos finalmente conseguí sacarle.

Allí estábamos, abandonados en mitad del desierto de Mojave. El coche era una ruina, no teníamos agua y el pueblo más próximo estaba a sesenta kilómetros. Eso ya era bastante malo, pero la peor parte de nuestra difícil situación era la herida del maestro. Había perdido muchísima sangre durante las últimas dos horas. Los huesos estaban destrozados, los músculos desgarrados y él había empleado sus últimas fuerzas en salir del coche. Le senté a la sombra del Pierce Arrow y luego corrí para reunir parte de la ropa esparcida por el suelo. Una por una, recogí sus finas camisas blancas y sus corbatas de seda hechas de encargo, y cuando mis brazos estuvieron demasiado llenos para abarcar más, las llevé al coche para utilizarlas como vendas. Fue la mejor idea que se me ocurrió, pero no sirvió de mucho. Até las corbatas unas con otras, rasgué las camisas en largas tiras y le envolví el brazo lo más apretadamente que pude, pero la sangre las había calado antes de que yo hubiera terminado.

–Descansaremos aquí durante un rato –dije–. Una vez que el sol empiece a ponerse veremos si puede usted levantarse y echar a andar.

–Es inútil, Walt –dijo–. Nunca lo conseguiré.

—Claro que sí. Echaremos a andar por la carretera y enseguidita vendrá un coche y nos recogerá.

—No ha pasado un coche por aquí en todo el día.

—Eso no importa. Tiene que venir alguien. Es la ley de las probabilidades.

—¿Y si no viene nadie?

—Entonces le llevaré a cuestas. De una forma u otra, vamos a llevarle a un matasanos para que le recomponga.

El maestro Yehudi cerró los ojos y murmuró a través de su dolor:

—Se llevaron el dinero, ¿no?

—En eso ha acertado. Ha desaparecido, hasta el último céntimo.

—Oh, bueno —dijo él, tratando de sonreír—. Tal y como viene se va, ¿eh, Walt?

—Así es.

El maestro Yehudi empezó a reírse, pero las sacudidas le hacían demasiado daño para que pudiera continuar. Se detuvo para dominarse y luego, sin que viniera a cuento, me miró a los ojos y anunció:

—Dentro de tres días habríamos estado en Nueva York.

—Eso es historia antigua, jefe. Dentro de un día vamos a estar en Hollywood.

El maestro me miró durante largo rato sin decir nada. Luego, inesperadamente, alargó la mano izquierda y me cogió el brazo.

—Lo que quiera que seas —dijo finalmente— me lo debes a mí. ¿No es así, Walt?

—Por supuesto que sí. Yo era un pobre diablo antes de que usted me encontrara.

—Solo quiero que sepas que al revés también es cierto. Lo que quiera que yo sea, te lo debo a ti.

Yo no sabía qué contestar a eso, así que no lo intenté. Había algo extraño en el aire, y de pronto yo ya no sabía adónde íbamos. No es que estuviera asustado –por lo menos, todavía no–, pero mi estómago estaba empezando a crisparse y aletear, y eso era siempre una señal segura de perturbaciones atmosféricas. Cada vez que uno de esos fandangos empezaba dentro de mí, yo sabía que el tiempo estaba a punto de cambiar.

–No te preocupes, Walt –continuó el maestro–. Todo saldrá bien.

–Eso espero. La forma en que me está usted mirando ahora, es suficiente para poner nervioso a cualquiera.

–Estoy pensando, eso es todo. Pensando las cosas con todo el cuidado que puedo. No debes dejar que eso te disguste.

–No estoy disgustado. Con tal de que no me haga una mala pasada, no me disgustaré.

–Confías en mí, ¿no, Walt?

–Claro que sí.

–Harías cualquier cosa por mí, ¿no es cierto?

–Claro, ya lo sabe usted.

–Bueno, lo que quiero que hagas por mí ahora es subirte al coche y coger la pistola de la guantera.

–¿La pistola? ¿Para qué la quiere? Ya no hay ladrones a quienes disparar. Aquí estamos solo nosotros y el viento, y el viento que hay no es gran cosa.

–No hagas preguntas. Haz solo lo que te digo y tráeme la pistola.

¿Tenía elección? Sí, probablemente. Probablemente podía haberme negado, y eso habría puesto punto final al asunto inmediatamente. Pero el maestro me había dado una orden, y yo no iba a contestarle con insolencia, no entonces, no en un momento como aquel. Quería la pistola y, en mi opinión, mi deber era dársela. Así que, sin decir una palabra más, me encaramé al coche y la cogí.

—Dios te bendiga, Walt —dijo cuando se la entregué un minuto después—. Eres un muchacho de mi completo agrado.

—Tenga cuidado —dije—. Esta arma está cargada y lo último que necesitamos es otro accidente.

—Ven aquí, hijo —dijo, dando unas palmaditas en el suelo—. Siéntate a mi lado y escucha lo que tengo que decirte. Yo ya había comenzado a lamentarlo todo. El tono dulce de su voz fue lo que le delató, y para cuando me senté, mi estómago estaba dando volteretas, saltando con garrocha contra mi esófago. El maestro tenía la piel como la tiza. Pequeñas gotas de sudor se aferraban a su bigote, y sus miembros temblaban por la fiebre. Pero su mirada era firme. Las fuerzas que le quedaban estaban dentro de sus ojos y los mantuvo fijos en mí durante todo el tiempo que hablamos.

—La situación es la siguiente, Walt. Estamos en un serio aprieto y tenemos que salir de él. Si no lo hacemos bastante pronto, vamos a palmarla los dos.

—Puede ser. Pero no tiene sentido marcharnos hasta que baje un poco la temperatura.

—No me interrumpas. Primero escúchame hasta el final y luego podrás hablar tú. —Se detuvo un momento para humedecerse los labios con la lengua, pero tenía la boca demasiado seca para que el gesto sirviera de nada—. Tenemos que levantarnos y alejarnos de aquí. Eso está claro, y cuanto más tiempo esperemos, peor será. El problema es que yo no puedo levantarme ni andar. Nada va a cambiar eso. Para cuando el sol se ponga, solo estaré más débil que ahora.

—Quizá sí y quizá no.

–Nada de quizá, compañero. Así que, en lugar de quedarnos aquí sentados perdiendo un tiempo precioso, tengo una proposición que hacerte.

–Sí, y ¿cuál es?

–Yo me quedo aquí y tú te vas solo.

–Olvídelo. Yo no me muevo de su lado, maestro. Hice esa promesa hace mucho tiempo y pienso cumplirla.

–Esos son buenos sentimientos, muchacho, pero solo van a causarte problemas. Tienes que salir de aquí y no puedes hacerlo conmigo estorbándote. Enfréntate a los hechos. Este es el último día que vamos a pasar juntos. Tú lo sabes y yo lo sé, y cuanto antes lo hablemos abiertamente, mejor nos irá.

–Nada de eso. Ni lo sueñe.

–No quieres dejarme. No es que creas que no deberías irte, pero te duele pensar en mí tirado aquí en este estado. No quieres que sufra, y yo te lo agradezco. Eso demuestra que has aprendido bien tus lecciones. Pero te ofrezco una salida, y cuando lo pienses un poco, te darás cuenta de que es la mejor solución para los dos.

–¿Cuál es esa salida?

–Es muy simple. Coges esa pistola y me pegas un tiro en la cabeza.

–Vamos, maestro, este no es momento para bromas.

–No es ninguna broma, Walt. Primero me matas y luego sigues tu camino.

–El sol le ha dado en la cabeza y le ha vuelto majareta. Tiene usted una bala en el hombro, eso es todo. Seguro que le duele mucho, pero no va a matarle. Los médicos pueden arreglar esas cosas en un periquete.

–No estoy hablando de la bala. Estoy hablando del cáncer que tengo en la barriga. Ya no es necesario que nos engañemos más. Mis tripas están destruidas y no me quedan más de seis meses de vida. Aunque saliera de aquí, estoy acabado. Así que, ¿por qué no tomar el asunto en nuestras manos? Seis meses de dolores y agonía, eso es lo que me espera. Confiaba en iniciarte en algo nuevo antes de estirar la pata, pero no va a ser así. Mala suerte. Mala suerte en muchas cosas, pero me harás un gran favor si aprietas el gatillo ahora, Walt. Dependo de ti y sé que no me fallarás.

–Basta. Deje de hablar así, maestro. No sabe lo que dice.

–La muerte no es tan terrible, Walt. Cuando un hombre llega al final del trayecto, es lo único que realmente desea.

–No lo haré. Ni en mil años. Puede usted pedírmelo hasta el día del juicio final, pero nunca levantaré una mano contra usted.

–Si no lo haces tú, tendré que hacerlo yo mismo. Es mucho más duro de esa manera, y esperaba que me evitases el problema.

–¡Dios santo, maestro, baje esa pistola!

–Lo siento, Walt. Si no quieres verlo, di adiós ahora.

–No diré nada. No me sacará usted una palabra hasta que haya bajado esa pistola.

Pero él ya no me escuchaba. Sin dejar de mirarme a los ojos, levantó la pistola contra su cabeza y la amartilló. Era como si estuviera desafiándome a impedírselo, desafiándome a alargar la mano y quitarle la pistola. Pero yo no podía moverme. Me quedé allí sentado mirándole, y no hice nada.

Su mano temblaba y el sudor le corría a chorros por la frente, pero sus ojos seguían firmes y claros.

–Recuerda los buenos tiempos –dijo–. Recuerda las cosas que te enseñé.

Luego, tragando una sola vez, cerró los ojos y apretó el gatillo.

III

Tardé tres años en encontrar al tío Slim. Durante más de mil días vagué por el país, buscando a aquel cabrón en todas las ciudades desde San Francisco a Nueva York. Viví al día, gorroneando y mangando lo mejor que podía, y poco a poco me convertí en el mendigo que estaba predestinado a ser. Hice autostop, viajé a pie, monté en los ferrocarriles. Dormí en portales, en campamentos de vagabundos, en posadas de mala muerte, en campo abierto. En algunas ciudades tiré el sombrero en la acera e hice malabarismos con unas naranjas para entretener a los transeúntes. En otras ciudades barrí suelos y vacié cubos de basura. En otras robé. Hurté comida en las cocinas de los restaurantes, dinero de las cajas registradoras, calcetines y ropa interior de los cajones de Woolworth's, cualquier cosa a la que pudiera echar mano. Hice cola para recibir alimentos gratis y ronqué durante los sermones del Ejército de Salvación. Bailé claqué en las esquinas. Canté para ganarme la cena. Una vez, en un cine de Seattle, gané diez dólares por dejar que un viejo me chupara la polla. Otra vez, en Hennepin Avenue de Minneapolis, encontré un billete de cien dólares tirado en el arroyo. En el curso de esos tres años, una docena de personas se acercaron a mí en una docena de sitios diferentes y preguntaron si yo era Walt el Niño Prodigio. El primero me pilló de sorpresa, pero a partir de entonces tenía la respuesta preparada. «Lo siento, amigo», decía. «No sé quién es. Debe usted confundirme con otra persona.» Y antes de que pudieran insistir, les saludaba quitándome la gorra y desaparecía entre la gente.

Me faltaba poco para cumplir los dieciocho años cuando le alcancé. Yo había crecido hasta mi estatura definitiva de un metro sesenta y cuatro centímetros y solo faltaban dos meses para la toma de posesión de Roosevelt. Los contrabandistas de licores seguían en activo, pero con la ley seca a punto de dar sus últimas boqueadas, ya estaban vendiendo los restos de existencias y explorando nuevas líneas de inversión ilegal. Así fue como encontré a mi tío. Una vez que me di cuenta de que iban a echar a Hoover, empecé a llamar a la puerta de todos los contrabandistas que pude encontrar. Slim era exactamente la clase de hombre que se engancharía en una operación sin futuro como el alcohol ilegal, y lo más probable era que si había mendigado para que alguien le diese un trabajo, lo hubiera hecho cerca de su ciudad natal. Eso eliminaba las Costas Este y Oeste. Ya había perdido suficiente tiempo en aquellos lugares, así que empecé a centrar la puntería en todas sus viejas querencias. Cuando no encontré nada en Saint Louis, Kansas City ni Omaha, amplié el radio de acción a zonas cada vez más extensas del Medio Oeste. Milwaukee, Cincinnati, Minneapolis, Chicago, Detroit. De Detroit volví a Chicago, y aunque no había dado con ninguna pista en mis tres visitas anteriores, en la cuarta cambió mi suerte. Olvídense de eso de que tres es el número afortunado. Tres lanzamientos y estás fuera, pero cuatro balones y entras, y cuando regresé a Chicago en enero de 1933, finalmente llegué a la primera base. El rastro llevaba a Rockford, Illinois –a solo ciento veinte kilómetros por carretera–, y allí fue donde le encontré: sentado en un almacén a las tres de la madrugada guardando doscientas cajas de whisky de centeno canadiense.

Habría sido fácil matarle allí mismo. Yo tenía una pistola cargada en el bolsillo, y teniendo en cuenta que era la misma pistola que el maestro había utilizado para suicidarse tres años antes, hubiera sido justo apuntar con ella a Slim. Pero yo tenía otros planes, y había estado alimentándolos durante tanto tiempo que no iba a dejarme arrastrar por el entusiasmo ahora. No bastaba con matar a Slim. Él tenía que saber quién era su ejecutor, y antes de permitirle morir, quería que viviera con su muerte durante un largo momento. Lo que es justo, es justo, después de todo, y si la venganza no podía ser dulce, ¿para qué molestarse en llevarla a cabo? Ahora que había entrado en la pastelería, me proponía atiborrarme con toda una bandeja de pasteles.

El plan era cualquier cosa menos sencillo. Estaba todo mezclado con recuerdos del pasado, y nunca se me habría ocurrido sin los libros que Aesop me leía en la granja de Cibola. Uno de ellos, un tomo grande con la portada azul andrajosa, era sobre el rey Arturo y los caballeros de la Tabla Redonda. Exceptuando a mi tocayo Sir Walter, aquellos muchachos de los trajes metálicos eran mis héroes favoritos, y yo le pedía esa colección más que ninguna otra. Siempre que estaba especialmente necesitado de compañía (curando mis heridas, por ejemplo, o simplemente deprimido por mis luchas con el maestro), Aesop interrumpía sus estudios y subía para sentarse conmigo y nunca olvidé el consuelo que me proporcionaba escuchar aquellos cuentos de magia negra y aventuras. Ahora que estaba solo en el mundo, volvían a mí con frecuencia. Yo también estaba entregado a una búsqueda, después de todo. Estaba buscando mi propio Santo Grial, y cuando llevaba más o menos un año en su busca, empezó a ocurrirme una cosa curiosa: la copa de la historia comenzó a convertirse en una copa real. Bebe de la copa y te dará la vida. Pero la vida que yo andaba buscando solo comenzaría con la muerte de mi tío. Ese era mi Santo Grial, y no podría haber verdadera vida para mí hasta que lo encontrara. Bebe de la copa y te dará la muerte. Poco a poco, una copa se transformó en la otra, y mientras continuaba yendo de un sitio a otro, gradualmente comprendí cómo iba a matarle. Cuando el plan cristalizó finalmente, estaba en Lincoln, Nebraska –encorvado sobre un cuenco de sopa en la misión luterana de San Olaf–, y a partir de entonces no hubo más dudas. Iba a llenar una copa con estricnina y hacérsela beber a aquel cabrón. Esa era la imagen que veía, y desde ese día no me abandonó nunca. Le apuntaría a la cabeza con una pistola y le haría beber su propia muerte.

Así que allí estaba yo, acercándome furtivamente a él por la espalda en aquel frío y vacío almacén de Rockford, Illinois. Había pasado las últimas tres horas agachado detrás de una pila de cajas de madera, esperando a que Slim se adormilara lo suficiente y ahora había llegado mi momento. Considerando cuántos años había pasado planeando aquel instante, era notable lo tranquilo que me sentía.

–¿Qué tal, tío? –dije, murmurando en su oído–. ¡Cuánto tiempo sin vernos!

Tenía el cañón de la pistola apretado contra su nuca, pero solo para asegurarme de que entendía la situación, amartillé el arma con el pulgar. Una bombilla desnuda de cuarenta vatios colgaba sobre la mesa donde Slim estaba sentado y todas las herramientas de su oficio de vigilante nocturno estaban extendidas ante él: un termo de café, una botella de whisky de centeno, un vaso jaspeado, las tiras cómicas de los periódicos del domingo y un revólver del treinta y ocho.

–¿Walt? –dijo–. ¿Eres tú, Walt?

–De carne y hueso, compañero. Su sobrino favorito número uno.

–No he oído nada. ¿Cómo diablos te las has arreglado para llegar hasta aquí?

–Ponga las manos sobre la mesa y no se vuelva. Si intenta coger el revólver, es hombre muerto. ¿Entendido?

Él soltó una risita nerviosa.

–Sí, entendido.

–Como en los viejos tiempos, ¿eh? Uno de nosotros sentado en una silla y el otro apuntándole con un arma. Pensé que apreciaría que siga la tradición familiar.

–No tienes ningún motivo para hacer esto, Walt.

–Cállese. Si empieza a suplicarme, le dejo tieso ahora mismo.

–¡Joder, muchacho! ¡Dame un respiro!

Olfateé el aire detrás de su cabeza.

–¿Qué es ese olor, tío? No se habrá cagado ya en los pantalones, ¿verdad? Pensé que era usted un tipo duro. Durante todos estos años he estado viajando y recordando lo duro que era usted.

–Estás loco. Yo no he hecho nada.

–Ciertamente, a mí me huele a mierda. ¿O es solo el olor del miedo? ¿Es así como huele su miedo, Eddie?

Tenía la pistola en la mano izquierda y con la derecha sostenía una bolsa. Antes de que él pudiera continuar la conversación –que ya me estaba irritando los nervios–, balanceé la bolsa y la dejé caer sobre la mesa delante de él.

—Ábrala —dije.

Mientras él estaba abriendo la cremallera, me puse a un lado de la mesa y me guardé su revólver en el bolsillo. Luego, apartando despacio la pistola de su cabeza, continué andando hasta estar directamente frente a él. Mantuve la pistola apuntándole a la cara mientras él metía la mano en la bolsa y sacaba su contenido: primero el frasco de tapón de rosca lleno de leche envenenada, luego el cáliz de plata. Yo lo había robado en una casa de empeños de Cleveland dos años antes y lo había llevado conmigo desde entonces. El metal no era puro —solo un baño de plata—, pero estaba labrado con pequeñas figuras a caballo, y yo le había sacado brillo aquella tarde hasta dejarlo reluciente. Una vez que estuvo sobre la mesa con el frasco, retrocedí medio metro para tener una visión más amplia. El espectáculo estaba a punto de empezar y yo no quería perderme nada.

Slim me pareció viejo, tan viejo como los montes. Había envejecido veinte años desde la última vez que le vi, y la expresión de sus ojos era tan dolida, tan llena de pena y confusión, que un hombre inferior a mí tal vez habría sentido algo de compasión por él. Pero yo no sentí nada. Quería que muriera e incluso mientras le miraba a la cara, buscando en ella la menor señal de humanidad o bondad, la idea de matarle me excitó.

—¿Qué es todo esto? —dijo.

—La hora del cóctel. Se va usted a servir una copa bien cargada, amigo, y luego se la va a beber a mi salud.

—Parece leche.

—Cien por cien... y algo más. Directamente de la vaca Bessie.

—La leche es para los niños. No soporto el sabor de esa mierda.

–Le sentará bien. Fortalece los huesos y alegra el carácter. A pesar de lo viejo que está usted, tío, puede que no fuera mala idea que bebiese de la fuente de la juventud. Hará maravillas. Créame. Unos cuantos sorbos de ese líquido y nunca parecerá un día más viejo de lo que es ahora.

–Quieres que vierta la leche en la copa. ¿Es eso lo que me estás diciendo?

–Vierta la leche en la copa, levántela en el aire y diga «Larga vida para ti, Walt», y luego empiece a beber. Bébasela toda. Hasta la última gota.

–Y luego ¿qué?

–Luego nada. Le hará usted un gran servicio al mundo, Slim, y Dios se lo recompensará.

–Hay veneno en esta leche, ¿no?

–Puede que sí y puede que no. Solo hay una manera de averiguarlo.

–Mierda. Tienes que estar loco si crees que voy a beberme eso.

–Si no se lo bebe, le meto una bala en la cabeza. Si se lo bebe, puede que tenga una oportunidad.

–Seguro. Como el chino aquel en el infierno.

–Nunca se sabe. Puede que esté haciendo esto solo para asustarle. Puede que quiera hacer un pequeño brindis con usted antes de hablar de negocios.

–¿Negocios? ¿Qué clase de negocios?

–Negocios pasados, negocios presentes. Quizá incluso negocios futuros. Estoy sin blanca. Slim, y necesito un trabajo. Quizá he venido a pedirle ayuda.

–Claro, yo te ayudaré a conseguir un trabajo. Pero para eso no necesito beberme ninguna leche. Si tú quieres, hablaré con Bingo a primera hora de la mañana.

–Estupendo. Le tomo la palabra. Pero primero nos vamos a beber nuestra vitamina D. –Me acerqué al borde la mesa, alargué la mano con la pistola y le di con ella debajo de la barbilla, lo bastante fuerte como para que su cabeza cayera hacia atrás–. Y vamos a bebérnosla ahora.

Las manos de Slim estaban temblando, pero obedeció y desenroscó el tapón del frasco.

–No la derrame –dije, mientras él empezaba a echar la leche en el cáliz–. Si derrama una sola gota, aprieto el gatillo. –El líquido blanco fluyó de un contenedor a otro y no cayó nada sobre la mesa–. Bien –dije–, muy bien. Ahora levante la copa y haga el brindis.

–Larga vida para ti, Walt.

El canalla sudaba balas. Aspiré todo su hedor mientras él se llevaba la copa a los labios, y me sentí contento, muy contento de que supiera lo que le iba a suceder. Vi cómo el terror iba en aumento en sus ojos, y de pronto yo también estaba temblando. No de vergüenza o arrepentimiento, sino de alegría.

–Trágatelo, viejo cerdo –dije–. Abre el gaznate y haz glu-glu-glu.

Él cerró los ojos, se tapó la nariz como un niño a punto de tomarse una medicina y empezó a beber. Estaba condenado si lo hacía y condenado si no lo hacía, pero al menos yo le había ofrecido una pizca de esperanza. Mejor eso que la pistola. Las pistolas te matan con seguridad, pero tal vez yo solo estaba bromeando respecto a la leche. Y aunque no fuera una broma, quizá tendría suerte y sobreviviría al veneno. Cuando un hombre tiene una única posibilidad, la aprovecha, aunque sea remotísima. Así que se tapó la nariz y se puso a ello, y a pesar de lo que yo sentía por él, debo reconocer esto: aquel mal bicho se tomó su medicina como un niño bueno. Se bebió su muerte como si fuera una dosis de aceite de ricino, y aunque derramó algunas lágrimas mientras tanto, boqueando y gimoteando después de cada trago, engulló valientemente hasta que lo terminó.

Esperé a que el veneno le hiciera efecto, inmóvil como un maniquí mientras observaba la cara de Slim en busca de señales de malestar. Los segundos pasaban y aquel cabrón no se derrumbaba. Yo había esperado resultados inmediatos –la muerte después de uno o dos tragos–, pero la leche debía de haber amortiguado el efecto y cuando mi tío dejó la copa vacía sobre la mesa con un golpe yo ya estaba preguntándome qué había salido mal.

–Jódete –dijo él–. Jódete, hijoputa farolero.

Debió de ver el asombro en mi cara. Se había bebido suficiente estricnina como para matar a un elefante y sin embargo allí estaba, levantándose y tirando la silla al suelo de un empujón, sonriendo como un duende que acaba de ganar a la ruleta rusa.

–Quédese donde está –dije, apuntándole con la pistola–. Lo lamentará si no lo hace.

Por toda respuesta. Slim se echó a reír.

–No tienes cojones, cretino.

Y tenía razón. Se volvió y echó a andar y yo no fui capaz de disparar el arma. Me estaba ofreciendo su espalda como blanco y yo me quedé allí quieto mirándole, demasiado trastornado como para apretar el gatillo. Dio un paso, luego otro, y empezó a desaparecer entre las sombras del almacén. Escuché su risa burlona y lunática rebotando en las paredes, y justo cuando yo ya no podía soportarlo más, justo cuando pensaba que me había derrotado definitivamente, el veneno le alcanzó. Para entonces había conseguido dar veinte o treinta pasos, pero no llegó más lejos, lo cual significaba que yo había reído el último después de todo. Oí el repentino y ahogado gorgoteo de su garganta, oí el golpe sordo de su cuerpo al caer al suelo, y, cuando finalmente avancé tambaleándome por la oscuridad y le encontré, estaba más muerto que mi bisabuela.

Sin embargo, no quería dar nada por sentado, así que llevé el cadáver hacia la luz para verlo mejor; tirando del cuello de la chaqueta le arrastré boca abajo por el suelo de cemento. Me detuve a poca distancia de la mesa, pero justo cuando estaba a punto de agacharme y meterle una bala en la cabeza, una voz que venía de atrás me interrumpió.

–De acuerdo, tío –dijo la voz–. Tira la pipa y pon las manos en alto.

Solté la pistola, levanté las manos y luego, muy despacio, me volví para enfrentarme al desconocido. No me pareció nada especial: un fulano anodino entre treinta y tantos y treinta y muchos o cuarenta. Iba vestido con un elegante traje azul de rayas finas y calzado con caros zapatos negros y lucía un pañuelo color melocotón en el bolsillo del pecho. Al principio pensé que era mayor, pero eso era únicamente porque tenía el pelo blanco. Una vez que le mirabas la cara, te dabas cuenta de que no era nada viejo.

–Acabas de cargarte a uno de mis hombres –dijo–. Eso no se hace, muchacho. No me importa lo joven que seas. Si haces algo así, tienes que pagar la multa.

–Sí, así es –dije–. He matado a ese hijo de puta. Se lo había buscado, y yo lo he hecho. Así es como se trata a las sabandijas, señor. Si entran en tu casa, las eliminas. Puede pegarme un tiro si quiere, me da igual. He hecho lo que vine a hacer, y eso es lo único que cuenta. Si muero ahora, por lo menos moriré feliz.

Las cejas del hombre se alzaron como medio centímetro y luego se agitaron allí por un momento a causa de la sorpresa. Mi discursito le había desconcertado y no estaba se-

268

guro de cómo reaccionar. Después de pensárselo durante un par de segundos, pareció decidir que iba a divertirse.

–Así que ahora quieres morir –dijo–. ¿No es eso?

–Yo no he dicho eso. Es usted quien tiene la pistola, no yo. Si quiere apretar el gatillo, no es mucho lo que yo puedo hacer para impedírselo.

–¿Y si no disparo? ¿Qué hago contigo entonces?

–Bueno, visto que acaba usted de perder a uno de sus hombres, podría pensar en contratar a otro para sustituirle. No sé cuánto tiempo llevaba Slim en nómina, pero debía de ser lo suficiente como para que usted se haya dado cuenta de que era un cubo de fango con el cerebro lleno de mugre. Si no supiera eso, yo no estaría ahora de pie, ¿verdad? Estaría tendido en el suelo con una bala en el corazón.

–Slim tenía sus defectos. No voy a discutírtelo.

–No ha perdido mucho de nada, señor. Si mira los pros y los contras, verá que está mejor sin él. ¿Por qué fingir que le da pena un negado y un inútil como Slim? Lo que él hiciera para usted, lo haré yo mejor. Se lo prometo.

–Menuda labia tienes, enano.

–Después de lo que he pasado durante los últimos tres años, es casi lo único que me queda.

–¿Y un nombre? ¿Todavía tienes nombre?

–Walt.

–Walt ¿qué?

–Walt Rawley, señor.

–¿Sabes quién soy, Walt?

–No, señor. No tengo ni idea.

–Me llamo Bingo Walsh. ¿Has oído hablar de mí?

–Claro que sí. Usted es el señor Chicago. El brazo derecho del jefe O'Malley. Usted es el Rey del Trago, Bingo, el que le da vueltas al manubrio y maneja el cotarro.

Él no pudo evitar sonreír ante la exageración. Le dices a un número dos que es el número uno y es seguro que aprecia el cumplido. Considerando que aún no había bajado la pistola, yo no estaba de humor para decir cosas desagradables de él. Mientras eso me permitiera seguir vivo, seguiría lamiéndole el culo hasta el día del juicio final.

–De acuerdo, Walt –dijo–. Lo intentaremos. Dos, tres meses y luego veremos qué pasa. Una especie de período de prueba para conocernos. Pero si no me das resultado, me deshago de ti. Te mando a un viaje muy largo.

–Al mismo sitio adonde acaba de irse Slim, supongo.

–Ese es el trato que te ofrezco. Lo tomas o lo dejas, muchacho.

–Me parece justo. Si no puedo hacer el trabajo, usted me corta la cabeza con un hacha. Sí, puedo vivir con eso. ¿Por qué no? Si no puedo caerle bien, Bingo, ¿para qué quiero vivir?

Así fue como comenzó mi nueva carrera. Bingo me domó y me enseñó todos los trucos, y poco a poco me convertí en su muchacho. El período de prueba de dos meses fue duro para mis nervios, pero mi cabeza seguía unida a mi cuerpo cuando terminó, y después de eso descubrí que le estaba cogiendo gusto al asunto. O'Malley tenía una de las mayores organizaciones del condado de Cook, y Bingo era el encargado de dirigirla. Casas de juego, loterías ilegales, burdeles, piquetes de protección, máquinas tragaperras, él dirigía todos estos negocios con mano firme y no tenía que darle cuentas a nadie excepto al jefe en persona. Yo le conocí en un momento tumultuoso, un período de transición y nuevas oportunidades, y para finales de año él había consolidado su posición como uno de los talentos más hábiles del Medio Oeste. Tuve suerte de tenerle como mentor. Bingo me tomó bajo su protección, yo mantuve los ojos abiertos y escuché lo que él decía, y toda mi vida cambió. Después de tres años de desesperación y hambre, ahora tenía comida en el estómago, dinero en el bolsillo y ropa decente sobre los hombros. De pronto estaba de nuevo en camino, y, como era el muchacho de Bingo, las puertas se abrían dondequiera que llamara.

Empecé como mensajero, llevando sus recados y haciendo trabajillos. Le encendía los cigarrillos y llevaba sus trajes a la tintorería; compraba flores para sus novias y les sacaba brillo a los tapacubos de su coche; saltaba cuando me lo mandaba como un cachorrillo entusiasta. Suena humillante, pero la verdad es que no me molestaba ser un lacayo. Sabía que tendría mi oportunidad, y mientras tanto le estaba agradecido por que me hubiese aceptado. Era la época de la Depresión, después de todo, y ¿dónde iba a encontrar alguien como yo una posición mejor? Yo no tenía educación, ni conocimientos ni formación para nada excepto para una carrera que ya había terminado, así que me tragué mi orgullo e hice lo que me ordenaba. Si tenía que lamer culos para ganarme la vida, así lo haría, me convertiría en el mejor lameculos de la región. ¿Qué importaba si tenía que escuchar las historias de Bingo y reírle los chistes? El tipo no era tan mal narrador, y la verdad era que podía ser bastante gracioso cuando quería.

Una vez que le demostré mi lealtad, él no impidió mi ascenso. A principios de la primavera yo estaba ya trepando la escala, y a partir de entonces la única pregunta era cuánto tardaría en pasar al siguiente travesaño. Bingo me emparejó con un expúgil llamado Stutters Grogan, y Stutters y yo empezamos a hacer las rondas de bares, restaurantes y confiterías para recaudar el dinero de la protección de O'Malley. Como su nombre sugiere, a Stutters no se le daba muy bien hacer discursos,[1] pero yo tenía un vivo dominio de las palabras, y siempre que nos encontrábamos con un holgazán o un gorrón, yo pintaba imágenes tan coloristas de lo que les sucedía

---

1. *Stutter* significa «tartamudear». *(N. de la T.)*

a los clientes que se negaban a pagar que mi compañero raras veces tenía que utilizar sus puños. Era un apoyo útil, era bueno tenerle al lado para hacer demostraciones de «o esto o...», pero yo me enorgullecía de ser capaz de resolver los conflictos sin recurrir a sus servicios. Finalmente, a Bingo le llegaron informes de mi buena trayectoria y me ascendió a un puesto en el South Side dirigiendo la lotería ilegal. Stutters y yo habíamos trabajado bien juntos, pero yo prefería trabajar solo, y durante los siguientes seis meses me pateé las aceras de una docena de barrios negros distintos, charlando con mis clientes habituales mientras ellos se desprendían de sus monedas de cinco y diez para intentar ganar unos cuantos pavos. Todo el mundo tenía un sistema, desde el vendedor de periódicos de la esquina hasta el sacristán de la iglesia, y a mí me gustaba escuchar a la gente cuando me contaba cómo elegía sus combinaciones. Los números venían de todas partes. De cumpleaños y sueños, de las medias de los bateadores y el precio de las patatas, de las grietas en la acera, de las matrículas, de las listas de la lavandería y de los asistentes a la misa del último domingo. Las probabilidades de ganar eran casi nulas, así que nadie me guardaba rencor cuando perdía, pero en las raras ocasiones en que alguien daba en el blanco, me convertía en un mensajero de buenas nuevas. Era el conde de la Pasta de la Suerte, el forrado duque de la Largueza, y me encantaba ver cómo se iluminaban las caras de la gente cuando les soltaba el dinero. Bien mirado, no era un trabajo desagradable, y cuando Bingo finalmente me ascendió, casi me dio pena dejarlo.

De la lotería me pasaron al juego, y en 1936 era jefe de operaciones en una sala de apuestas de Locust Street, un garito bien puesto y lleno de humo escondido en la trastienda de una tintorería. Los clientes llegaban con sus camisas y pantalones arrugados, los dejaban en el mostrador de la tienda y luego se abrían paso por entre los colgadores de ropa hasta el cuarto secreto de la parte de atrás. Casi todo el mundo que entraba en aquel sitio hacía un chiste acerca de que iban a limpiarlo. Era un comentario que también hacían constantemente los hombres que trabajaban a mis órdenes, y al cabo de algún tiempo empezamos a hacer apuestas sobre cuántas personas harían algún chiste de aquella clase en un día determinado. Como dijo una vez mi contable, Waldo McNair: «Este el único sitio del mundo donde te vacían los bolsillos y te planchan los pantalones al mismo tiempo. Puedes quedarte sin blanca con los caballitos y no perder la camisa, sin embargo.»

Yo dirigía un buen negocio en aquel cuarto detrás de la tintorería de Benny's. El tráfico era intenso, pero contraté a un muchacho para que mantuviera el local inmaculado, y siempre me ocupaba de que las colillas se apagaran en los ceniceros y no en el suelo. Mis teleimpresores eran la última palabra en equipo moderno, con conexiones con todos los hipódromos importantes del país, y evitaba que la ley cayera sobre mis espaldas haciendo donaciones periódicas al fondo de pensiones privado de media docena de polis. Tenía veintiún años y, lo mirases como lo mirases, estaba bien situado. Vivía en una habitación elegante del Hotel Featherstone, tenía un armario lleno de trajes que me había hecho un sastre italiano a mitad de precio, podía ir a Wrigley a ver un partido de los Cubs cualquier tarde que quisiera. Todo eso ya estaba bien, pero encima había mujeres, montones de mujeres, y me aseguré de que mi entrepierna tuviera toda la acción que pudiera soportar. Después de enfrentarme a aquella terrible decisión en Filadelfia siete años antes, mis huevos se habían vuelto sumamente preciosos para mí. Había renunciado a mi oportunidad de tener fama y fortuna por ellos, y ahora que Walt el Niño Prodigio ya no existía, pensé que la mejor manera de justificar mi elección era utilizarlos tan a menudo como pudiese. Ya no era virgen cuando llegué a Chicago, pero mi carrera como pichabrava no despegó plenamente hasta que me uní a Bingo y tuve el dinero necesario para comprar la entrada a cualquier braga que se me antojase. Había perdido la virginidad con una chica campesina que se llamaba Velma Childe en algún lugar del oeste de Pennsylvania, pero aquello había sido bastante rudimentario: manosearnos torpemente en un frío establo con la ropa puesta y las caras húmedas de saliva mientras nos tanteábamos y debatíamos hasta encontrar la posición, no muy seguros de qué iba dónde. Unos meses más tarde, gracias al billete de cien dólares que me encontré en Minneapolis, había tenido dos o tres experiencias con putas, pero prácticamente seguía siendo un novato cuando llegué a las calles de Chicago. Una vez que me instalé en mi nueva vida, hice todo lo que pude para recuperar el tiempo perdido.

Así estaban las cosas. Me hice un hogar dentro de la organización y nunca sentí el menor remordimiento por compartir la suerte de los malos. Me veía como uno de ellos, defendía lo que ellos defendían, y nunca dije una palabra a nadie acerca de mi pasado: ni a Bingo, ni a las chicas con las que me acostaba, ni a nadie. Con tal de no pensar mucho en los viejos tiempos, podía engañarme y creer que tenía un futuro. Mirar atrás dolía demasiado, así que mantenía los ojos fijos ante mí, y cada vez que daba otro paso adelante, me alejaba aún más de la persona que había sido con el maestro Yehudi. La mejor parte de mí yacía bajo tierra con él en el desierto de California. Le había enterrado allí junto con su Spinoza, su álbum de recortes de prensa sobre Walt el Niño Prodigio y el collar con la falange de mi dedo cortado, pero aunque volvía allí todas las noches en mis sueños, me enloquecía pensar en eso durante el día. Se suponía que matar a Slim había saldado las cuentas, pero a la larga no me sirvió de nada. No lamentaba lo que había hecho, pero el maestro Yehudi seguía muerto, y todos los Bingos del mundo no podían compensarme de su pérdida. Me pavoneaba en Chicago como si fuese a algún sitio, como si fuera un verdadero señor Alguien, pero en el fondo no era nadie. Sin el maestro yo no era nadie y no iba a ninguna parte.

Tuve una posibilidad de salirme de aquello antes de que fuera demasiado tarde, una sola oportunidad de reducir pérdidas y echar a correr, pero fui demasiado ciego para aprovecharla cuando la oferta me cayó en el regazo. Eso fue en octubre de 1936, y yo estaba tan convencido de mi propia importancia por entonces que pensé que la burbuja nunca reventaría. Me había escapado de la tintorería una tarde para ocuparme de algunos asuntos personales: un afeitado y un corte de pelo en la barbería de Brower, un almuerzo en Lemmele's en Wabash Avenue y luego al Hotel Royal Park para un poco de diversión con una bailarina que se llamaba Dixie Sinclair. La cita estaba fijada a las dos y media en la suite 409 y mis pantalones ya abultaban ante la perspectiva. Seis o siete metros antes de llegar a la puerta de Lemmele's, sin embargo, justo cuando yo volvía la esquina y estaba a punto de entrar a almorzar, levanté la vista y vi a la última persona del mundo que esperaba ver. Me detuve en seco. Allí estaba la señora Witherspoon con los brazos llenos de paquetes, tan guapa y elegante como siempre, corriendo hacia un taxi a ciento cincuenta kilómetros por hora. Me quedé allí parado con un nudo formándose en mi garganta, y antes de que pudiera decir nada, ella miró en dirección a mí y se paralizó. Sonreí. Sonreí de oreja a oreja y entonces se produjo una de las reacciones tardías más asombrosas que yo había visto. Abrió la boca literalmente, los paquetes resbalaron de sus manos y se esparcieron por la acera, y un segundo más tarde ella me echaba los brazos al cuello y me plantaba el lápiz de labios por toda la jeta recién afeitada.

—¡Aquí estás, bribón! —dijo, estrechándome con todas sus fuerzas—. ¡Al fin te tengo, escurridizo hijo de puta! ¿Dónde diablos has estado, muchacho?

—Aquí y allí —dije—. De acá para allá. Arriba y abajo, abajo y arriba, la historia de siempre. Tiene usted un aspecto estupendo, señora Witherspoon, verdaderamente fantástico. ¿O debo llamarla señora Cox? Ese es su nombre ahora, ¿no? Señora de Orville Cox.

Ella retrocedió para verme mejor, cogiéndome con los brazos extendidos mientras una gran sonrisa se extendía por su cara.

—Sigo siendo Witherspoon, cariño. Llegué hasta el altar, pero cuando fue el momento de decir «sí quiero», las palabras se me atragantaron. Los síes se convirtieron en noes, y aquí estoy siete años más tarde, aún soltera y orgullosa de serlo.

—Bien hecho. Siempre supe que ese Cox era una equivocación.

—De no haber sido por el regalo, probablemente habría llegado hasta el final. Cuando Billy Bigelow me trajo aquel paquete de Cape Cod, no pude resistir la tentación de echarle un vistazo. Se supone que una novia no debe abrir sus regalos antes de la boda, pero aquel era especial, y una vez que lo desenvolví, supe que la boda no se celebraría.

—¿Qué había en la caja?

—Creí que lo sabías.

—Nunca llegué a preguntárselo.

—Me regaló un globo. Un globo terráqueo.

—¿Un globo? ¿Qué tiene eso de especial?

–No era el regalo, Walt. Era la nota que lo acompañaba.

–Tampoco la vi.

–Una frase, eso era todo. *Donde quiera que estés, estaré contigo.* Leí esas palabras y me deshice. Solo había un hombre para mí, encanto. Si no podía tenerlo, no iba a andar tonteando con sustitutos e imitaciones baratas.

Se quedó allí recordando la nota mientras el gentío del centro se arremolinaba a nuestro alrededor. El viento agitó el ala de su sombrero de fieltro verde, y al cabo de un momento sus ojos empezaron a llenarse de lágrimas. Antes de que pudiera echarse a llorar en serio, me agaché y recogí sus paquetes.

–Entre conmigo, señora W. –dije–. La invito a comer, y luego pediremos una cuba de Chianti y pillaremos una buena cogorza.

Le deslicé un billete de diez al maître y le dije que queríamos intimidad. Se encogió de hombros, explicando que todas las mesas íntimas estaban reservadas, así que separé otro billete de diez de mi fajo. Eso fue suficiente para provocar una inesperada cancelación y menos de un minuto después uno de sus subordinados nos guiaba al fondo del restaurante, donde nos instaló en un acogedor gabinete iluminado con velas y provisto de unas cortinas de terciopelo rojo para separarnos de los otros clientes. Yo habría hecho cualquier cosa por impresionar a la señora Witherspoon aquel día, y creo que no quedó decepcionada. Vi el brillo de diversión en sus ojos mientras nos acomodábamos en nuestras sillas, y cuando saqué mi encendedor de oro con mi monograma para encender su Chesterfield, de pronto ella pareció caer en la cuenta de que el pequeño Walt ya no era tan pequeño.

–Nos va muy bien, ¿no? –dijo.

–No está mal –dije–. He corrido mucho desde la última vez que nos vimos.

Hablamos de esto y de aquello, dando vueltas en torno al otro durante los primeros minutos, pero no tardamos mucho en empezar a sentirnos cómodos de nuevo, y cuando el camarero nos trajo la carta ya estábamos hablando de los viejos tiempos. Resultó que la señora Witherspoon sabía mucho más sobre mis últimos meses con el maestro de lo que yo pensaba. Una semana antes de morir, él le había escrito una larga carta desde algún punto del viaje y le había contado todo: las jaquecas, el final de Walt el Niño Prodigio, el plan de ir a Hollywood y convertirme en una estrella de cine.

—No lo entiendo —dije—. Si usted y el maestro habían roto, ¿qué hacía él escribiéndole una carta?

—No habíamos roto. No íbamos a casarnos, simplemente.

—Sigo sin entenderlo.

—Se estaba muriendo, Walt. Ya lo sabes. Debías saberlo ya entonces. Descubrió que tenía cáncer poco después de que te secuestraran. Bonito desastre, ¿no? Hablamos del infierno. Hablamos de tus épocas duras. Estábamos recorriendo Wichita tratando de arañar el dinero para liberarte cuando él cayó con una maldita enfermedad mortal. Así fue como empezamos a hablar de matrimonio. Yo estaba completamente decidida a casarme con él, ¿comprendes? Me daba igual cuánto tiempo le quedara de vida, lo único que quería era ser su esposa. Pero él no estaba por la labor. «Si te casas conmigo, te casarás con un cadáver», me decía. «Piensa en el futuro, Marion.» Debió decirme esas palabras mil veces. «Piensa en el futuro, Marion. Ese tipo, Cox, no está tan mal. Nos dará el dinero para liberar a Walt y luego tú quedarás bien situada para el resto de tus días. Es un buen negocio, hermana, y serías tonta si no lo aprovecharas.»

—¡Joder! La quería de verdad, ¿no? La quería como Dios manda.

–Nos quería a los dos, Walt. Después de lo que les sucedió a Aesop y a madre Sioux, tú y yo éramos el mundo entero para él.

Yo no tenía intención de contarle cómo había muerto. Deseaba ahorrarle los detalles sangrientos, y durante el aperitivo conseguí mantenerla a raya, pero ella continuaba insistiendo para que le hablase de la última parte del viaje, para que le explicara lo que nos sucedió después de llegar a California. ¿Por qué no me había dedicado al cine? ¿Cuánto tiempo había vivido él? ¿Por qué la miraba yo de esa manera? Empecé a decirle que él había muerto dulcemente durante el sueño una noche, pero ella me conocía demasiado bien para tragárselo. Me caló en unos cuatro segundos, y una vez que comprendió que estaba ocultándole algo, ya fue inútil fingir. Así que se lo conté. Le conté toda la fea historia y, paso a paso, descendí de nuevo al horror. No omití nada. La señora Witherspoon tenía derecho a saber, y una vez que empecé no pude parar. Seguí hablando mientras ella lloraba, viendo cómo su maquillaje se corría y los polvos desaparecían de sus mejillas mientras las palabras salían a trompicones de mi boca.

Cuando llegué al final, me desabroché la chaqueta y saqué la pistola de la funda sujeta a mi hombro. La mantuve en el aire un momento o dos y luego la puse sobre la mesa entre nosotros.

–Aquí la tiene –dije–. La pistola del maestro. Solo para que sepa qué aspecto tiene.

–Pobre Walt –dijo ella.

–Nada de pobre. Es la única cosa que me queda de él.

La señora Witherspoon miró fijamente el pequeño revólver de culata de roble durante diez o doce segundos. Luego, muy tímidamente, alargó la mano y la puso sobre el arma. Pensé que iba a cogerla, pero no lo hizo. Se quedó allí sentada mirando sus dedos mientras estos se cerraban en torno a la pistola, como si tocar lo que el maestro había tocado le permitiera tocarle a él de nuevo.

–Hiciste lo único que podías hacer –dijo finalmente.

–Le fallé, eso es lo que hice. Me rogó que apretara el gatillo y no pude hacerlo. Su último deseo... y yo le volví la espalda y le obligué a hacerlo él mismo.

–Recuerda los buenos tiempos, eso es lo que él te dijo.

–No puedo. Antes de llegar a los buenos tiempos, recuerdo el momento en que me dijo que lo recordara. No puedo olvidar ese último día. No puedo retroceder lo suficiente como para recordar nada anterior a eso.

–Olvida la pistola, Walt. Deshazte de este maldito objeto y borra la pizarra.

–No puedo. Si hiciera eso, él desaparecería para siempre.

Fue entonces cuando se levantó de su silla y dejó la mesa. No dijo dónde iba y yo no se lo pregunté. La conversación se había vuelto tan opresiva, tan atroz para los dos, que no podíamos decir una palabra más sin enloquecer. Guardé la pistola en su funda y miré mi reloj. La una. Tenía mucho tiempo hasta mi cita con Dixie. Tal vez la señora Witherspoon volvería o tal vez no. De una forma u otra yo iba a quedarme allí y tomarme mi almuerzo, y después iría al Hotel Royal Park y pasaría una hora con mi nuevo amor, saltando sobre la cama con sus sedosas piernas rodeando mi cintura.

Pero la señora W. no había volado del gallinero. Simplemente había ido al lavabo de señoras para secarse las lágrimas y retocarse, y cuando regresó unos diez minutos después llevaba una nueva capa de lápiz de labios y se había arreglado las pestañas. El borde de sus párpados seguía estando rojo, pero me dirigió una sonrisita al sentarse y yo comprendí que estaba decidida a llevar la conversación a un tema diferente.

—Bueno, amigo mío –dijo tomando un bocado de su cóctel de gambas–, ¿cómo va el negocio de volar últimamente?

—Está guardado con bolas de naftalina –dije–. La escuadrilla está en tierra y, una por una, he ido vendiendo las alas para chatarra.

—¿Y no sientes la tentación de volver a intentarlo?

—Ni por todos los chiflados de Kalamazoo.

—Los dolores de cabeza eran realmente malos, ¿eh?

—Usted no sabe lo que significa la palabra malo, querida. Estamos hablando de un trauma de alto voltaje, de quemaduras que amenazan la vida.

—Es curioso. A veces oigo conversaciones. Ya sabes, sentada en un tren o andando por la calle, retazos de conversaciones. La gente se acuerda de ti, Walt. El Niño Prodigio causó sensación y mucha gente aún piensa en ti.

—Sí, ya lo sé. Soy una maldita leyenda. El problema es que ya nadie se la cree. Dejaron de creer cuando liquidamos el espectáculo, y ya no queda nadie. Sé a qué clase de conversación se refiere. Yo solía oírla también. Siempre acababa en una discusión. Un tipo decía que era un fraude, el otro tipo decía que tal vez no lo fuera, y pronto estaban tan enfadados el uno con el otro que se callaban. Pero eso fue hace algún tiempo. Ya no se oye hablar mucho de eso. Es como si todo aquello no hubiera ocurrido nunca.

—Hace unos dos años publicaron un artículo sobre ti en alguna parte, no recuerdo en qué periódico. Walt el Niño Prodigio, el muchachito que incendiaba la imaginación de millones de personas. ¿Qué le sucedió? ¿Dónde está ahora? Esa clase de artículo.

—Se cayó de la faz de la tierra, eso es lo que le sucedió. Los ángeles le llevaron de vuelta al lugar de donde venía, y nadie volverá a verle nunca.

–Excepto yo.

–Excepto usted. Pero ese es nuestro pequeño secreto, ¿verdad?

–Punto en boca, Walt. ¿Por qué clase de persona me tomas?

Las cosas se distendieron un poco después de eso. El camarero entró para llevarse los platos de los aperitivos y cuando regresó con el segundo plato, habíamos bebido lo suficiente como para pedir una segunda botella.

–Veo que no ha perdido usted el gusto por el alcohol –dije.

–El alcohol, el dinero y la jodienda. Esas son las verdades eternas.

–¿En ese orden?

–En el orden que quieras. Sin ellas el mundo sería un lugar triste y deprimente.

–Hablando de lugares tristes, ¿qué hay de nuevo en Wichita?

–¿Wichita? –dejó su copa sobre la mesa y me dedicó una preciosa sonrisa–. ¿Dónde está eso?

–No sé. Dígamelo usted.

–No lo recuerdo. Hice las maletas hace cinco años y no he vuelto a poner el pie en esa ciudad desde entonces.

–¿Quién compró la casa?

–No la vendí. Billy Bigelow vive allí con la cotorra de su esposa y sus dos niñas. Pensé que el alquiler me vendría bien para fruslerías, pero el pobre diablo perdió su empleo en el banco un mes después de mudarse y le dejo vivir allí por un dólar al año.

–Debe irle muy bien cuando puede usted permitirse eso.

–Me salí del mercado el verano antes de la quiebra de la bolsa. Por razones que tenían que ver con notas de rescate, entregas en metálico, puntos de entrega..., está todo un poco borroso ya. Resultó ser lo mejor que me ha sucedido nunca. Tu pequeña desventura me salvó la vida, Walt. Tuviera lo que tuviera entonces, ahora tengo diez veces más.

–Siendo así de rica, no tenía por qué quedarse en Wichita, claro. ¿Cuánto tiempo hace que se trasladó a Chicago?

–Solo estoy aquí por negocios. Vuelvo a Nueva York mañana por la mañana.

–A la Quinta Avenida, seguro.

–Acierta usted, señor Rawley.

–Lo supe en cuanto la vi. Su aspecto es de tener dinero a espuertas. Despide un olor especial, y me gusta estar aquí sentado respirando esos vapores.

–La mayor parte viene del petróleo. Esa sustancia apesta en la tierra, pero una vez que la conviertes en dinero, suelta un perfume delicioso, ¿no?

Era la misma señora Witherspoon de siempre. Le seguía gustando beber y le seguía gustando hablar de dinero, y una vez que descorchabas una botella y la conducías a su tema favorito, podía defender su terreno ante cualquier capitalista fumador de puros. Se pasó el resto del segundo plato hablándome de sus negocios e inversiones, y cuando nos retiraron de nuevo los platos y el camarero nos dio la carta de los postres, algo hizo clic y yo pude ver que una bombilla se encendía en su cabeza. Eran las dos menos cuarto en mi reloj. Pasara lo que pasara, yo me proponía estar fuera de allí al cabo de media hora.

–Si quieres participar, Walt –dijo ella–, estaré encantada de hacerte un sitio.

–¿Sitio? ¿Qué clase de sitio?

–En Texas. Tengo allí algunos nuevos pozos de ensayo y necesito a alguien que vigile las perforaciones.

–Yo no sé nada de petróleo.

–Eres listo. Aprenderás deprisa. Mira los progresos que has hecho ya. Ropa buena, restaurantes de lujo, dinero en el bolsillo. Has llegado muy lejos, compañero. Y no creas que no me he dado cuenta de cómo has pulido tu gramática. Ni un solo error en todo el tiempo que llevamos juntos.

–Sí, he trabajado duro en eso. No quería hablar como un ignorante, así que he leído algunos libros y reorganizado mi caja de las palabras. Pensé que ya era hora de salir del arroyo.

–A eso me refiero. Puedes hacer lo que te dé la gana. Con tal de que te lo propongas, quién sabe hasta dónde podrías llegar. Ya lo verás, Walt. Vente conmigo y dentro de dos o tres años seremos socios.

Era un respaldo extraordinario, pero una vez que me empapé de sus elogios, apagué mi Camel y sacudí la cabeza.

–Me gusta lo que estoy haciendo ahora. ¿Por qué irme a Texas cuando tengo todo lo que quiero en Chicago?

–Porque estás en el negocio equivocado, por eso. No hay futuro en ese asunto de policías y ladrones. Si sigues por ese camino, estarás muerto o cumpliendo condena antes de los veinticinco.

–¿Qué asunto de policías y ladrones? Yo estoy limpio como las uñas de un cirujano.

–Ya. Y el Papa es un encantador de serpientes hindú disfrazado.

Luego trajeron el carrito de los postres y mordisqueamos nuestros pastelillos de crema en silencio. Era una mala manera de acabar la comida, pero ambos éramos demasiado tercos para echarnos atrás. Finalmente charlamos sobre el tiempo e hicimos comentarios intrascendentes acerca de las siguientes elecciones, pero el jugo se había secado y no había modo de recuperarlo. La señora Witherspoon no estaba simplemente enfadada conmigo por rechazar su oferta. La casualidad nos había reunido de nuevo y solo un imbécil dejaría pasar la llamada del destino tan despreocupadamente como yo. No le faltaba razón para sentirse disgustada conmigo, pero yo tenía que seguir mi propio camino y era demasiado engreído para comprender que mi camino era el mismo que el suyo. Si no me hubiera urgido tanto salir corriendo y meterle el pito a Dixie Sinclair, tal vez la habría escuchado con más atención, pero tenía prisa y no podía molestarme en hacer examen de conciencia aquel día. Así es la vida. En cuanto la entrepierna te domina, pierdes la capacidad de razonar.

Nos saltamos el café, y cuando el camarero trajo la cuenta a la mesa a las dos y diez, se la arrebaté de la mano antes de que la señora Witherspoon pudiera cogerla.

–Invito yo –dije.

–De acuerdo, señorón. Alardea si eso te hace feliz, Pero si alguna vez abres los ojos, no olvides dónde estoy. Puede que entres en razón antes de que sea demasiado tarde. –Y al decir eso metió la mano en el bolso, sacó una tarjeta de visita profesional y me la puso suavemente en la mano–. No te preocupes por el coste –añadió–. Si estás sin blanca cuando te acuerdes de mí, dile a la operadora que llame a cobro revertido.

Pero no la llamé, me metí la tarjeta en el bolsillo con toda la intención de guardarla, pero cuando la busqué antes de acostarme aquella noche, no apareció por ninguna parte. Dados los revolcones y los tirones a que aquel pantalón había estado sometido inmediatamente después del almuerzo, no era difícil adivinar lo que había sucedido. La tarjeta se había caído y, si no la había tirado ya a la basura una camarera, estaría en el suelo de la suite 409 del Hotel Royal Park.

Yo era una fuerza imparable en aquellos días, un joven prometedor capaz de dejar atrás a todos los jóvenes prometedores, e iba en el tren expreso con un billete de ida a Fat City. Menos de un año después de mi almuerzo con la señora Witherspoon, tuve mi siguiente gran oportunidad cuando fui a Arlington una bochornosa tarde de agosto y aposté mil dólares a un caballo con remotísimas posibilidades como ganador de la tercera carrera. Si añado que el caballo se llamaba Niño Prodigio, y si añado además que yo seguía siendo esclavo de mis viejas supersticiones, no hará falta leer el pensamiento para comprender por qué piqué en una apuesta tan improbable. Yo hacía cosas disparatadas por rutina en aquel entonces, y cuando el potro ganó por medio cuerpo cuarenta a uno, supe que había un Dios en el cielo y que le hacía gracia mi locura.

Las ganancias me proporcionaron la posibilidad de hacer lo que más deseaba y rápidamente me dediqué a convertir mi sueño en realidad. Le pedí consejo a Bingo en su ático con vistas al lago Michigan, y una vez que le expuse el plan y él se recobró del susto inicial, me dio luz verde de mala gana. No era que pensase que la propuesta no valía la pena, pero creo que le decepcioné por poner mis miras tan bajas. Él me estaba preparando para un puesto en el círculo interior y aquí estaba yo diciéndole que quería seguir mi camino y abrir un club nocturno que ocupase mis energías hasta el punto de excluir todo lo demás. Me di cuenta de que él podría interpretarlo como un acto de traición y tuve que sortear cuidadosamente esa trampa con algunos pasos de fantasía. Afortunadamente, mi boca estaba en buena forma aquella tarde, y, mostrándole cuántas ventajas supondría para él, tanto en términos de beneficio como de placer, finalmente conseguí convencerle.

–Mis cuarenta de los grandes pueden cubrir toda la operación –dije–. Otro tipo en mi lugar se quitaría el sombrero y diría hasta la vista, pero no es así como yo hago los negocios. Tú eres mi colega, Bingo, y quiero que te lleves un pedazo del pastel. No tienes que poner dinero, ni trabajo, ni responsabilidades legales, pero por cada dólar que gane, te daré veinticinco centavos. Lo que es justo es justo. Tú me diste mi primera oportunidad, y ahora estoy en situación de devolverte el favor. La lealtad tiene que contar para algo en este mundo, y yo no voy a olvidar de dónde vino mi suerte. No será un antro de tres al cuarto para los horteras. Estoy hablando de la Costa Dorada con todos los adornos. Un restaurante a gran escala con un cocinero francés, espectáculos de categoría y chicas bonitas con vestidos ajustados saliendo de los paneles de madera. Te pondrás cachondo solo con entrar allí, Bingo. Tendrás la mejor mesa de la casa, y las noches en que no aparezcas, tu mesa permanecerá vacía, por mucha gente que haya esperando en la puerta.

Regateó conmigo hasta sacarme el cincuenta por ciento, pero yo esperaba cierto toma y daca y no convertí ese asunto en un problema. Lo importante era contar con su bendición, y eso lo conseguí animándole, minando constantemente sus defensas con mi actitud amistosa y acomodaticia, y al final, solo para demostrar cuánta clase tenía, me ofreció invertir diez mil más para asegurarse de que decoraba el local como era debido. Me daba igual. Lo único que yo quería era mi club nocturno, y aun restando de los ingresos el cincuenta por ciento de Bingo, saldría ganando. Había numerosas ventajas en tenerle como socio, y habría estado engañándome si pensara que podría salir adelante sin él. Su mitad me garantizaba la protección de O'Malley (el cual se convirtió *ipso facto* en el tercer socio) y me ayudaría a evitar que los polis me echaran la puerta abajo. Si a esto añadimos sus contactos con la junta de bebidas alcohólicas de Chicago, las lavanderías comerciales y los agentes artísticos locales, perder ese cincuenta por ciento no me parecía tan mal negocio después de todo.

Llamé al lugar Mr. Vértigo. Estaba en el mismo corazón de la ciudad, en la esquina de West Division y North LaSalle, y su letrero de neón parpadeante iba del rosa al azul y al rosa mientras una bailarina se turnaba con una coctelera contra el cielo nocturno. El ritmo de rumba de aquellas luces hacía que tu corazón latiese más deprisa y tu sangre se calentara, y una vez que cogías el ritmo sincopado en tu pulso, no querías estar en ninguna parte excepto donde estaba la música. Dentro, el decorado era una mezcla de alto y bajo, una elegante comodidad de gran ciudad mezclada con traviesas insinuaciones y un relajado encanto de bar de carretera. Trabajé mucho para crear aquel ambiente, y cada matiz y efecto estaba planeado hasta en el menor detalle: desde el lápiz de labios de la chica del guardarropa hasta el color de los platos, desde el diseño de las cartas hasta los calcetines del barman. Había sitio para cincuenta mesas, una pista de baile de buen tamaño, un escenario elevado y una larga barra de caoba en una pared lateral. Me costó hasta el último céntimo de los cincuenta mil dólares decorarlo como yo quería, pero cuando finalmente se inauguró, el treinta y uno de diciembre de 1937, era un lugar de suntuosa perfección. Lo lancé con una de las más grandes fiestas de Nochevieja de la historia de Chicago y a la mañana siguiente el Mr. Vértigo estaba en el mapa. Durante los tres años y medio siguientes estuve allí todas las noches, paseando entre los clientes con mi esmoquin blanco y mis zapatos de charol, repartiendo buen humor con mis sonrisas presuntuosas y mi charla viva. Era un sitio fantástico para mí, y disfruté cada minuto que pasé en aquel estruendoso emporio. Si no hubiera metido la pata y destrozado mi vida, probablemente todavía estaría allí. Tal y como fueron las cosas, solo tuve aquellos tres años y medio. Fui cien por cien responsable de mi propia ruina, pero saber eso no hace que resulte menos doloroso recordarlo. Estaba en lo más alto cuando caí, y la cosa acabó en un auténtico Humpty Dumpty[1] para mí, un espectacular salto del ángel al olvido.

Pero no me arrepiento. Tuve una buena fiesta por mi dinero y no voy a decir lo contrario. El club se convirtió en el lugar de moda número uno de Chicago, y a mi propia y pequeña manera yo era tan famoso como cualquiera de los peces gordos que iban por allí. Me codeaba con jueces, concejales y jugadores de béisbol, y gracias a todas las bailarinas y coristas a las que probaba para los desfiles de carne que presentaba a las once y a la una todas las noches, no falta-

---

1. Hombrecillo rechoncho de un verso para niños, que personifica un huevo que cayó y se hizo añicos. *(N. de la T.)*

ban las oportunidades de practicar los deportes de cama. Dixie y yo seguíamos juntos cuando se inauguró el Mr. Vértigo, pero mis aventuras agotaron su paciencia y al cabo de seis meses cambió de domicilio. Luego vino Sally, luego Jewel, luego una docena más: morenitas de piernas largas, pelirrojas fumadoras empedernidas, rubias culonas. En un momento dado estuve liado con dos chicas al mismo tiempo, un par de actrices sin trabajo que se llamaban Cora y Billie. Me gustaban las dos por igual, ellas se gustaban tanto como les gustaba yo, y uniéndonos conseguimos producir algunas interesantes variaciones de la vieja melodía. De vez en cuando mis costumbres me causaban inconvenientes médicos (una dosis de gonorrea, un problema de ladillas), pero nada que me dejara fuera de combate por mucho tiempo. Puede que fuese una manera depravada de vivir, pero yo estaba contento con las cartas que me habían salido y mi única ambición era mantener las cosas exactamente como estaban. Luego, en septiembre de 1939, justo tres días después de que el ejército alemán invadiese Polonia, Dizzy Dean entró en el Mr. Vértigo y todo empezó a venirse abajo.

Tengo que retroceder para explicarlo, retroceder hasta los tiempos de mi niñez en Saint Louis. Allí fue donde me enamoré del béisbol y antes de que me quitaran los pañales ya era un acérrimo admirador de los Cardinals, un hincha para toda la vida. Ya he mencionado cuánto me entusiasmé cuando ganaron la serie en el año 26, pero eso fue solo un ejemplo de mi devoción, y desde que Aesop me enseñó a leer y a escribir pude seguir a mis muchachos en el periódico todas las mañanas. De abril a octubre nunca me perdía un tanteo y podía recitar la media de bateo de cada jugador del equipo, desde las estrellas como Frankie Frisch y Pepper Martin hasta el último suplente sentado en el banquillo.

Esto continuó durante los años buenos con el maestro Yehudi y también durante los años malos que siguieron. Yo vivía como una sombra, vagando por el país en busca del tío Slim, pero por muy negras que estuvieran las cosas para mí, siempre seguía las noticias de mi equipo. Ganaron el trofeo en el 30 y el 31 y aquellas victorias contribuyeron mucho a levantar mi ánimo, a mantenerme en la brecha a pesar de todos los problemas y adversidades de aquella época. Mientras los Cardinals ganaran, algo iba bien en el mundo y no era posible caer en la desesperación total.

Ahí es donde Dizzy Dean entra en la historia. El equipo bajó al séptimo puesto en el 32, pero casi no importó. Dean era el novato más sensacional, impetuoso y bocazas que había jugado jamás en primera y convirtió a un miserable club en un simpático circo rústico. Por mucho que fanfarroneara y retozara, aquel campesino sureño respaldaba sus bravatas con algunos de los lanzamientos más bonitos a este lado del cielo. Su brazo de goma echaba humo; su control era sobrenatural; sus movimientos previos al lanzamiento eran una asombrosa máquina de brazos, piernas y potencia, algo hermoso de ver. Cuando yo llegué a Chicago y me instalé como protegido de Bingo, Dizzy era ya una estrella indiscutible, una fuerza extraordinaria en la escena americana. La gente le adoraba por su descaro y su talento, sus locos destrozos del idioma inglés, sus alborotadoras e infantiles travesuras y su agresiva gracia, y yo también le adoraba, le adoraba tanto como el que más. Como la vida se iba haciendo cada vez más cómoda para mí, estaba en situación de ver a los Cardinals en acción siempre que venían a la ciudad. En el 33, el año en que Dean batió el récord al eliminar a diecisiete bateadores en un partido, parecían de nuevo un equipo de primera división. Añadieron a unos cuantos jugadores nuevos a la plantilla, y con matones como Joe Medwick, Leo Durocher y Rip Collins para acelerar el ritmo, el equipo de la Fábrica de Gas estaba empezando a cuajar. El 34 resultó ser su año de gloria, y creo que yo nunca he disfrutado tanto de una temporada de béisbol. El hermano pequeño de Dizzy, Paul, ganó diecinueve juegos, Dizzy ganó treinta, y el equipo luchó desde una posición de diez juegos perdidos hasta sobrepasar a los Giants y ganar el trofeo. Ese fue el primer año en que las series mundiales se retransmitieron por radio y yo escuché los siete partidos sentado en mi casa de Chicago. Dizzy venció a los Tigers en el primer juego, y cuando Frisch le hizo entrar como corredor de recambio en el cuarto juego, recibió un pelotazo en la cabeza y cayó inconsciente. Al día siguiente los titulares anunciaban: LAS RADIOGRAFÍAS DE LA CABEZA DE DEAN NO REVELAN NADA. Volvió a jugar como lanzador la tarde siguiente pero perdió, y luego, justo dos días después, derrotó a Detroit once a cero en el último juego, riéndose de los bateadores de los Tigers cada vez que fallaban una de sus bolas rápidas. La prensa inventó toda clase de descalificativos para aquel equipo: los Gángsters Galopantes, los Camorristas del Mississippi, los Cardenales Parlanchines. A aquellos muchachos de la Fábrica de Gas les encantaba pasar sus triunfos por las narices, y cuando el tanteo del juego final se les fue de las manos en las últimas entradas, los seguidores de los Tigers respondieron aporreando a Medwick con una andanada de diez minutos de frutas y verduras en el lado izquierdo del campo. La única manera de terminar la serie fue que el juez Landis, el comisionado de béisbol, interviniera y sacara a Medwick del campo para las tres últimas eliminaciones.

Seis meses después, yo estaba sentado en un palco con Bingo y los chicos cuando Dean abrió la nueva temporada contra los Cubs en Chicago. En la primera entrada, con dos abajo y un hombre en la base, el bateador de los Cubs, Freddie Lindstrom, mandó por el medio una pelota fuerte y perversa que le dio a Dizzy en la pierna y le derribó. Mi corazón se saltó un latido o dos cuando vi que los hombres de la camilla salían corriendo y se lo llevaban del campo, pero no sufrió ningún daño permanente, y cinco días después estaba de vuelta en el montículo en Pittsburgh, donde bateó limpiamente cinco veces y obtuvo su primera rotunda victoria de la temporada. Continuó teniendo un año sensacional, pero los Cubs eran el equipo del destino en 1935, y al lograr una serie de veintiún triunfos seguidos al final de la temporada, adelantaron a los Cardinals y les arrebataron el trofeo. No puedo decir que me importara demasiado. La ciudad enloqueció con los Cubbies, y lo que era bueno para Chicago era bueno para los negocios, y lo que era bueno para los negocios era bueno para mí. Eché los dientes en el negocio del juego con aquella serie, y una vez que el polvo se asentó, yo había maniobrado hasta conseguir una posición tan fuerte que Bingo me recompensó con un cuchitril propio.

Por otra parte, ese fue el año en que los altibajos de Dizzy empezaron a afectarme de un modo excesivamente personal. No le llamaría una obsesión en aquella época, pero después de verle derrumbarse en la primera entrada del partido inaugural en Wrigley –tan poco tiempo después del exitazo de la serie del año 34– empecé a intuir que una nube se estaba formando en torno a él. No contribuyó a mejorar las cosas que el brazo de su hermano se quedara insensible en el 36, pero aún peor fue lo que sucedió en un partido contra los Giants aquel verano, cuando Burgess Whitehead golpeó una bola que le dio justo encima del oído derecho. La pelota había sido golpeada con tanta fuerza que rebotó y voló al lado izquierdo del campo. Dean se derrumbó de nuevo, y aunque recobró la conciencia en el vestuario siete u ocho minutos más tarde, el diagnóstico inicial fue fractura de cráneo. Resultó ser una contusión grave, que le dejó aturdido durante un par de semanas, pero dos o tres centímetros más a la derecha y el gran hombre habría estado criando malvas en lugar de ganar veinticuatro partidos más aquella temporada.

La primavera siguiente mi hombre continuó maldiciendo, peleando y armando bulla, pero eso era únicamente porque no sabía hacer otra cosa. Provocó altercados con sus lanzamientos de espalda, le llamaron la atención por tentativas inconclusas en dos partidos seguidos y decidió montar una sentada en el montículo, y cuando se levantó en un banquete y llamó estafador al nuevo presidente de la liga, el alboroto resultante llevó a una bonita reyerta de vaqueros, especialmente después de que Dizzy se negara a firmar una retractación formal autoinculpándose. «No voy a firmar na», fue lo que dijo, y sin esa firma Ford Frick no tuvo más remedio que dar marcha atrás y rescindir la suspensión de Dean. Yo me sentí orgulloso de él por comportarse como un gallito pendenciero, pero la verdad era que la suspensión le habría impedido participar en el Partido de las Estrellas, y si no hubiera lanzado en aquella absurda exhibición, tal vez habría podido retrasar un poco más la hora del desastre.

Jugaron en Washington, D.C., aquel año, y Dizzy empezó para la Liga Nacional. Hizo con facilidad las dos primeras entradas de un modo esmerado, y luego, después de que dos fuesen eliminados en la tercera, le regaló un sencillo a DiMaggio y una larga cuadrangular a Gehrig. Earl Averill fue el siguiente, y cuando el jardinero del Cleveland devolvió el primer lanzamiento de Dean al montículo, el telón cayó de repente sobre el más grande diestro del siglo. En aquel momento la cosa no pareció muy preocupante. La pelota le golpeó en el pie izquierdo, rebotó hacia Billy Herman en la segunda y Herman la tiró a la primera para la eliminación. Cuando Dizzy salió cojeando del campo, nadie le dio importancia, ni siquiera el propio Dizzy.

Ese fue el famoso dedo del pie roto. Si no se hubiera precipitado a volver a entrar en acción antes de estar en condiciones, probablemente el dedo se habría curado a su debido tiempo. Pero los Cardinals estaban a punto de ser eliminados de la carrera por el trofeo y le necesitaban en el montículo, y aquel estúpido paleto les aseguró que estaba bien. Andaba con una muleta, el dedo estaba tan hinchado que no podía ponerse el zapato, y, sin embargo, se vistió el uniforme y salió a jugar. Como todos los gigantes entre los hombres, Dizzy Dean pensaba que era inmortal, y aunque el dedo estaba demasiado sensible para que pudiera girar sobre su pie izquierdo, aguantó las nueve entradas. El dolor le obligó a alterar su saque natural y el resultado fue que forzó demasiado el brazo. Después de aquel primer partido tuvo el brazo dolorido y luego, para acabar de arreglarlo, continuó lanzando durante un mes más. Al cabo de seis o siete partidos, se puso tan mal que tuvieron que sacarlo a la fuerza después de tres lanzamientos. Para entonces Dizzy estaba tirando melones en trayectoria alta y lenta, y no le quedó más remedio que colgar las botas y descansar el resto de la temporada.

Aun así, no había un hincha en el país que creyera que estaba acabado. La opinión general era que un invierno de reposo arreglaría sus lesiones y que llegado abril volvería a ser invencible. Pero hizo los entrenamientos de primavera con dificultad y luego, en uno de los grandes bombazos de la historia deportiva, Saint Louis le traspasó a los Cubs por 185.000 dólares en metálico y dos o tres jugadores del montón. Yo sabía que Dean y Branch Rickey, el director general de los Cardinals, no se tenían mucho cariño, pero también sabía que Rickey no se habría desprendido de él si creyera que aún quedaba algo de energía en el brazo del palurdo. Yo estaba contentísimo de que Dizzy viniera a Chicago, pero al mismo tiempo sabía que su venida significaba que había llegado al final de su carrera. Mis peores temores se habían visto confirmados, y a la madura edad de veintisiete o veintiocho años, el mejor lanzador del mundo era historia.

Sin embargo, proporcionó algunos buenos momentos en ese primer año con los Cubs. El Mr. Vértigo tenía solo cuatro meses cuando comenzó la temporada, pero conseguí escaparme al estadio tres o cuatro veces para ver a Diz arrancar unas cuantas entradas más a su machacado brazo. A principio de temporada, hubo un partido contra los Cardinals que recuerdo bien, un clásico partido de animosidad que enfrentaba a antiguos compañeros de equipo, y él ganó aquella confrontación decisiva a base de mafia y estratagemas, desconcertando a los bateadores con una variedad de bolas blandas y cambiadas. Luego, hacia el final de la temporada, con los Cubs empujando fuerte para lograr otro trofeo, el entrenador de Chicago, Gabby Hartnett, asombró a todo el mundo al darle a Dizzy luz verde para entrar a vencer o morir contra los Pirates. El juego fue verdaderamente de infarto, la alegría y la desesperación acompañaban cada lanzamiento y Dean, con menos que nada que ofrecer, logró a duras penas una victoria para su nuevo equipo. Casi repitió el milagro en un segundo partido de la Serie Mundial, pero finalmente los Yankees le ganaron en la octava, y cuando el asalto continuó en la novena y Hartnett le sacó del campo para que se tomara un descanso, Dizzy abandonó el montículo acompañado por uno de los más atronadores aplausos que he oído nunca. Todo el estadio estaba de pie, aplaudiendo, vitoreando y silbando al gran campesino, y la ovación fue tan larga y tan fuerte que algunos de nosotros estábamos parpadeando para contener las lágrimas cuando terminó. Ese debería haber sido el final. El valiente guerrero hace su última reverencia y se aleja hacia la puesta de sol. Yo habría aceptado eso y habría reconocido sus méritos, pero Dean era demasiado lerdo para comprenderlo, y el clamor de despedida cayó en oídos sordos. Eso es lo que me molestó: el hijo de puta no sabía parar. Dejando a un lado toda dignidad, volvió y jugó de nuevo para los Cubs, y si la temporada del 38 había sido patética –con unos cuantos momentos brillantes salpicados–, la del 39 fue pura oscuridad, sin paliativos. El brazo le dolía tanto que apenas podía lanzar. Partido tras partido calentaba el banquillo, y los breves momentos que pasaba en el montículo eran una vergüenza. Era infecto, más infecto que el chucho de un vagabundo, ni siquiera un pálido facsímil de lo que había sido en otro tiempo. Yo sufría por él, me afligía por él, pero al mismo tiempo pensaba que era el patán más estúpido sobre la faz de la tierra.

Así estaban las cosas más o menos cuando él entró en el Mr. Vértigo en septiembre. La temporada estaba terminando, y con los Cubs fuera de la carrera por el trofeo, no causó mucha sensación que Dean se presentara un viernes por la noche con su señora y un grupo de dos o tres parejas. Ciertamente no era el momento para una conversación íntima sobre su futuro, pero me acerqué a su mesa y le di la bienvenida al club.

–Encantado de que hayas venido, Diz –dije, tendiéndole la mano–. Yo también soy de Saint Louis y te he seguido desde el día de tu aparición. Siempre he sido tu admirador número uno.

–El placer es todo mío, compañero –dijo, haciendo desaparecer mi manita en su enorme zarpa y dándome un cordial apretón.

Empezó a dirigirme una de esas rápidas sonrisas de despedida cuando repentinamente su expresión se volvió perpleja. Frunció el ceño por un segundo, buscando en su memoria algo que había perdido, y cuando no lo encontró, me miró profundamente a los ojos como si pensara que podría encontrarlo allí.

–Yo te conozco, ¿no? –dijo–. Quiero decir que esta no e' la primera ve' que no' vemo'. Pero no sé dónde fue. Hace mucho tiempo en alguna parte, ¿no e' cierto?

–Creo que no, Diz. Puede que me hayas visto algún día en la tribuna, pero nunca hemos hablado.

–¡Mierda! Podría jurar que no ere' un extraño para mí. E' una sensación endiablada. Oh, bueno –se encogió de hombros, dedicándome una de sus grandes sonrisas–, supongo que da igual. Tienes un antro estupendo, amigo.

–Gracias, campeón. La primera ronda corre de mi cuenta. Espero que tú y tus amigos lo paséis bien.

–Para eso hemo' venío, muchacho.

–Que disfrutéis del espectáculo. Si necesitáis algo, gritad.

Me lo tomé con toda la calma que pude, y me alejé sintiendo que había manejado la situación bastante bien. No le había hecho la pelota y al mismo tiempo no le había insultado por echarse a perder. Yo era Mr. Vértigo, un sinvergüenza con mucha labia y modales elegantes, y no iba a dejar que Dean supiera cuánto me preocupaba su difícil situación. El

299

verle en carne y hueso había roto un poco el hechizo, y en el curso natural de los acontecimientos probablemente le habría descartado como otro tipo simpático que había tenido mala suerte. ¿Por qué habría de interesarme por él? Dizzy iba cuesta abajo y muy pronto no habría pensado más en él. Pero no fue eso lo que sucedió. Fue el propio Dean el que mantuvo viva la relación, y aunque no voy a fingir que nos convertimos en amigos del alma, persistió un contacto lo bastante estrecho como para hacer imposible que le olvidara. Si se hubiera ido alejando, como tendría que haber hecho, nada hubiera salido tan mal como salió.

No volví a verle hasta el principio de la temporada siguiente. Estábamos ya en abril de 1940, la guerra en Europa se desarrollaba a toda velocidad y Dizzy había vuelto para hacer un nuevo intento de revivir su arruinada carrera. Cuando cogí el periódico y leí que había firmado otro contrato con los Cubs, casi me atraganto con mi emparedado de salami. ¿A quién estaba engañando? «Este viejo brazo no es el azote que solía ser», dijo, pero, diantre, le gustaba el juego demasiado como para no intentarlo una vez más. De acuerdo, imbécil, me dije, a mí qué me importa. Si quieres humillarte delante del mundo, es asunto tuyo, pero no cuentes conmigo para compadecerte.

Luego, inesperadamente, entró de nuevo en el club una noche y me saludó como un hermano largo tiempo perdido. Dean no bebía, así que no podía ser el alcohol lo que le hacía comportarse así, pero su cara se iluminó al verme, y durante los siguientes cinco minutos me obsequió con una elevada dosis de amabilidad. Quizá siguiera empeñado en la idea de que nos conocíamos, o quizá pensara que yo era alguien importante, no lo sé, pero el resultado fue que no podía haberse mostrado más encantado de verme. ¿Cómo resistirse a un tipo así? Yo había hecho todo lo que podía para endurecer mi corazón ante él, pero me trató de un modo tan amistoso que no pude remediar sucumbir a sus atenciones. Seguía siendo el gran Dean, después de todo, mi espíritu afín, mi álter ego caído en desgracia, y cuando se abrió a mí de esa manera, caí directamente en la trampa de mi viejo hechizo.

No diría que se convirtió en un cliente habitual del club, pero pasó por allí con suficiente frecuencia durante las siguientes seis semanas como para que iniciásemos algo más que una relación pasajera. Vino solo unas cuantas veces para cenar temprano (echándoles a todos los platos chorros de salsa de carne Lea & Perrins) y yo me sentaba a charlar con él mientras devoraba su comida. Evitábamos el tema del béisbol y hablábamos principalmente de caballos, y desde que le di un par de excelentes sugerencias sobre dónde apostar su dinero empezó a escuchar mis consejos. Debería haberle hablado francamente entonces, haberle dicho lo que pensaba sobre su regreso, pero incluso después de que chapuceara sus primeras entradas de la temporada, poniéndose en ridículo cada vez que salía al campo, no le dije una palabra. Para entonces le había cogido mucho afecto, y como el pobre hombre se esforzaba tanto en hacerlo bien, no fui capaz de decirle la verdad.

Al cabo de un par de meses, su mujer, Pat, le convenció para que jugara en segunda con el fin de trabajar un nuevo lanzamiento. La idea era que podría progresar más lejos de los focos; una táctica disparatada si alguna vez hubo una, ya que lo único que hacía era mantener el engaño de que aún había esperanza para él. Fue entonces cuando finalmente reuní el valor para decir algo, pero no tuve agallas para insistir lo suficiente.

–Puede que haya llegado la hora, Diz –dije–. Puede que haya llegado la hora de hacer las maletas y volver a la granja.

–Sí –dijo él, con el aire más abatido que un hombre pueda tener–. Probablemente tienes razón. El problema e' que no sirvo pa' na' más que lanzar pelotas de béisbol. Si fracaso esta ve', me voy a la mierda, Walt. Quiero decir, ¿qué otra cosa puede hacer un pobre diablo como yo?

Muchas cosas, pensé, pero no lo dije, y esa misma semana se marchó a Tulsa. Nunca había caído uno de los grandes tan bajo y tan deprisa. Pasó un largo y desdichado verano en la liga de Texas, recorriendo el mismo polvoriento circuito que había demolido con sus bolas rápidas diez años antes. Esta vez apenas podía defender su terreno, y los insultos salpicaban sus lanzamientos por todo el campo. Con el viejo lanzamiento o el nuevo, el veredicto estaba claro, pero Dizzy continuaba partiéndose la cara y no dejaba que los abucheos le deprimieran. Una vez que se duchaba, se vestía y salía del estadio, volvía a su habitación del hotel con una pila de impresos de carreras y empezaba a telefonear a sus corredores de apuestas. Yo le hice varias apuestas aquel verano, y cada vez que llamaba charlábamos durante cinco o diez minutos y nos poníamos al corriente de las noticias del otro. Lo increíble para mí era lo muy tranquilamente que aceptaba su desgracia. El tipo se había convertido en el hazmerreír de todos y sin embargo parecía estar de buen humor, tan parlanchín y bromista como siempre. ¿De qué servía discutir? Pensé que ahora era solo cuestión de tiempo, así que le seguí el juego y me guardé mis pensamientos. Antes o después, tendría que ver la luz.

Los Cubs le llamaron de nuevo en septiembre. Querían ver si el experimento de jugar en segunda había dado resultado, y aunque su actuación era poco alentadora, no era tan espantosa como podía haber sido. Mediocre era la palabra adecuada –un par de victorias por los pelos, un par de derrotas aplastantes–, y eso determinó el último capítulo de la historia. Por alguna lógica absurda, los Cubs decidieron que Dean había demostrado tener suficiente de su antigua aptitud como para garantizar otra temporada, así que le pidieron que volviese. No me enteré del nuevo contrato hasta después de que él se marchara de la ciudad para pasar el invierno fuera, pero cuando lo supe, algo dentro de mí saltó finalmente. Me reconcomí durante meses. Estaba inquieto, preocupado y malhumorado, y cuando llegó de nuevo la primavera comprendí lo que tenía que hacer. Sentía que no había elección. El destino me había escogido a mí como instrumento, y por muy horrible que fuese la tarea, salvar a Dizzy era lo único que importaba. Si no podía hacerlo él mismo, entonces yo tendría que intervenir y hacerlo por él.

Aún ahora me resulta difícil explicar cómo una idea tan retorcida y perversa pudo introducirse en mi cabeza. Pensé realmente que era mi deber persuadir a Dizzy Dean de que ya no deseaba vivir. Expresado en términos tan escuetos, la cosa huele a locura, pero fue precisamente así como planeé salvarle: convenciéndole de que pusiera fin a su vida. Aunque solo fuera eso, demuestra lo enferma que mi alma había llegado a ponerse en los años posteriores a la muerte del maestro Yehudi. Me aferré a Dizzy porque me recordaba a mí mismo, y mientras su carrera fue floreciente yo pude revivir mis pasadas glorias a través de él. Tal vez eso no habría sucedido si él hubiera jugado para alguna otra ciudad que no fuera Saint Louis. Tal vez no habría sucedido si nuestros apodos no fueran tan parecidos.[1] No lo sé. No sé nada, pero el hecho es que

---

1. *Dizzy* significa «mareado» y también «vertiginoso». *(N. de la T.)*

llegó un momento en que ya no podía ver las diferencias entre nosotros. Sus triunfos eran mis triunfos, y cuando la mala suerte le alcanzó finalmente y su carrera quedó destrozada, su desgracia fue mi desgracia. No podía soportar volver a vivir aquello, y poco a poco empecé a perder el control. Por su propio bien, Dizzy tenía que morir, y yo era el hombre adecuado para insistirle en que tomara la decisión correcta. No solo por su bien, sino por el mío. Tenía el arma, tenía los argumentos, tenía el poder de la locura de mi parte. Destruiría a Dizzy Dean y al hacerlo finalmente me destruiría a mí mismo.

Los Cubs llegaron a Chicago para su primer partido en casa el día diez de abril. Llamé a Diz aquella misma tarde y le pedí que se pasara por mi oficina, explicándole que había surgido algo importante. Trató de sacármelo, pero le dije que era demasiado importante para discutirlo por teléfono. Si te interesa una propuesta que cambiará tu vida radicalmente, le dije, vendrás. Estaba comprometido hasta después de la cena, así que fijamos la cita para las once de la mañana siguiente. Se presentó con solo quince minutos de retraso y entró con sus andares largos y sueltos, haciendo rodar un palillo de dientes con la lengua. Llevaba un traje azul de estambre y un sombrero vaquero color tostado, y aunque había engordado algunos kilos desde la última vez que le vi, su piel tenía un tono saludable después de seis semanas tomando el sol por esos mundos de Dios.

Como de costumbre, era todo sonrisas cuando entró, y pasó los primeros minutos hablando de lo diferente que parecía el club de día y sin clientes.

—Me recuerda un estadio vacío —dijo—. Da repelús. Silencioso como una tumba y muchísimo más grande.

Le dije que se sentara y le serví un refresco de la nevera que tenía detrás de mi mesa.

—Esto nos llevará unos minutos —dije—, y no quiero que te entre sed mientras hablamos.

Noté que mis manos empezaban a temblar, así que me puse un trago de Jim Beam y bebí dos sorbitos.

—¿Cómo va ese brazo, viejo? —dije, acomodándome en mi sillón de cuero y esforzándome por parecer tranquilo.

—Igual que estaba. Es como si un hueso me se saliera por el codo.

—Te han machacado bastante en los entrenamientos de primavera, según he oído.

—Eso son solo partidos de prácticas. No son na'.

—Claro. Los partidos en serio son peores, ¿no?

Percibió el cinismo en mi voz y se encogió de hombros; luego buscó los cigarrillos en el bolsillo de su camisa.

—Bueno, hombrecito —dijo—, ¿cuál es el notición? —Sacó un Lucky de su paquete y lo encendió, echando una gran humareda en mi dirección—. Por teléfono parecía que era cosa de vida o muerte.

—Lo es. Eso es exactamente lo que es.

—¿Y eso? ¿Es que has inventado un bromuro nuevo o algo así? ¡Joder, si encuentras una medicina que cure lo' brazo' enfermo', Walt, te daré la mitá de mi sueldo durante los próximos diez años!

—Tengo algo mejor que eso, Diz. Y no te costará nada.

—Todo cuesta, amigo. E' la ley de la tierra.

—Yo no quiero tu dinero. Yo quiero salvarte, Diz. Déjame que te ayude y el tormento que has estado viviendo durante estos últimos cuatro años desaparecerá.

—¿Sí? —dijo sonriendo como si le hubiera contado un chiste moderadamente gracioso—. ¿Y cómo piensas hacerlo?

—Como tú quieras. El método no es importante. Lo único que cuenta es que tú estés de acuerdo, y que entiendas por qué hay que hacerlo.

–No te sigo, muchacho. No sé de qué me estás hablando.

–Una gran persona me dijo una vez: «Cuando un hombre llega al final del camino, lo único que realmente desea es la muerte.» ¿Está algo más claro ahora? Oí esas palabras hace mucho tiempo, pero fui demasiado estúpido para comprender lo que querían decir. Ahora lo sé, y te diré algo, Diz, son verdad. Son las palabras más verdaderas que ningún hombre ha dicho nunca.

Dean se echó a reír.

–Ere' un bromista, Walt. Tienes mucho sentido del humor. Por eso me gustas tanto. Nadie de la ciudad sale con cosas tan cojonudas.

Suspiré ante su estupidez. Tratar con un payaso como aquel iba a ser un trabajo duro, y lo último que yo quería era perder la paciencia. Bebí otro sorbo de mi vaso, paseé el aromático líquido dentro de mi boca durante un par de segundos y lo tragué.

–Escucha, Diz –dije–. Yo he estado donde tú estás. Hace doce o trece años yo estaba sentado en la cima del mundo. Era el mejor en lo que hacía, único en mi género. Y permíteme que te diga que lo que tú has logrado en el campo no es nada comparado con lo que yo podía hacer. A mi lado no eres más alto que un pigmeo, un insecto, un maldito bicho. ¿Oyes lo que te digo? Luego, de repente, sucedió algo y no pude seguir. Pero no me empeñé en continuar y no hice que la gente se compadeciera de mí, no me convertí en un chiste. Lo dejé y luego me hice una nueva vida. Eso es lo que he estado esperando y rogando que te sucediera a ti. Pero tú no lo entiendes, ¿verdad? Tu gordo cerebro paleto está demasiado atascado de tortas de maíz y melaza.

–Espera un segundo –dijo Dizzy, amenazándome con el dedo mientras una repentina e inesperada expresión de gozo se extendía por su cara–. Espera un segundo. Ya sé quién ere'. Mierda, lo he sabío siempre. Tú ere' aquel chico, ¿no? Ere' aquel maldito chico. Walt… Walt el Niño Prodigio. ¡Cielo santo! Mi papá nos llevó a Paul, a Elmer y a mí a la feria un día en Arkansas y te vimos hacer tu número. Era algo fuera de este mundo. Siempre me pregunté qué habría sío de ti. Y aquí estás, sentao enfrente de mí. Coño, no puedo creerlo.

–Créelo, amigo mío. Cuando te dije que fui grande, quería decir más grande que nadie. Como un cometa atravesando el cielo.

–Eras grande, vaya si lo eras. Soy testigo de ello. Lo más grande que he visto en mi vida.

–Tú también. De los más grandes que han existido. Pero ahora estás acabado, y se me parte el corazón al ver lo que te estás haciendo a ti mismo. Déjame ayudarte, Diz. La muerte no es tan terrible. Todos tenemos que morir algún día, y una vez que te acostumbres a la idea, verás que ahora es mejor que luego. Si me das la oportunidad, puedo ahorrarte la vergüenza, puedo devolverte tu dignidad.

–Hablas realmente en serio, ¿no?

–Puedes estar seguro. Lo más en serio que he hablado en mi vida.

–Estás mal de la chaveta, Walt. Estás más loco que una cabra.

–Deja que te mate y los últimos cuatro años quedarán olvidados. Volverás a ser grande. Serás grande para siempre.

Estaba yendo demasiado deprisa. Él me había desconcertado con su charla sobre el Niño Prodigio, y en lugar de dar un rodeo y modificar mi planteamiento, yo había segui-

307

do adelante a toda velocidad. Había querido ir aumentando la presión y poco a poco arrullarle con argumentos tan elaborados y herméticos que finalmente se convenciera él solo. Ese era el objetivo: no forzarle, sino hacerle ver la sabiduría del plan. Yo quería que él desease lo que yo deseaba, que estuviera tan convencido de mi proposición que llegase a rogarme que lo hiciera, y lo único que había hecho era dejarle atrás, asustarle con mis amenazas y precipitadas trivialidades. No era de extrañar que creyera que yo estaba loco. Había dejado que todo el asunto se me fuera de las manos y ahora, justo cuando deberíamos haber estado empezando, él estaba ya de pie y dirigiéndose hacia la puerta.

Eso no me preocupaba. La había cerrado por dentro y solo se podía abrir con la llave, que estaba en mi bolsillo. Sin embargo, no quería que se pusiera a tirar del picaporte y a sacudirla. Tal vez habría empezado a gritarme que le dejara salir, y como había media docena de personas trabajando en la cocina a esa hora, el alboroto seguramente les habría hecho venir corriendo. Así que, pensando únicamente en esa pequeña cuestión y sin hacer caso de las consecuencias mayores, abrí el cajón de mi mesa y saqué la pistola del maestro. Ese fue el error que finalmente me hundió. Al apuntar a Dizzy con esa pistola crucé la frontera que separa la charla ociosa de los delitos punibles, y la pesadilla que había puesto en marcha fue ya imparable. Pero la pistola era crucial, ¿no? Era la pieza clave de todo el asunto y en un momento u otro tenía que salir de aquel cajón. Apretar el gatillo apuntando a Dizzy y así volver al desierto para hacer el trabajo que nunca hice. Obligarle a suplicar la muerte del mismo modo que la había suplicado el maestro Yehudi, y entonces deshacer el mal teniendo el coraje de actuar.

Nada de eso importa ahora. Yo ya lo había estropeado todo antes de que Dizzy se pusiera de pie, y sacar la pistola no era más que un desesperado intento de salvar la cara. Le convencí de que volviera a sentarse y durante los siguientes quince minutos le hice sudar mucho más de lo que había pretendido. A pesar de su jactancia y su tamaño, Dean era cobarde físicamente y siempre que estallaba una reyerta él se escondía detrás del mueble más próximo. Yo ya conocía su reputación, pero la pistola le aterrorizó aún más de lo que yo esperaba. Incluso le hizo llorar, y mientras estaba allí sentado gimoteando y lloriqueando, casi apreté el gatillo solo para que se callara. Estaba rogándome por su vida, no para que le matara, sino para que le dejara vivir, y era todo tan diferente, tan contrario a lo que yo había imaginado, que no sabía qué hacer. El punto muerto podía haber durado todo el día, pero entonces, justo alrededor de mediodía, alguien llamó a la puerta. Yo había dado instrucciones claras de que no me molestaran, pero de todas formas alguien estaba llamando.

–¿Diz? –dijo una voz de mujer–. ¿Estás ahí dentro, Diz?

Era su mujer, Pat, una tipa mandona y dominante donde las haya. Había venido a recoger a su marido para almorzar en Lemmele's y, por supuesto, Dizzy le había dicho dónde podía encontrarle, lo cual era otro obstáculo potencial en el que no se me había ocurrido pensar. Ella había irrumpido en mi club buscando a su tiranizada media naranja, y una vez que acorraló al ayudante del chef en la cocina (el cual estaba atareado cortando patatas y zanahorias en rodajas), se puso tan pesada que el pobre diablo finalmente reveló el secreto. La llevó al piso de arriba y así fue como ella acabó de pie delante de la puerta de mi oficina, aporreando el esmalte blanco con sus coléricos nudillos de mala pécora.

Aparte de meterle una bala en la cabeza a Dizzy, yo no podía hacer nada más que guardar el revólver y abrir la puerta. Era seguro que la mierda daría de lleno en el ventilador en aquel momento, a menos que el gran hombre se pusiera de mi parte y decidiera callarse la boca. Durante diez segundos mi vida pendió de ese hilo de telaraña: si estaba demasiado avergonzado para decirle lo muy asustado que había estado, no revelaría el embrollo. Puse mi más cordial y festiva sonrisa cuando la señora Dean entró en la habitación, pero el llorón de su marido lo soltó todo en el mismo instante en que le echó la vista encima.

—¡Este cabrón iba a matarme! –dijo acusándome con voz aguda e incrédula–. ¡Me estaba apuntando a la cabeza con una pistola y el muy cabrón iba a disparar!

Esas fueron las palabras que me expulsaron de golpe del negocio de los clubs nocturnos. En lugar de mantener su reserva en Lemmele's, Pat y Dizzy salieron de mi despacho hechos unas furias y fueron derechos a la comisaría del barrio para presentar una denuncia contra mí. Pat me dijo lo que iban a hacer antes de dar un portazo en mis narices, pero yo no moví un músculo. Me senté detrás de mi mesa y me maravillé de lo estúpido que era, tratando de ordenar mis pensamientos antes de que la bofia se presentara a buscarme. Tardaron menos de una hora y me fui con ellos sin decir ni mu, sonriendo y gastando bromas cuando me pusieron las esposas. De no haber sido por Bingo, tal vez habría tenido que cumplir una condena seria por mi pequeña tentativa de jugar a ser Dios, pero él tenía todos los contactos adecuados, y llegaron a un acuerdo antes de que el caso se viera en los tribunales. Fue mejor así. No solo para mí, sino también para Dizzy. Un juicio no le habría beneficiado —con la artillería y el escandalazo que lo habría acompañado– y estuvo absolutamente encantado de aceptar la componenda. El juez me dio a elegir. Declararme culpable de un cargo menor y cumplir de seis a nueve meses en la prisión de Joliet o bien marcharme de Chicago y alistarme en el ejército. Opté por la segunda puerta. No era que tuviese grandes deseos de llevar uniforme, pero pensé que me había quedado más tiempo del debido en Chicago y que ya era hora de mudarse.

Bingo había utilizado sus influencias y pagado sobornos para evitar que me metieran en la trena, pero eso no quería decir que sintiera ninguna simpatía por lo que yo había hecho. Pensaba que estaba loco, noventa-y-nueve-coma-nueve por-ciento loco. Cargarse a un tipo por dinero era una cosa, pero ¿a qué clase de imbécil se le ocurriría matar a una gloria nacional como Dizzy Dean? Había que estar como una auténtica regadera para planear una cosa así. Probablemente lo estaba, dije, y no traté de explicarme. Que pensara lo que quisiera y me dejara en paz. Había un precio que pagar, naturalmente, pero yo no estaba en posición de discutir. En lugar de darle dinero por los servicios prestados, acepté compensar a Bingo por su ayuda legal cediéndole mi parte del club. Perder el Mr. Vértigo fue duro para mí, pero ni la mitad de duro de lo que había sido renunciar a mi espectáculo, ni una décima parte de duro que perder al maestro. Ahora no era nadie especial. Volvía a ser únicamente mi viejo yo corriente: Walter Claireborne Rawley, un soldado de veintiséis años con el pelo cortado a cepillo y los bolsillos vacíos. Bienvenido al mundo real. Les regalé mis trajes a los camareros, me despedí de mis novias con un beso y luego subí al tren de la leche y me dirigí al campamento. Considerando lo que estaba a punto de dejar atrás, supongo que tuve suerte.

Para entonces, Dizzy también se había ido. Su temporada había consistido en un solo partido, y después de que Pittsburgh le eliminara al conseguir tres carreras en su turno de la primera entrada, finalmente abandonó. No sé si mis tácticas terroristas le habían hecho entrar en razón, pero me alegré cuando leí acerca de su decisión. Los Cubs le dieron un empleo como entrenador de su primera base, pero un mes después recibió una oferta mejor de la fábrica de cerveza Falstaff de Saint Louis y regresó a su ciudad natal para trabajar como locutor de radio en los partidos de los Browns y de los Cardinals.

—Este trabajo no me va a cambiar pa' na' –dijo–. Voy a seguir hablando un simple inglés de andar por casa.

Había que reconocerle eso al gran destripaterrones. Al público le gustó la campechana basura que vomitaba por las ondas, y tuvo tanto éxito que le mantuvieron en ese puesto durante veinticinco años. Pero eso es otra historia, y no puedo decir que le prestara mucha atención. Una vez que salí de Chicago aquello ya no tenía nada que ver conmigo.

IV

Mi vista era demasiado débil para que me aceptaran en la escuela de vuelo, por lo que pasé los siguientes cuatro años arrastrándome por el barro. Me convertí en un experto en las costumbres de los gusanos y otras criaturas que reptan por la tierra y rapiñan en la piel humana en busca de alimento. El juez había dicho que el ejército me haría un hombre, y si comer tierra y ver cómo los miembros de los soldados salían volando arrancados de sus cuerpos es prueba de hombría, entonces supongo que el honorable Charles P. McGuffin tenía razón. En mi opinión, cuanto menos diga acerca de aquellos cuatro años, mejor. Al principio pensé seriamente en conseguir que me licenciaran por enfermedad, pero nunca pude encontrar el valor necesario para hacerlo. Mi plan consistía en empezar a levitar de nuevo en secreto y provocarme tan violentas e invalidantes jaquecas que se vieran obligados a mandarme a casa. El problema era que yo ya no tenía casa, y una vez que rumié la situación durante algún tiempo, comprendí que prefería la incertidumbre del combate a la tortura cierta de aquellos dolores de cabeza.

No me distinguí como soldado, pero tampoco me deshonré. Cumplí con mi deber, evité problemas, aguanté y conseguí que no me mataran. Cuando finalmente me embarcaron para casa en noviembre de 1945, yo estaba quemado, incapaz de pensar en el futuro ni de hacer planes. Vagabundeé durante tres o cuatro años, principalmente arriba y abajo de la Costa Este. La temporada más larga la pasé en Boston. Allí trabajé como camarero y complementé mis ingresos apostando a los caballos y participando en una partida de póquer semanal en el salón de billares de Spiro, en el North End. Eran solo apuestas medianas, pero si ganas repetidamente esos billetes de uno y de cinco, empiezan a acumularse. Estaba a punto de juntar la cantidad necesaria para abrir un local propio cuando mi suerte se secó. Mis ahorros desaparecieron poco a poco, me endeudé y antes de que pasaran muchas lunas tuve que salir a hurtadillas de la ciudad para quitarme de encima a los tiburones con los que estaba entrampado. De allí me fui a Long Island y encontré un empleo en la construcción. Aquellos eran los años en que las urbanizaciones estaban brotando en los alrededores de las ciudades, y yo fui donde estaba el dinero, poniendo mi granito de arena para cambiar el paisaje y convertir el mundo en lo que es hoy. Yo fui quien levantó muchas de aquellas casas de una sola planta, con su impecable césped y sus esbeltos arbolitos envueltos en tela de saco. Era un trabajo aburrido, pero lo conservé durante dieciocho meses. En un momento, por razones que no puedo explicar, dejé que me convencieran para casarme. El matrimonio no duró más que medio año, y toda la experiencia es tan nebulosa para mí que ahora tengo dificultad para recordar qué aspecto tenía mi mujer. Si no me esfuerzo mucho, ni siquiera recuerdo su nombre.

No tenía ni idea de lo que me ocurría. Siempre había sido muy listo, muy rápido para aprovechar las oportunidades y sacarles partido, pero ahora me sentía lento, falto de sincronización, incapaz de seguir la corriente. El mundo me estaba dejando atrás, y lo más extraño era que me daba igual. No tenía ambiciones. No estaba resuelto a triunfar ni buscaba estímulos. Solo quería que me dejasen en paz, ir tirando lo mejor que podía y dejar que el mundo me llevara a donde quisiera. Ya había soñado mis grandes sueños. No me habían llevado a ninguna parte, y ahora estaba demasiado agotado para concebir unos nuevos. Que otro llevara la pelota para variar. Yo la había dejado caer hacía mucho tiempo y no valía la pena hacer el esfuerzo de agacharse para recogerla.

En 1950 me trasladé al otro lado del río, a un apartamento de renta baja en Newark, New Jersey, y comencé a trabajar en mi noveno o décimo empleo desde la guerra. La Compañía Panificadora Meyerhoff empleaba a más de doscientas personas y, en tres turnos de ocho horas, fabricábamos cualquier producto horneado imaginable. Había siete variedades diferentes de pan: blanco, de trigo integral, de centeno, de centeno con alcaravea, con pasas, con canela y pasas y negro bávaro. Añadan a esto doce clases de galletas, diez tipos de pasteles, seis tipos de rosquillas, junto con colines, pan rallado y panecillos, y comenzarán a entender por qué la fábrica funcionaba veinticuatro horas al día. Empecé en una cadena de montaje, ajustando y preparando el papel de celofán que envolvía las barras de pan cortadas en rebanadas. Pensé que aguantaría solo unos pocos meses, pero una vez que le cogí el tranquillo, resultó ser un sitio decente donde ganarse la vida. Los olores de aquella fábrica eran muy agradables, y con el aroma del pan fresco y el azúcar impregnando continuamente el aire, las horas no transcurrían tan pesadamente como en otros trabajos. Eso era parte del asunto, pero aún más importante fue la pequeña pelirroja que empezó a ponerme ojitos tiernos aproximadamente una semana después de que yo llegara allí. No era muy guapa, por lo menos comparada con las chicas del espectáculo con las que yo había tonteado en Chicago, pero había un brillo pensativo en aquellos ojos verdes que tocó una fibra sensible en mí y no pasó mucho tiempo antes de que saliera con ella. He tomado solo dos buenas decisiones en mi vida. La primera fue seguir al maestro Yehudi y subir a aquel tren cuando tenía nueve años. La segunda fue casarme con Molly Fitzsimmons. Molly me recompuso de nuevo, y considerando el estado en que me encontraba cuando aterricé en Newark, eso no fue pequeña tarea.

Su apellido de soltera era Quinn y tenía menos de treinta años cuando la conocí. Se había casado con su primer marido nada más salir del instituto, y cinco años más tarde él fue llamado a filas. Al parecer, Fitzsimmons era un inmigrante irlandés simpático y trabajador, pero su guerra fue menos afortunada que la mía. Recibió un balazo en Messina en el 43, y desde entonces Molly se había quedado sola, una joven viuda sin hijos que cuidaba de sí misma y esperaba a que pasara algo. Dios sabe qué vio ella en mí, pero yo me enamoré de ella porque hacía que me sintiera cómodo, porque sacó a relucir al tipo ingenioso que yo llevaba dentro y porque sabía apreciar un buen chiste cuando lo oía. No había nada llamativo en ella, nada que la hiciera destacar en una multitud. Pasabas a su lado por la calle y no era más que la esposa de un trabajador: una de esas mujeres de caderas voluminosas y trasero ancho que no se molestaba en maquillarse a menos que fuera a ir a un restaurante. Pero

Molly tenía espíritu, vaya si lo tenía, y a su manera tranquila y observadora, era tan lista como cualquier persona que yo haya conocido. Era bondadosa; no guardaba rencores; me apoyaba y nunca intentó convertirme en alguien distinto. Si era un poco desaliñada como ama de casa y no muy buena cocinera, a mí no me importaba. No era mi criada, después de todo, era mi mujer. También era la única verdadera amiga que yo había tenido desde los tiempos de Kansas con Aesop y madre Sioux; la primera mujer a la que había amado.

Vivíamos en un segundo piso sin ascensor en el barrio de Ironbound, y como Molly no podía tener hijos, siempre vivimos solos. Le hice dejar su empleo después de la boda, pero yo conservé el mío, y a lo largo de los años subí en el escalafón de Meyerhoff. Una pareja podía vivir con un solo sueldo en aquel entonces, y después de que me ascendieran a encargado del turno de noche, no tuvimos preocupaciones económicas dignas de mención. Era una vida modesta de acuerdo con los modelos que yo me había trazado en otro tiempo, pero había cambiado lo suficiente como para que no me importase. Íbamos al cine dos veces por semana, salíamos a cenar los sábados por la noche y veíamos la tele. En verano íbamos a la costa, a Asbury Park, y casi todos los domingos nos reuníamos con alguno de los parientes de Molly. Los Quinn eran una familia numerosa y todos sus hermanos y hermanas se habían casado y engendrado hijos. Eso me proporcionó cuatro cuñados, cuatro cuñadas y trece sobrinas y sobrinos. Para ser un hombre que no tenía hijos, estaba metido hasta las cejas entre chiquillería, pero no puedo decir que me molestara mi papel de tío Walt. Molly era el hada madrina buena y yo era el bufón de la corte: el tipo rechoncho que tenía tantas ocurrencias y hacía tantas gracias, el payaso que rodaba por los escalones del porche trasero.

Estuve casado con Molly veintitrés años, un viaje largo y bueno, supongo, pero no lo suficientemente largo. Mi plan era envejecer con ella y morir en sus brazos, pero vino el cáncer y me la arrebató antes de que yo estuviera listo para dejarla ir. Primero le quitaron un pecho, luego el otro, y cuando tenía cincuenta y cinco años, ya no estaba allí. La familia hizo todo lo que pudo por ayudarme, pero fue una época espantosa para mí, y pasé los siguientes seis o siete meses en un letargo alcohólico. Llegué a estar tan mal que finalmente perdí mi puesto en la fábrica, y si dos de mis cuñados no me hubiesen llevado a la fuerza a una clínica de desintoxicación, cualquiera sabe qué habría sido de mí. Hice una cura de sesenta días en el Hospital Saint Barnabas de Livingston, y allí fue donde finalmente empecé a soñar otra vez. No me refiero a ensoñaciones y pensamientos sobre el futuro, me refiero a verdaderos sueños: vívidas y espectaculares imágenes de película casi todas las noches durante un mes. Puede que tuviera algo que ver con los medicamentos y los tranquilizantes que estaba tomando, no lo sé, pero cuarenta y cuatro años después de mi última actuación como Walt el Niño Prodigio, todo aquello volvió a mí. Estaba de nuevo en el circuito con el maestro Yehudi, viajando de ciudad en ciudad en el Pierce Arrow, haciendo mi número todas las noches. Me hacía increíblemente feliz y me devolvía placeres que había olvidado hacía mucho tiempo que era capaz de sentir. Andaba nuevamente sobre el agua, pavoneándome ante gigantescas multitudes, y podía moverme por el aire sin dolor, flotando, girando y haciendo cabriolas con todo mi antiguo virtuosismo y seguridad. Me había esforzado tanto por enterrar aquellos recuerdos, había lucha-

320

do durante tantos años por apegarme a la tierra y ser como todo el mundo, y ahora todo ello surgía una vez más, estallando en un despliegue nocturno de fuegos artificiales en tecnicolor. Aquellos sueños lo transformaron todo para mí. Me devolvieron mi orgullo, y a partir de entonces ya no me avergonzaba mirar al pasado. No sé de qué otra manera expresarlo. El maestro me había perdonado. Había cancelado mi deuda con él gracias a Molly, gracias a cómo la había amado y llorado, y ahora él me llamaba y me pedía que le recordase. No hay forma de demostrar nada de esto, pero el efecto era innegable. Algo se había despejado dentro de mí, y salí de aquel depósito de borrachos tan sobrio como lo estoy ahora. Tenía cincuenta y ocho años, mi vida era una ruina, y, sin embargo, no me sentía demasiado mal. Bien mirado, realmente me sentía bastante bien.

Los gastos de la enfermedad de Molly habían agotado el poco dinero que habíamos conseguido ahorrar. Debía cuatro meses de alquiler, el casero amenazaba con echarme y la única cosa que poseía era mi coche, un Ford Fairlane de siete años con la rejilla abollada y un carburador defectuoso. Unos tres días después de salir del hospital, mi sobrino favorito me llamó desde Denver ofreciéndome un trabajo. Dan era el miembro más brillante de la familia –el primer profesor universitario que habían tenido– y llevaba unos años viviendo allí con su mujer y su hijo. Puesto que su padre ya le había dicho lo apurada que era mi situación, no perdí el tiempo contándole mentiras sobre mi estupenda cuenta corriente. El trabajo no era gran cosa, me dijo, pero tal vez me vendría bien un cambio de escenario. ¿Qué clase de trabajo es?, le pregunté. Ingeniero de mantenimiento, respondió, tratando de que no sonara demasiado gracioso. ¿Quieres decir conserje?, dije. Eso es, me contestó, un friegasuelos. El puesto había quedado libre en el edificio donde él daba sus clases, y si me apetecía trasladarme a Denver, cerraría el trato. Estupendo, dije, por qué no, y dos días más tarde metí mis cosas en el Ford y partí hacia las Montañas Rocosas.

Nunca llegué a Denver. No fue porque el coche tuviera una avería, tampoco porque me pensara mejor lo de ser conserje, pero sucedieron cosas por el camino y en lugar de acabar en un sitio, acabé en otro. En realidad no es difícil de explicar. Al ocurrir muy poco tiempo después de todos aquellos sueños que tuve en el hospital, el viaje me trajo un torrente de recuerdos, y cuando crucé la frontera de Kansas, no pude resistir la tentación de dar un corto rodeo sentimental hacia el sur. No me desviaba demasiado, me dije, y a Dan no le importaría que tardara un poco en llegar. Solo quería pasar unas horas en Wichita, y volver a casa de la señora Witherspoon para ver qué aspecto tenía el viejo edificio. Una vez, poco después de la guerra, había intentado localizarla en Nueva York, pero ella no aparecía en la guía telefónica y yo había olvidado el nombre de su compañía. Probablemente habría muerto ya, igual que todas las demás personas a las que alguna vez había querido.

La ciudad había crecido mucho desde los años veinte, pero seguía sin ser mi idea de un lugar donde uno podía pasarlo bien. Había más gente, más edificios y más calles, pero una vez que me acostumbré a los cambios, resultó ser el mismo lugar atrasado que yo recordaba. Ahora la llamaban la «Capital Aérea del Mundo», y me dio mucha risa cuando vi esa frase publicitaria en los carteles pegados por todas partes. La cámara de comercio se refería a las numerosas compañías de construcciones aeronáuticas que habían montado sus fábricas allí, pero yo no pude evitar pensar en mí mismo, el niño-pájaro que en otro tiempo había tenido su hogar en Wichita. Tuve alguna dificultad para encontrar la casa, lo cual hizo que mi recorrido fuera un poco más largo de lo que yo había planeado. En aquel entonces estaba situada en las afueras de la ciudad, aislada en un camino de tierra que llevaba a campo abierto, pero ahora formaba parte de un barrio residencial y habían construido otras casas a su alrededor. La calle se llamaba Coronado Avenue y tenía todos los avíos modernos: aceras, farolas y una superficie asfaltada con una raya blanca en el centro. Pero la casa tenía buen aspecto, no había duda de ello: las ripias brillaban bajo el cielo gris de noviembre y los arbolitos que el maestro Yehudi había plantado en el jardín delantero se elevaban por encima del tejado como gigantes. Quien quiera que fuese su propietario la había tratado bien, y ahora era tan vieja que había adquirido el aire de algo histórico, una venerable mansión de una época pasada.

Aparqué el coche y subí los escalones del porche delantero. Era a media tarde, pero había una luz encendida en una ventana del primer piso, y ya que estaba allí, pensé que tenía que llegar hasta el final y llamar al timbre. Si sus habitantes no eran ogros, tal vez incluso me dejarían entrar y me la enseñarían por amor a los viejos tiempos. Eso era todo lo que esperaba: echar una ojeada. Hacía frío en el porche, y mientras estaba allí esperando a que apareciese alguien, no pude evitar acordarme de la primera vez que había ido a aquella casa, medio muerto por haberme perdido en aquella infernal tormenta de nieve. Tuve que llamar dos veces antes de oír pasos en el interior, y cuando la puerta se abrió finalmente, yo estaba tan ensimismado recordando mi primer encuentro con la señora Witherspoon que tardé un par de segundos en darme cuenta de que la mujer que estaba de pie delante de mí no era otra que la propia señora Witherspoon: una versión más vieja, más frágil y más arrugada, ciertamente, pero la misma señora Witherspoon a pesar de todo. La habría reconocido en cualquier parte. No había engordado ni un kilo desde 1936; su pelo estaba teñido del mismo rojo chillón; y sus brillantes ojos azules eran tan azules y brillantes como siempre. Tenía setenta y cuatro o setenta y cinco años por entonces, pero no representaba ni un día más de sesenta..., sesenta y tres como máximo. Seguía vestida con ropa de moda, seguía manteniéndose erguida, y vino a la puerta con un cigarrillo encendido en los labios y un vaso de whisky en la mano izquierda. Uno tenía que querer a una mujer así. El mundo había pasado por incontables cambios y catástrofes desde la última vez que la vi, pero la señora Witherspoon continuaba siendo la misma mujer fuerte que había sido siempre.

Yo la reconocí antes que ella a mí. Eso era comprensible, dado que el paso del tiempo había sido más drástico con mi aspecto que con el suyo. Mis pecas prácticamente habían desaparecido y me había convertido en un tipo achaparrado y regordete con el pelo gris y escaso y unas gafas de culo de vaso cabalgando sobre la nariz. Nada parecido al joven vigoroso y elegante con el que había almorzado en Lemmele's hacía treinta y ocho años. Yo iba vestido con anodinas ropas de diario —una chaqueta de leñador, pantalones caqui, zapatos rojizos y calcetines blancos— y llevaba el cuello subido para protegerme del frío. Probablemente ella no podía ver bien mi cara, y la parte que veía estaba tan macilenta y consumida por mi lucha con el alcohol que no tuve más remedio que decirle quién era.

El resto no hace falta decirlo, ¿verdad? Derramamos lágrimas, nos contamos historias y charlamos hasta altas horas de la madrugada. Rememoramos los viejos tiempos en Coronado Avenue y dudo de que hubiese podido haber un mejor reencuentro que el que nosotros tuvimos aquella noche. Ya he contado la esencia de lo que me había sucedido a mí, pero su historia no era menos extraña o menos inesperada que la mía. En lugar de transformar sus millones en más millones durante el auge de los pozos perforados al azar en Texas, había hecho sus perforaciones en tierra seca y había quebrado. El negocio del petróleo era en gran medida un juego de las adivinanzas en aquel entonces y ella se había equivocado demasiadas veces en las suyas. En 1938 ya había perdido nueve décimas partes de su fortuna. Eso no quiere decir que se quedara en la miseria, pero ya no pertenecía a la liga de la Quinta Avenida, y después de lanzar unas cuantas empresas más que no tuvieron éxito, finalmente hizo las maletas y volvió a Wichita. Pensó que sería solo temporalmente: unos cuantos meses en la vieja casa para evaluar la situación y luego pondría en marcha la siguiente idea brillante. Pero una cosa llevó a otra, y cuando llegó la guerra ella seguía allí. En lo que no puedo por menos de llamar un cambio de conducta asombroso, se dejó arrastrar por el fervor patriótico de la época y pasó los cuatro años siguientes trabajando como enfermera voluntaria en el hospital de veteranos de Wichita. Me costó trabajo imaginarla haciendo el papel de Florence Nightingale, pero la señora W. era una mujer de muchas sorpresas, y aunque el dinero era su punto fuerte, no era en absoluto la única cosa en la que pensaba. Después de la guerra, se metió de nuevo en negocios, pero esta vez se quedó en Wichita, y poco a poco consiguió que la empresa fuera rentable. Se dedicó a las lavanderías automáticas, ni más ni menos. Suena gracioso después de tanta especulación a gran escala en acciones y petróleo, pero ¿por qué no? Fue una de las primeras personas que vio las posibilidades comerciales de las lavadoras, y les llevó la delantera a sus competidores al entrar pronto en ese campo. Para cuando yo aparecí en 1974, ella tenía veinte lavanderías repartidas por la ciudad y otras doce en pueblos vecinos. La Casa de la Limpieza, las llamaba, y todas aquellas monedas de diez y de veinticinco la habían convertido nuevamente en una mujer rica.

Y ¿qué me cuenta de hombres?, le pregunté. Oh, muchos hombres, me contestó, más hombres de los que una puede amenazar con una vara. Y Orville Cox, ¿qué había sido de él? Muerto y enterrado, me dijo. ¿Y Billy Bigelow? Aún entre los vivos. Casualmente, su casa estaba justo a la vuelta de la esquina. Ella le había metido en el negocio de las lavadoras automáticas después de la guerra y había sido su director y mano derecha hasta que se retiró hacía seis meses. El joven Billy iba ya para los setenta, y con dos ataques al corazón a sus espaldas, el médico le había dicho que se tomara las cosas con calma. Su mujer había muerto siete u ocho años antes y como todos sus hijos eran ya mayores y vivían lejos, Billy y la señora Witherspoon seguían estando en estrecho contacto. Le describió como el mejor amigo que había tenido, y por la forma en que su voz se dulcificó al decirlo, deduje que las relaciones entre ellos iban más allá de la conversación profesional sobre lavadoras y secadoras. Ajá, dije, así que la paciencia finalmente triunfó y el dulce Billy consiguió lo que quería. Ella me lanzó uno de sus endiablados guiños. A veces, dijo, pero no siempre. Depende de mi estado de ánimo.

No necesitó insistirme mucho para que me quedase. El trabajo de conserje no era más que un recurso momentáneo, y ahora que había surgido algo mejor, no tuve que pensarlo dos veces para cambiar mis planes. El sueldo era solamente una pequeña parte del asunto, por supuesto. Había vuelto a donde pertenecía, y cuando la señora Witherspoon me invitó a ocupar el antiguo puesto de Billy, le dije que empezaría a primera hora de la mañana. No me importaba en qué consistiera el trabajo. Si me hubiera invitado a quedarme para fregar los cacharros de su cocina, le habría dicho que sí igualmente.

Dormía en la misma habitación del último piso que ocupaba de niño, y una vez que aprendí el negocio, le fui muy útil. Mantuve las lavadoras zumbando, aumenté los beneficios, la convencí de que nos expandiéramos en diferentes direcciones: una bolera, una pizzería, un salón de juegos. Con todos los universitarios que llegaban a la ciudad cada otoño, había demanda de comida rápida y entretenimiento barato, y yo era el hombre adecuado para proporcionar esas cosas. Le eché muchas horas y me quemé los sesos, pero me gustaba estar a cargo de algo nuevamente, y la mayor parte de mis proyectos salieron bien. La señora Witherspoon me llamaba vaquero, lo cual viniendo de ella era un cumplido, y durante los primeros tres o cuatro años galopamos a paso vivo. Luego, de repente, Billy murió. Fue otro ataque al corazón, pero este ocurrió en el duodécimo hoyo del Club de Campo Cherokee Acres, y para cuando los médicos llegaron, él ya había dado su último suspiro. La señora W. entró en barrena a partir de entonces. Dejó de venir conmigo a la oficina por las mañanas, y poco a poco pareció perder interés por la compañía, dejando la mayoría de las decisiones en mis manos. Yo había pasado por algo parecido cuando murió Molly, pero no servía de mucho decirle que el tiempo todo lo cura. La única cosa que ella no tenía era tiempo. El hombre que la había adorado durante cincuenta años había desaparecido, y nadie iba a sustituirle nunca.

Una noche, en medio de todo esto, la oí sollozar a través de las paredes cuando yo estaba leyendo en la cama en el piso de arriba. Bajé a su habitación, hablamos durante un rato y luego la cogí en mis brazos y la sostuve así hasta que se durmió. No sé cómo, acabé durmiéndome yo también, y cuando me desperté por la mañana me encontré acostado bajo las mantas en la enorme cama doble. Era la misma cama que ella había compartido con el maestro Yehudi en los viejos tiempos, y ahora me tocaba a mí dormir a su lado, ser el hombre sin el cual ella no podía vivir. Era principalmente una cuestión de comodidad, de compañía, de preferir dormir en una cama en lugar de dos, pero eso no quiere decir que las sábanas no ardieran de vez en cuando. Solo porque uno envejece, no deja de sentir el impulso, y cualquier escrúpulo que yo tuviera al principio se desvaneció pronto. Durante los próximos once años vivimos juntos como marido y mujer. No creo que tenga que disculparme por ello. En otros tiempos yo había sido lo bastante joven como para ser su hijo, pero ahora era más viejo que la mayoría de los abuelos, y cuando llegas a esa edad, ya no tienes que jugar siguiendo las reglas. Vas donde tienes que ir y haces cualquier cosa que te permita seguir respirando, eso es lo que haces.

Conservó la buena salud la mayor parte del tiempo que estuvimos juntos. Con ochenta y tantos años seguía tomando un par de whiskies antes de cenar y fumando algún que otro cigarrillo, y la mayoría de los días tenía suficiente ánimo como para arreglarse y salir a dar una vuelta en su gigantesco Cadillac azul. Vivió hasta los noventa o noventa y uno (nunca estuvo claro en qué siglo había nacido) y la vida no fue demasiado dura para ella hasta los últimos dieciocho meses, más o menos. Hacia el final estaba casi ciega, casi sorda, casi incapaz de levantarse de la cama, pero seguía siendo ella misma a pesar de todo, y en lugar de meterla en una residencia o contratar a una enfermera para que la cuidara, vendí el negocio e hice el trabajo sucio yo mismo. Se lo debía, ¿no es cierto? La bañaba y la peinaba; la llevaba en brazos por la casa; le limpiaba la mierda del culo después de cada accidente, igual que había hecho ella conmigo una vez.

El entierro fue imponente. Yo me encargué de que lo fuera y no reparé en gastos. Ahora todo me pertenecía –la casa, los coches, el dinero que ella había ganado, el dinero que yo había ganado para ella–, y puesto que había suficiente en el tarro de las galletas como para mantenerme durante otros setenta y cinco o cien años, decidí hacerle una gran despedida, el entierro más grandioso que Wichita hubiera visto nunca. Ciento cincuenta coches participaron en el traslado al cementerio. El tráfico quedó atascado en varios kilómetros a la redonda, y una vez que terminó el entierro, por la casa pasaron multitudes hasta las tres de la madrugada, tragando licor y atiborrándose de muslos de pavo y pasteles. No voy a decir que yo fuera un miembro respetable de la comunidad, pero me había ganado cierto respeto a lo largo de los años y la gente de la ciudad sabía quién era. Cuando les pedí que vinieran a despedir a Marion, se presentaron en manadas.

Eso fue hace año y medio. Durante los dos primeros meses vagué abatido por la casa, sin saber qué hacer conmigo mismo. Nunca había sido aficionado a la jardinería, el golf me había aburrido las dos o tres veces que lo había jugado, y con setenta y seis años no tenía ningunas ganas de volver a los negocios. Hacer negocios para Marion había sido divertido, pero no estando ella para animar las cosas, no habría tenido ningún sentido. Pensé en marcharme de Kansas durante unos meses y ver mundo, pero antes de que pudiera hacer planes definidos, me salvó la idea de escribir este libro. No sé realmente cómo sucedió. Simplemente, se me ocurrió una mañana al levantarme de la cama, y menos de una hora después estaba sentado a una mesa en la sala del piso de arriba con una pluma en la mano garabateando la primera frase. No me cabía ninguna duda de que estaba haciendo algo que era preciso hacer, y la convicción que sentía era tan fuerte que ahora me doy cuenta de que el libro debió de venir a mí en un sueño, pero uno de esos sueños que no puedes recordar, que se desvanecen en el mismo instante en que te despiertas y abres los ojos al mundo.

He trabajado en él todos los días desde agosto del año pasado, avanzando palabra a palabra con mi torpe letra de viejo. Lo empecé en uno de esos cuadernos para redacciones escolares que venden en los almacenes de todo a cien, uno de esos de tapas de cartón que imitan el mármol blanco y negro y con anchas rayas azules, y ya he llenado casi trece, aproximadamente uno por cada mes que he estado trabajando. No le he enseñado una sola palabra a nadie, y ahora que estoy terminándolo, empiezo a pensar que debería seguir siendo así, por lo menos mientras yo esté vivo y coleando. Cada palabra de estos trece cuadernos es verdad, pero apuesto los dos codos a que no hay mucha gente que se las trague. No es que tema que me llamen mentiroso, pero soy demasiado viejo para perder el tiempo defendiéndome de los idiotas. Tropecé con suficientes Santos Tomases incrédulos cuando el maestro Yehudi y yo íbamos de gira, y ahora tengo otros pescados que freír, otras cosas en que ocuparme cuando acabe este libro. Mañana a primera hora iré al centro, a mi banco, y meteré los trece volúmenes en mi caja fuerte. Luego daré la vuelta a la esquina para ir a ver a mi abogado, John Fusco, y le pediré que añada una cláusula a mi testamento diciendo que dejo el contenido de esa caja a mi sobrino Daniel Quinn. Dan sabrá qué hacer con el libro que he escrito. Corregirá los errores ortográficos y le encargará a alguien que lo mecanografíe, y cuando *Mr. Vértigo* se publique, yo no estaré aquí para ver cómo tratan de matarme los hombres importantes y los retrasados mentales. Ya estaré muerto, y puedo asegurarles que estaré riéndome de ellos... Desde arriba o desde abajo, dondequiera que esté.

Durante los últimos cuatro años he tenido una asistenta que viene a limpiar la casa varias veces a la semana. Se llama Yolanda Abraham, y es de una de esas islas de clima cálido, Jamaica o Trinidad, no recuerdo cuál. No diría que es una persona habladora, pero nos conocemos desde hace suficiente tiempo como para tener una relación afable, y fue una gran ayuda para mí durante los últimos meses de Marion. Tiene entre treinta y treinta y cinco años y es una negra redonda con andares lentos y garbosos y una hermosa voz. Que yo sepa, Yolanda no tiene marido, pero sí tiene un hijo, un niño de ocho años que se llama Yusef. Todos los sábados durante los últimos cuatro años ella ha aparcado a su criatura en la casa conmigo mientras hace su trabajo, y habiendo observado a este crío en acción durante más de la mitad de su vida, puedo decir con toda justicia que es un incordio monumental, un gamberro infantil y un mocoso sabelotodo cuya única misión en la tierra es extender la confusión y la maldad. Para acabarlo de arreglar, Yusef es uno de los niños más feos que he visto en mi vida. Tiene una de esas caritas irregulares, flacas y asimétricas, y el cuerpo que la acompaña es un patético saco de huesos, aunque, kilo por kilo, es más fuerte y más flexible que los cuerpos de la mayoría de los defensas de la liga nacional de fútbol. Odio a este chiquillo por lo que les ha hecho a mis espinillas, mis pulgares y los dedos de mis pies, pero también me veo a mí mismo en él cuando tenía su edad, y dado que su cara recuerda a la de Aesop hasta un punto casi aterrador –tanto que Marion y yo nos quedamos con la boca abierta la primera vez que entró en la casa–, continúo perdonándole todo. No puedo remediarlo. El muchacho tiene el diablo en el cuerpo. Es descarado, grosero e incorregible, pero está iluminado por el fuego de la vida, y me hace bien observarle mientras se lanza de cabeza a un torbellino de problemas. Observando a Yusef, ahora sé lo que el maestro vio en mí y sé lo que quería decir cuando me dijo que yo tenía el don. Este muchacho también tiene el don. Si yo pudiera reunir el valor necesario para hablar con su madre, le tomaría bajo mi protección en un segundo. En tres años le convertiría en el siguiente Niño Prodigio. Empezaría donde yo lo dejé y al poco tiempo iría más lejos de lo que nadie ha ido nunca. Diantre, eso sería algo por lo que valdría la pena vivir, ¿no? Haría que todo el jodido mundo cantara de nuevo.

El problema está en las treinta y tres etapas. Una cosa es decirle a Yolanda que puedo enseñarle a su hijo a volar, pero una vez superado ese obstáculo, ¿qué pasa con lo demás? Hasta me dan náuseas al pensar en ello. Habiendo pasado por toda esa crueldad y tortura yo mismo, ¿cómo podría infligírselas a otra persona? Ya no hacen hombres como el maestro Yehudi, y tampoco hacen niños como yo: estúpidos, susceptibles, tercos. Vivíamos en un mundo diferente entonces, y las cosas que el maestro y yo hicimos juntos, hoy no serían posibles. La gente no lo consentiría. Llamarían a la policía, escribirían a su diputado, consultarían a su médico de cabecera. No somos tan resistentes como solíamos ser, y puede que el mundo sea un lugar mejor gracias a ello, no lo sé. Pero sí sé que no puedes conseguir algo a cambio de nada, y cuanto mayor sea lo que quieres, más tendrás que pagar por ello.

Sin embargo, cuando recuerdo mi espantosa iniciación en Cibola, no puedo evitar preguntarme si los métodos del maestro Yehudi no eran demasiado duros. Cuando finalmente me elevé del suelo por primera vez, no fue por nada de lo que él me había enseñado. Lo hice yo solo en el frío suelo de la cocina, y se produjo después de un largo ataque de sollozos y desesperación, cuando mi alma empezaba a abandonar mi cuerpo y yo ya no era consciente de quién era. Tal vez la desesperación era lo único que realmente importaba. En ese caso, las pruebas físicas a las que me sometió no eran más que un engaño, una distracción para hacerme creer que estaba logrando algo, cuando en realidad no había logrado nada hasta que me encontré tumbado boca abajo en el suelo de la cocina. ¿Y si no había pasos en el proceso? ¿Y si todo ocurría en un momento, en un salto, en un fugaz instante de transformación? El maestro Yehudi había sido entrenado en la vieja escuela, y era un mago haciéndome creer en sus abracadabras y su pomposa palabrería. Pero ¿y si su sistema no era el único sistema? ¿Y si había un método más simple y más directo, un planteamiento que empezara desde dentro y dejara completamente de lado el cuerpo? ¿Qué pasaría entonces?

En el fondo, no creo que haga falta ningún talento especial para que una persona se eleve del suelo y permanezca suspendida en el aire. Todos lo llevamos dentro –hombres, mujeres y niños–, y con suficientes esfuerzo y concentración, todo ser humano es capaz de duplicar las hazañas que yo realicé cuando era Walt el Niño Prodigio. Tienes que aprender a dejar de ser tú mismo. Ahí es donde empieza, y todo lo demás viene de ahí. Debes dejarte evaporar. Dejar que tus músculos se relajen, respirar hasta que sientes que tu alma sale de ti, y luego cerrar los ojos. Así es como se hace. El vacío dentro de tu cuerpo se vuelve más ligero que el aire que te rodea. Poco a poco, empiezas a pesar menos que nada. Cierras los ojos; extiendes los brazos; te dejas evaporar. Y luego, poco a poco, te elevas del suelo.

Así.